La maîtresse des Sept-Vents

Robin Lee Hatcher

La maîtresse des Quatre-Vents

Traduit de l'américain
par Jean-Paul Mourlon

Titre original :
GEMFIRE
A Leisure Book, Dorchester Publishing Co.,
Inc., New York

1

Virginia City, 1875

La brume de tabac emplissant le saloon piquait les yeux de Jane, restée debout derrière son père. Lucky McBride contemplait ses cartes : il tenait une quinte flush par la reine, sa meilleure main depuis longtemps. Elle le sentait plein d'enthousiasme. Jamais il n'avait disputé de mise aussi élevée. S'il gagnait, ils pourraient s'acheter… mais mieux valait ne pas y penser.

Jane contempla les hommes assis autour de la table. Trois joueurs avaient déjà renoncé ; son père et deux autres restaient seuls en course. Un nommé Barnes était placé juste en face de Lucky. Du même âge que lui, mal rasé, il avait de longs cheveux noirs et un tic de la joue droite. Ce qu'elle lisait dans ses yeux bruns – fuyants, méfiants, presque clos – le lui rendit aussitôt antipathique.

L'autre joueur avait une bonne vingtaine d'années. À en juger par sa tenue, c'était un cow-boy. Il était resté à peu près silencieux toute la partie, et ses superbes yeux couleur saphir observaient ses adversaires sans rien révéler de ce qu'il pensait.

— Alors, McBride, tu joues ou pas ? grommela Barnes.

Jane en revint à la partie – Barnes venait une fois de plus de faire monter les enchères. Cinq dollars, cette

5

fois. Tout ce que le père et la fille possédaient était déjà déposé sur la table recouverte de feutre vert. Si jamais il perdait, il ne leur resterait que les habits qu'ils avaient sur le dos.

— Tu prendrais une reconnaissance de dette?

Barnes éclata de rire.

— Laisse tomber, McBride, répondit-il avant de se tourner vers leur partenaire, qui semblait attendre avec impatience.

— Hé, Lucky! lança un mineur depuis le bar. Pourquoi ne pas parier Jane? Elle doit bien valoir un dollar ou deux!

Suant à grosses gouttes, son père se tourna vers elle, la regarda puis, brusquement, lui ôta son chapeau, révélant de courtes boucles blondes.

— Qu'en pensez-vous? demanda-t-il aux deux autres. Elle n'est pas extraordinaire, j'en conviens. Mais elle travaille dur et n'a pas l'habitude d'être dorlotée.

Jane sentit le regard froid de Barnes la dévisager; elle déglutit en essayant de dissimuler sa frayeur.

— Elle a près de quinze ans, poursuivit Lucky. Elle sera femme en un rien de temps! Et elle pourrait même être jolie!

Jane eut envie d'éclater en sanglots, de courir se cacher. Les hommes la regardaient depuis tous les coins du saloon. Certains ricanaient. Elle portait une vieille robe usée n'ayant plus ni forme ni couleur. Son corset la serrait, la jupe trop courte révélait les bottes poussiéreuses qui lui faisaient mal aux pieds. Elle savait n'être pas très jolie, détestait ses étranges yeux couleur émeraude, un peu relevés vers les bords, comme ceux d'un chat. Des taches de rousseur couvraient son nez retroussé et ses hautes pommettes, ses cheveux d'un blond doré étaient bien trop courts. Non, elle était loin d'être jolie, et tous ceux qui l'observaient le savaient. Comment donc son père pouvait-il l'humilier ainsi?

Barnes eut un sourire qui découvrit des dents jaunies.

— Quinze ans ? On lui en donnerait dix !

— Elle est toute petite.

— Bon, d'accord, McBride. Tu peux suivre.

Jane s'abstint de regarder le troisième joueur, trop occupée à prier que le sol s'entrouvre pour l'engloutir tout entière. Lucky McBride n'avait jamais été un père très à la hauteur. D'aussi loin qu'elle se souvienne, il l'avait toujours traînée d'une ville à l'autre, et ils avaient dormi plus souvent à la belle étoile que dans un lit. Elle avait eu faim plus d'une fois. Mais jamais elle n'aurait imaginé qu'il lui ferait une chose pareille ! Elle ferma les yeux pour retenir ses larmes et tout oublier de ce qui l'entourait.

— Une quinte flush par la reine, dit son père d'une voix jubilante.

— Pas si vite, vieil imbécile ! Tu n'es qu'un tricheur, et je n'aime pas ça !

Il y eut des coups de feu : la salle parut exploser d'un coup. Jane ouvrit les yeux juste au moment où Lucky s'affaissait sur la table. Barnes, debout, avait l'air surpris : son arme lui échappa, tomba sur le sol à grand fracas. Puis, comme au ralenti, il s'effondra. Ses yeux étaient toujours ouverts, mais il ne voyait plus rien.

Jane effleura l'épaule de son père.

— Papa ? Papa ?

La tête de Lucky roula sur le côté.

— Je crois qu'il est mort, mademoiselle.

Abasourdie, elle se tourna vers l'homme aux yeux bleus. Il était debout et tenait encore son revolver.

— Vous l'avez tué !

Il secoua la tête en rengainant son arme.

— Non. C'est Barnes. J'ai simplement veillé à ce qu'il ne tue personne d'autre.

— Je n'aurais jamais cru que Barnes était sot à ce point ! lança une voix derrière Jane.

— La mise revient à quelqu'un, dit un homme.

— Tu penses à la fille ? demanda un autre.

Jane ne perdit rien des gloussements et des plaisanteries salaces mais, bien que morte de peur, n'avait aucune intention de le montrer. Se penchant pardessus le corps de son père, elle s'empara de l'argent déposé sur la table. Au moins elle ne mourrait pas de faim.

L'homme aux yeux saphir étendit quatre rois sur le tapis de feutre.

— Désolé, mademoiselle. Le pot est à moi. Vous feriez mieux de m'accompagner.

Jane resta incrédule. Son père avait joué tout ce qu'il possédait, y compris sa fille unique ; il s'était fait tuer, accusé à tort de tricher ; son assassin gisait sur le sol, aussi mort que lui ; et voilà qu'un inconnu lui disait de l'accompagner !

— Pas question ! répondit-elle en croisant les bras d'un air farouche.

— Comme vous voudrez, dit-il en haussant les épaules.

S'emparant de la mise, il en déposa le montant dans ses fontes. Elle crut qu'il allait partir, mais il eut un mouvement brusque et la jeta sur son épaule. Des rires bruyants ébranlèrent le saloon.

Jane fut d'abord trop stupéfaite pour réagir. Mais quand, une fois dehors, il entreprit de monter en selle, elle se mit à crier :

— Lâchez-moi donc, espèce de fils de pute !

Il se contenta de la fesser d'une main :

— Du calme, petite fille ! Pas question de me faire injurier par une gamine !

Elle en fut trop ahurie pour protester davantage.

Il se tourna vers un homme à barbe grise qui les observait depuis l'entrée du saloon :

— Silva, raconte au shérif ce qui s'est passé, et veille à ce que McBride ait droit à des funérailles décentes.

Les Quatre-Vents paieront la note. Dis-lui aussi que j'emmène la fille chez tante Enid. S'il a des questions, qu'il vienne me voir, mais je crois qu'il y a eu assez de témoins pour qu'il sache ce qui est arrivé.

L'homme hocha la tête en silence.

— Regarde si tu peux retrouver ses affaires et les faire envoyer au ranch, ajouta le ravisseur de Jane avant de quitter la ville à cheval.

Toujours perchée sur son épaule, Jane était trop occupée à tenter de respirer pour se plaindre mais, une fois qu'il eut fait prendre le trot à sa monture, elle entreprit de lui dire le fond de sa pensée, jurant comme un charretier tout en le frappant à coups de poing et de pied.

Brusquement, il arrêta son cheval et la jeta à terre.

— Écoute, lança-t-il d'un ton sec, je t'ai dit de te tenir tranquille. Je ne veux pas te faire de mal, simplement t'aider.

Jane se releva aussi vite qu'elle put, mit les mains sur les hanches et leva la tête pour affronter son regard.

— M'aider ? Et comment ? En me traînant je ne sais où ? En volant l'argent qui aurait dû revenir à mon père ? Espèce de…

— Jeune fille, si tu jures encore, je te tanne si fort les fesses que tu ne pourras plus t'asseoir pendant un an, dit-il d'un ton sans réplique. Tu aurais préféré que je te laisse dans le saloon ? Retournes-y, si tu y tiens ! Tu y seras avant le soir ! Je suis sûr que plus d'un en ville sera ravi de t'accueillir pour la nuit.

Jane fut aveuglée par les larmes. Que faire ? Elle savait ce qui l'attendait à Virginia City : son argent disparaîtrait, ses chevaux lui seraient volés, ou pire encore – et que deviendrait-elle ? Elle était seule, sans amis, sans endroit où aller.

Sautant à terre, il lui tendit son mouchoir.

— Tiens.

Elle s'essuya les yeux, puis se moucha.

— Où m'emmenez-vous? demanda-t-elle d'une toute petite voix, en se haïssant de paraître aussi faible.

— Au ranch de mon oncle, les Quatre-Vents. Ma tante Enid s'occupera de toi, dit l'homme avant d'ajouter avec un sourire : ce sont des gens très gentils. Viens-tu?

Levant les yeux, elle se dit qu'il ne paraissait pas vouloir lui faire du mal. Il la regardait de toute sa hauteur, mais n'avait pas l'air menaçant et semblait presque affectueux.

— Je ne demande pas la charité, dit-elle en reniflant.

— Je sais, répondit-il en remontant à cheval.

Puis il tendit la main :

— Viens-tu?

Elle retint son souffle un instant, se décida :

— Quel est votre nom?

— Chase Dupré. Heureux de faire votre connaissance, mademoiselle McBride.

Il la fit monter derrière lui, puis éperonna sa monture qui partit au grand galop. Pour ne pas tomber, Jane se serra contre lui, en sentant les larmes lui revenir.

Chase se demandait ce qui lui avait pris. Pourquoi n'être pas allé directement chez Stewart, au lieu de faire un détour par Virginia City pour une petite partie de cartes?

Le vieux était déjà assis à la table de jeu avec Barnes et les autres quand Chase avait demandé à se joindre à eux. Il n'avait pas prêté attention à la gamine – au demeurant, on ne pouvait en voir grand-chose avec ce chapeau.

Chase avait été pris d'une fureur glacée à voir McBride jouer sa propre fille. Ayant quatre rois en main, il savait que la mise lui reviendrait : mais que diable allait-il faire d'elle? Pour autant, pas question de la laisser à la garde de son père.

Voyant Barnes sortir son arme, il s'était dressé d'un bond, dégainant aussi, mais trop tard. Lucky McBride était déjà mort quand son assassin s'était effondré à son tour.

Et il se retrouvait avec la fille. Il savait que tante Enid l'accueillerait à bras ouverts. L'oncle Frank froncerait les sourcils, prendrait un air sévère, mais il serait ravi. Chase ne connaissait personne qui fût plus accueillant, plus aimant, que son oncle et sa tante. Il était prêt à parier qu'en un clin d'œil Jane parlerait comme une dame.

Il sourit. C'est le jeu qui l'avait mis dans un tel pétrin. Peut-être sa tante avait-elle raison : jouer aux cartes était le chemin de la perdition. Mieux valait ne pas retourner à Virginia City, sinon il serait vite à la tête d'un véritable orphelinat.

Il leur fallut près de deux heures avant d'arriver aux Quatre-Vents : une grande demeure à étage, peinte en gris perle, avec des volets rouges et trois cheminées. Jamais Jane n'en avait vu d'aussi belle ; de nouveau elle fut envahie par la peur. Une femme sortit sur la véranda, s'essuyant les mains sur son tablier. Grande, mince, elle avait les cheveux gris et un visage buriné mais amical.

— Chase, pourquoi diable es-tu revenu ? Je te croyais parti chez Len Stewart voir son nouveau taureau ? Et qui donc as-tu ramené avec toi ? poursuivit-elle en jetant un coup d'œil à Jane.

Il aida la jeune fille à descendre de cheval, puis lança :

— C'est une longue histoire, tante Enid… je l'ai gagnée au poker à Virginia City. Elle s'appelle Jane McBride ; son père vient de se faire tuer. Elle ne savait où aller, alors je l'ai emmenée avec moi. J'ai pensé que tu en serais d'accord.

Enid Dupré descendit en toute hâte les marches de la véranda et prit Jane dans ses bras :

— Ma pauvre enfant ! Ce doit être horrible pour toi !

Puis elle se tourna vers Chase :

— Tu as bien fait.

Se dirigeant vers la demeure, tenant la jeune fille par la main, elle dit à son neveu :

— Tu n'entres pas ?

— Non, mieux vaut que j'aille chez Stewart avant que l'oncle Frank n'apprenne que j'ai fait un détour par Virginia City, répondit Chase en souriant. Je ne sais trop ce qu'il va penser de mes gains au poker !

— Ne fais pas attention à lui, ma fille, dit Enid à Jane. Entre, je vais nous préparer du thé. Tu te sentiras un peu mieux.

Jane se retint à grand-peine d'éclater en sanglots. Ce n'était pourtant pas son genre, mais aujourd'hui elle semblait ne rien pouvoir faire d'autre, surtout face à la femme qui l'accueillait avec tant de gentillesse – jamais personne ne s'était montré aussi accueillant. La jeune fille se sentait en sécurité, et cela suffisait, ne serait-ce que pour un bref instant. Demain, il lui faudrait échafauder des projets, décider que faire et où aller, mais pour le moment quelqu'un prenait soin d'elle.

Elle se réveilla dans le grand lit de la chambre située à l'étage. Ouvrant les yeux, elle crut d'abord rêver encore. Mais non : c'était la réalité.

S'appuyant contre les oreillers, elle regarda autour d'elle. D'épais tapis recouvraient le sol, des rideaux étaient accrochés aux fenêtres. Il y avait sur une table une cruche rose et crème, une bassine, et juste à côté des serviettes propres posées sur une chaise. Le lit à baldaquin où elle avait dormi était couvert d'épais édredons – les nuits sont toujours froides dans le Montana.

Jane n'avait jamais connu un tel luxe ; se lever lui fut difficile. Elle se souvint du bon bain chaud qu'on lui avait préparé la veille au soir, dans une vraie salle de bains ! Tante Enid lui avait donné un savon au parfum merveilleux dont elle gardait encore l'odeur.

Puis elle avait été conduite dans cette chambre, mise au lit, avant de se voir offrir un bol de soupe chaude et du pain fraîchement cuit ; et, sans même s'en rendre compte, elle avait plongé dans un sommeil rempli de rêves agréables.

Mais le matin était venu ; elle allait devoir affronter la réalité. Son père était mort – à quinze ans, elle se retrouvait seule, sans un sou. Sa mère, disparue quand elle en avait quatre, n'était plus qu'un lointain souvenir.

Jane redressa les genoux, les entoura de ses bras et y posa le menton, contemplant sans la voir la fenêtre par laquelle le soleil matinal jetait sa lumière sur les tapis. Son père l'avait jouée au poker, Chase avait gagné et, que cela lui plût ou non, elle lui appartenait. Pas légalement, certes, mais… Peut-être était-ce de l'orgueil : elle ne voulait pas que Chase puisse croire une McBride incapable d'honorer un pari.

Il lui faudrait donc payer sa dette, découvrir ce qu'elle valait, à tous les sens du terme, et rembourser.

Rejetant les couvertures, elle se leva, cherchant des yeux ses vêtements, mais ils n'étaient plus là où elle les avait déposés la veille. À leur place, une jolie paire de mules, de la lingerie et une robe rose aux minuscules boutons fleuris. Elle la prit pour la frotter contre sa joue, émerveillée de sa douceur. Puis elle ôta sa chemise de nuit et se vêtit presque avec crainte.

Une brosse était posée sur la coiffeuse. Jane voulut la prendre, puis s'arrêta net et contempla, incrédule, son propre reflet dans le miroir. Était-ce vraiment Jane McBride qu'elle y voyait ? À l'exception des maudites taches de rousseur qui couvraient son petit nez, cette jeune fille si bien vêtue paraissait presque jolie, même avec ses boucles trop courtes. Jane se pencha. Oui, presque...

Après s'être brossé les cheveux, elle sortit de la chambre en toute hâte. Il lui fallait voir Chase avant qu'il n'entame sa journée de travail.

Descendant l'escalier, elle se dirigea vers l'arrière de la demeure en suivant l'étroit corridor menant à la cuisine. Une délicieuse odeur de lard frit, d'œufs et de crêpes s'en vint lui chatouiller les narines.

Levant les yeux, Enid lui lança :

— Bonjour, Jane ! Mon Dieu, regardez-la ! Tu es bien jolie ce matin ! J'espérais bien que cette robe t'irait ; je savais que tu avais la taille de Chantal, bien qu'elle ait été un peu plus jeune que toi. Je suis ravie qu'elle t'aille si bien.

— Merci, madame Dupré. Elle est très jolie, je vous remercie de me l'avoir prêtée, et...

— Ah non, pas de « madame Dupré » ! Il faudra que tu m'appelles tante Enid, après tout tu vas vivre avec nous. Et je ne te « prête » pas cette robe, elle est à toi !

— Tante Enid ? Vivre ici ? répondit Jane, incrédule. Il faut que je voie votre neveu, est-ce qu'il est là ?

— Chase ? Oh que oui ! Je crois que tu le trouveras dans la grange. Une jument doit bientôt pouliner, il est là-bas chaque matin. Va donc le prévenir que son petit déjeuner est prêt ! Tu pourras lui dire tout ce que tu veux ensuite.

Jane la remercia puis sortit.

La grange était pleine d'une odeur de foin mêlée de remugles de crottin, de sueur et de poussière. Elle trouva Chase dans une stalle avec la jument, à qui il frottait le dos en lui parlant doucement.

— Ce ne sera plus très long, ma fille ! Tu auras un beau poulain avec de longues jambes et un énorme appétit, et il se mettra à courir autour de toi en un clin d'œil ! C'est pour ce soir !

14

— Comment le savez-vous ? intervint Jane.

Il leva les yeux, sans paraître surpris :

— Viens voir ses mamelles, elles sont toutes gonflées, on les dirait couvertes de cire. Ça veut dire que c'est pour bientôt.

Les yeux de Jane croisèrent ceux de Chase ; elle ressentit une sensation bizarre dans l'estomac. Le jeune homme avait fière allure, et de beaux yeux bleus.

— Je ne vous ai pas revu hier soir.

— Il faut du temps pour aller chez Stewart.

— Tante Enid m'a chargée de vous dire que votre petit déjeuner est prêt.

— Le tien aussi, sans doute ! Allons-y !

Il lui sourit tout en avançant à longues enjambées très souples.

— Attendez ! Je… il faut que je vous parle.

— On ne peut pas discuter autour du petit déjeuner ?

— Non, dit-elle en le prenant par le bras. Vous ne comprenez pas. Votre tante semble penser que je vais rester ici – enfin, pour longtemps. Je crois qu'il faut que nous parlions. Je sais bien que vous m'avez gagnée au poker, et je ne veux pas me dérober. Dites-moi comment je peux vous rembourser, et je travaillerai pour régler ma dette. Mais je ne peux y arriver si votre tante pense que je ne suis qu'une invitée.

Il eut un grand sourire et lui ébouriffa les cheveux :

— D'accord, petite ! J'y penserai ! Maintenant allons déjeuner ; je meurs de faim.

On était grand, chez les Dupré ; Jane s'assit dans la cuisine en se sentant minuscule. Enid et Chase s'assirent à sa gauche, Frank à sa droite. L'oncle et le neveu attaquèrent le déjeuner avec appétit, remplissant leur assiette de crêpes, d'œufs, de viande de porc.

— Comment va ta jument ? demanda Frank.

Jane n'écouta pas la réponse, trop occupée à examiner toute la famille, en commençant par Chase. La veille, elle n'avait guère remarqué que ses yeux bleus. Il avait vraiment fière allure. Un visage ovale bronzé par le soleil, une mâchoire très ferme, un nez aquilin ; de larges épaules et des bras musclés qu'on discernait sous sa chemise bleue. Mais sa force allait plus loin que cela. Elle la sentait dans son humour râpeux, sa démarche confiante, et même dans le timbre grave de sa voix.

Le regard de Chase croisa le sien et elle se sentit envahie d'une chaleur apaisante. Baissant les yeux, Jane se mit à manger, sans guère y prendre garde ; elle ne releva la tête qu'une fois certaine de ne plus rougir, et se tourna vers Frank Dupré. C'était une sorte de réplique plus âgée de Chase, au visage buriné par le temps et les éléments, mais il se tenait encore bien droit. Ses yeux bleus, plus sombres que ceux de son neveu, semblaient chargés d'une sagesse paisible. Un tel homme ne devait pas redouter l'avenir. Il avait appris à accepter la vie, ses joies comme ses peines.

Jane connaissait déjà la gentillesse d'Enid Dupré. Les yeux gris paraissent souvent froids, voire intimidants ; mais ceux d'Enid étaient chaleureux et aimants, et elle avait le même sourire que son mari et son neveu. Mince, noueuse, elle était pourtant beaucoup plus grande que Jane et, elle aussi, témoignait d'une force et d'une assurance tranquille typiques de la famille.

— Oncle Frank, Jane veut qu'on sache qu'elle n'est pas notre invitée, et tient à savoir ce qu'elle peut faire pour payer sa dette et gagner son pain.

Ramenée à la réalité par les paroles de Chase, Jane déglutit et le dévisagea sans se rendre compte qu'il refrénait un sourire, puis se tourna vers l'oncle. Celui-ci fronça les sourcils :

— Jane, ne t'inquiète donc pas de tout ça. Personne ici ne te prend pour une invitée !

Jane serra les poings sous la table, combattant la peur soudaine qui lui retournait l'estomac. Que pensaient-ils d'elle ? Que lui réclameraient-ils en échange de sa liberté ?

— Tu ferais mieux d'admettre que tu fais désormais partie d'une famille qui travaille dur pour que les Quatre-Vents prospèrent. Tu gagneras ton pain aussi longtemps – il eut un sourire espiègle – que tu m'appelleras oncle Frank, et nous nous entendrons bien.

— Et je t'ai déjà dit de m'appeler tante Enid !

Chase entama une autre assiettée de crêpes :

— Si bien qu'en fait tu es ma cousine ! Bienvenue dans la famille Dupré, Jane.

Le regard de celle-ci passa de l'un à l'autre :

— Mais… mais vous ne savez rien de moi ! Je pourrais… je pourrais être une voleuse, vous dépouiller pendant la nuit. Vous ne pouvez pas simplement m'accepter comme ça… comme…

Elle sentit les larmes lui monter aux paupières et dut s'interrompre pour les contenir.

— Trop tard, ma chérie, lança Enid en souriant. Nous avons déjà décidé que tu resterais ici – nous y tenons !

Tout cela était absurde. Pourquoi une famille aussi aisée l'accueillerait-elle en son sein ? Comment croire à leur gentillesse, qui devait avoir une raison ? Et pourtant, Jane voulait leur faire confiance, appartenir à cette famille, à ce ranch, comme jamais de toute sa vie.

— Je resterai, dit-elle doucement. Mais pour combien de temps… je ne peux pas promettre, ajouta-t-elle avec un mouvement de menton.

— Marché conclu ! s'exclama Frank. Tu nous essaies un moment, et je crois que tu finiras par nous aimer !

Il éclata de rire et reprit son petit déjeuner.

Qu'elle les aime aurait pu demander du temps – ou même ne jamais se produire. Jane pensait à repartir dès le lendemain. Elle se contenterait d'oublier le pari de son père et s'en irait. De toute façon, depuis la mort de sa mère, jamais elle n'avait eu de vrai foyer, ne demeurant jamais longtemps au même endroit. Ils ne pourraient la convaincre de rester. Elle n'appartenait pas à cette opulente demeure, à cette famille qui voulait la traiter comme l'une des leurs. Elle était Jane McBride, fille de Lucky McBride ; une orpheline sans grande éducation, et qui jurait aussi bien qu'un ouvrier des chemins de fer. Non, elle ne serait pas à l'aise ici.

Elle allait partir et songeait déjà à prévoir quand et comment. C'est bien ce qu'elle aurait fait si quelque chose d'inattendu ne s'était produit : le soir même, elle tomba amoureuse des Dupré – ou plus exactement, et comme il fallait s'y attendre, de Chase.

2

La jument de Chase mit bas vers minuit ; il s'était déjà rendu plusieurs fois auprès d'elle pendant la soirée, Jane le savait : incapable de dormir, elle contemplait la scène depuis la fenêtre de sa chambre. Comme il ne sortait pas de la grange, la curiosité l'emporta et elle alla le rejoindre.

La nuit de juin était glacée, mais la grange paraissait tiède. La jument était allongée sur le flanc, respirant lourdement. Chase était derrière elle, penché pour la regarder et attendre. Il leva les yeux quand Jane survint.

— Le poulain arrive ? demanda-t-elle.

— Ça ne devrait pas tarder.

— Je peux rester ?

— Bien sûr, mais assise dans un coin. Parfois les juments sont nerveuses quand on les observe lorsqu'elles poulinent.

S'agenouillant, la jeune fille s'installa dans la paille répandue sur le sol.

— Doucement, Kansas, chuchota Chase à l'adresse de la bête.

Les minutes s'écoulèrent en silence. Jamais Jane ne sut pourquoi Chase s'était mis à lui parler. Peut-être était-ce simplement pour rompre le silence de l'attente, peut-être la douce tiédeur de la stalle leur donnait-elle l'impression d'être seuls au monde.

— Oncle Frank était le frère de mon père, tante Enid la sœur de ma mère. Ils se sont rencontrés au mariage de mes parents. Tante Enid aurait dû épouser quelqu'un d'autre…

Son visage se rembrunit, comme s'il venait d'évoquer un événement pénible ; puis il reprit :

— Mais elle s'est enfuie avec mon oncle quelques jours plus tard. Tous les quatre sont allés chercher fortune en Californie. Ils n'ont pas trouvé beaucoup d'or et ont découvert que mieux valait vendre du bétail à des mineurs affamés.

Chase sourit :

— J'adore les entendre raconter ces années. Tante Enid dit que c'était un endroit sauvage, mais je crois qu'elle aimait ça. Je suis né à San Francisco ; je n'en garde aucun souvenir, car nous sommes vite partis nous installer dans l'Oregon. Mon père s'appelait John ; oncle Frank et lui ont rassemblé un troupeau en échangeant une vache bien grasse contre deux maigres. La ruée vers l'or s'est ensuite déplacée vers le Montana, ils ont décidé de venir ici et d'y bâtir un ranch. Mon père s'était rendu dans le comté de Madison, ça lui avait plu : il pensait que ce serait une bonne terre à bétail. Après ma naissance, ma mère n'a plus eu d'enfants, mais tante Enid a eu un fils et une fille, mes cousins, Paul et Chantal.

— Elle m'a dit que je portais sa robe. Qu'est-elle devenue ?

— Tous sont morts à l'hiver 1866.

Elle le regarda à la lueur jaunâtre de la lampe accrochée à un clou. Son visage était plein de chagrin, mais sans amertume.

— Ma mère, qui s'appelait Denise, était la plus jolie femme qu'on puisse voir ; elle était douce et gaie, mais pas aussi forte que tante Enid. Quand nous avons tous attrapé la fièvre, elle a été la première à partir. J'ai toujours pensé que mon père était mort pour la rejoindre.

Jane n'avait jamais entendu personne parler ainsi. Comment imaginer que des gens puissent s'aimer au point de mourir ensemble ? Puis Chase la regarda et elle se dit que peut-être elle comprenait, après tout – car son cœur se mit à battre.

Il ne se souvenait pas d'avoir jamais parlé aussi longtemps. Il y avait en Jane quelque chose qui l'attirait, sans qu'il sût quoi. Il se demandait quelle vie elle avait bien pu mener, avec un père tel que Lucky McBride. Tout cela s'était bien mal terminé, mais au moins les choses iraient mieux pour elle, désormais. Et la présence de Jane ferait du bien à tante Enid. Celle-ci avait besoin d'une fille à élever – et Jane d'une mère.

Celle-ci eut un sourire hésitant qu'il lui rendit. À bien y réfléchir, ce serait amusant qu'elle soit là. Elle avait du cran. Et assez mignonne, de surcroît, maintenant qu'elle était récurée. Chase avait grandi pratiquement sans compagnons de son âge. Avoir une petite cousine serait très plaisant. Finalement, son petit voyage à Virginia City en avait valu la peine.

— Il arrive.

— Quoi donc ?

— Le poulain ! dit-il doucement.

Jane détourna le regard pour mieux observer. Les pattes et le museau vinrent d'abord puis, au bout de ce qui parut une éternité, mais ne prit que quelques minutes, ce fut terminé. La jument leva la tête pour regarder son petit puis, quelques instants plus tard, se releva et commença à le renifler.

— C'est un *pinto* comme elle ! s'exclama Jane, tout excitée. Qu'il est beau ! Regarde-le, Chase !

Le nouveau-né, noir et blanc, était trempé des pieds à la tête.

— Il te plaît ? demanda Chase.

— Oh oui !

— Alors, il sera à toi si tu promets de prendre bien soin de lui.

— À moi ? dit-elle, les yeux ronds. Chase, je ne peux pas ! Enfin, je… je…

Il eut un grand sourire et, tendant la main, lui ébouriffa une nouvelle fois les cheveux.

— Allons, petite ! J'y tiens ! Dis-toi que c'est un cadeau de ton nouveau cousin.

L'été s'étendait devant Jane, plein de promesses d'une vie nouvelle. Jamais elle n'avait été aussi heureuse – et aussi malheureuse. À quinze ans, elle aimait pour la première fois – mais pour Chase elle restait une gamine aux boucles trop courtes, une simple cousine qu'on pouvait taquiner, avec qui rire et plaisanter. Et rien de plus.

Dès le début, pourtant, il se montra très gentil avec elle. Il lui apprit à monter à cheval comme un cow-boy, à séparer un bœuf du reste du troupeau, à déchiffrer les signes sur une piste, à déceler un orage d'été. Il tenta même de lui apprendre à tirer, d'abord avec son colt 45, puis avec sa Winchester, mais Jane ne pensait pas devenir jamais une tireuse d'élite. Elle ne pouvait se concentrer sur la cible quand il l'entourait de ses bras pour bien lui montrer les gestes nécessaires. Pire encore, il ne se rendait compte de rien et se contentait de la plaisanter.

Elle lui était en revanche très supérieure au poker. Il en fut trop impressionné pour se rendre compte qu'elle trichait effrontément. Lucky McBride n'avait pas appris grand-chose à sa fille : à lire, à écrire – et à reconnaître ceux qui trichaient aux cartes. Jane aurait pu dire bien des choses désagréables sur son père, mais il fallait reconnaître que lui-même n'était pas du nombre. Ils n'auraient pas si souvent été à court d'argent, sinon ; il y avait peu de joueurs plus honnêtes que Lucky McBride.

Jane avait aussi beaucoup d'affection pour les autres membres de la famille. Tante Enid était une femme aimante, honnête, travailleuse, qui aimait la nouvelle venue. Celle-ci aurait aimé être la fille qu'Enid avait perdue, mais ce n'était pas possible. Tentant de l'aider à préparer les repas, elle comprit vite que ses talents de cuisinière étaient encore plus limités que ceux de tireuse. Et elle n'avait pas grand-chose d'une dame. Enid lui fit plusieurs jolies robes, lui donna des affaires de Chantal, emballées depuis des années, mais Jane se sentait mieux dans une de ces jupes de cuir qu'on porte pour monter à cheval. À dire vrai, rubans et fanfreluches ne lui importaient guère ; elle voulait passer tout son temps avec Chase, qui travaillait sur le ranch.

En revanche, plaire à Frank ne posa aucun problème. C'était un passionné de chevaux. Quand il vit Jane avec le poulain de Kansas, qu'elle avait baptisé Wichita, il eut le sentiment d'avoir trouvé une âme sœur. Jane adorait aussi l'aider à s'occuper de ses animaux.

La jeune fille devint également la mascotte des cowboys qui travaillaient aux Quatre-Vents ; il y avait même parmi eux un ou deux admirateurs, bien qu'elle n'accordât aucune attention à leurs menues prévenances. Phil Matthews, un vieux briscard présent depuis la création du ranch, lui apprit à faire claquer un fouet et à manier le lasso, tandis que Teddy Hubbs consacrait plusieurs soirées à l'initier à l'harmonica.

Tout aurait été parfait si Chase ne s'était montré aveugle à son amour. Il n'y eut qu'un incident déplaisant au cours de ce premier mois. Elle n'oublierait pas de sitôt sa première rencontre avec Powell Daniels.

On était milieu juillet, par une chaleur accablante. Son travail achevé, Jane, sellant un cheval, était partie à la recherche de Chase. C'est ainsi qu'elle croisa Daniels près d'une crique. Sortant des montagnes, il se dirigeait vers la rivière Madison, de l'autre côté de la vallée. Elle venait de mettre pied à terre pour boire quand elle entendit une voix :

— Hé hé! Qui va là?

Elle se redressa d'un bond.

C'était un homme immense, bien qu'un peu moins grand que Chase, au torse et aux bras massifs. Ses yeux noisette se plissèrent tandis qu'il la contemplait par-dessus son nez proéminent.

— Qui êtes-vous? Et que faites-vous ici? lança-t-elle d'un ton agressif.

— C'est ce que je me demandais à votre sujet, ma petite dame, dit-il en sautant à bas de son cheval.

Jane se rapprocha de sa monture en se demandant si elle pourrait s'emparer de son fusil.

— Je vis ici.

— Toi? dit-il en levant des sourcils broussailleux. Je n'aurais pas oublié une aussi jolie frimousse si je l'avais déjà vue dans les environs.

— Je ne me souviens pas vous avoir vu non plus!

Son instinct lui dit que l'homme avait vu ce que Chase ne savait pas voir; elle était désormais une jeune fille. Il avait dans les yeux une lueur déplaisante.

Il s'avança lentement et posa une main énorme sur la selle du cheval de Jane.

— J'étais simplement venu voir Chase. Si tu habites ici, pourquoi ne pas y aller ensemble? lança-t-il avec un grand sourire. Sinon, il va se demander ce que j'ai fait de mes bonnes manières! Au fait, je m'appelle Powell Daniels, je suis des Grands Pins. Nous sommes voisins, petite.

Elle sentit qu'il n'était pas l'ami des Dupré. Un homme dangereux; la façon dont il la dévisageait l'effrayait, mais pas question de le lui montrer.

— Ôtez votre main de mon cheval, monsieur.

— Allons, petite, dit-il en se rapprochant, pourquoi se montrer aussi hautaine?

— Je vous préviens...

Il rit, mais son visage s'était rembruni:

— Qu'est-ce que tu vas croire ? Ah, je vois ! Tu penses que j'irais perdre mon temps avec une petite maigrichonne comme toi ? Encore qu'à y réfléchir, ça vaudrait peut-être la peine.

Il s'avança et voulut lui caresser le visage.

Sans même réfléchir, elle le gifla.

— Espèce de petite…

— Touchez-moi et je vous tue, lança Jane, qui parlait sérieusement.

Il parut la prendre au sérieux et recula d'un pas. Puis il leva les bras au ciel.

— Bon, bon, laissons faire le temps, petite fille. Mais je serai là ! Powell Daniels ne se laisse jamais intimider par un refus !

Il eut un nouveau sourire espiègle.

C'est à ce moment, de l'autre côté de la rivière, que Chase apparut en haut de la crête et arrêta net son cheval. Il eut un regard mauvais en reconnaissant Daniels.

— Qu'est-ce que tu fabriques ici ? lui lança-t-il d'une voix froide.

— Je parlais à cette jolie petite fille qui me dit habiter aux Quatre-Vents. C'est vrai, Chase ? Ce n'est pas bien de l'avoir cachée à tous ces gars solitaires, qui seraient ravis de venir lui dire un petit bonjour !

— Ne touche pas à Jane, répliqua Chase en faisant traverser la rivière à son cheval. Disparais des Quatre-Vents, tu nous feras plaisir.

— Pas besoin d'être désagréable, Chase, dit Powell, dont le visage rougeaud démentait les paroles apaisantes. Nous nous reverrons, mademoiselle ! s'écriat-il en se tournant vers Jane. Et je te promets que nous deviendrons bons amis !

— Quand les poules auront des dents ! Je préférerais fréquenter des porcs dans leur bauge !

Ce qui le rendit furieux ; elle pouvait le voir à ses yeux.

— Tu ne pourras pas m'éviter indéfiniment, dit-il d'une voix très basse. Le temps viendra régler tout ça.

Jane recula comme s'il l'avait frappée, soudain effrayée par son ton menaçant; elle venait de se faire un ennemi.

Powell remonta en selle avec une rapidité surprenante pour un homme aussi lourd, puis s'éloigna sans mot dire.

Chase survint.

— Prends garde à lui, Jane. Ce n'est pas quelqu'un de bien. Il n'y a plus d'homme digne de ce nom aux Grands Pins depuis le départ de Rod, et je me suis toujours demandé comment Josh Daniels pouvait avoir engendré quelqu'un comme Powell.

Elle était remontée en selle :

— Rodney Daniels? C'est un parent de Powell?

Jane ne pouvait y croire. Rod, qui travaillait pour les Dupré, était un homme très maigre, aux cheveux blonds, aux yeux bruns, qui avait toujours le sourire.

— Son frère cadet. Rod ressemble à feu sa mère – que Dieu ait pitié de son âme ! –, mais Powell est le portrait craché de son père. Souviens-toi bien : exception faite de Rod, les Daniels sont des gens mauvais. On les supporte, mais si ça ne tenait qu'à moi, je les préviendrais qu'à leur prochaine intrusion aux Quatre-Vents je les accueillerai à coups de fusil ! L'oncle Frank dit toujours qu'il faut nous comporter en bons voisins, mais il ignore ce que je sais sur Josh Daniels et son fils.

C'était là un aspect de Chase qu'elle ignorait. Il y avait dans sa voix plus que de la colère : de la haine, et elle en fut épouvantée. Jane avait eu l'occasion de voir à quel point il tirait vite, et se demanda si Powell Daniels serait plus rapide ou non.

Elle détourna le regard pour suivre le cavalier qui s'éloignait.

— Je serai prudente.

Il faudrait bien des années avant que Jane comprenne les rancœurs qui opposaient les familles Dupré et Daniels, et qu'il y aurait bien du sang versé avant qu'elles ne s'épuisent.

3

Cette déplaisante rencontre fut vite oubliée au milieu des préparatifs frénétiques de la grande fête annuelle des Quatre-Vents : il y aurait un barbecue, on danserait… À mesure que la date approchait, les hommes trouvaient toujours plus de prétextes de s'absenter avant que tante Enid ne leur confie une tâche supplémentaire. Jane l'aidait sans arrière-pensée, tout en devenant chaque jour plus nerveuse. Jamais elle n'avait pris part à un tel événement ; jamais elle ne serait à la hauteur, mais comment risquer de chagriner la tante en refusant d'y assister ? d'autant plus qu'Enid lui avait offert une robe toute neuve.

Le jour arriva enfin. L'aube se leva ; le ciel était clair, tout annonçait une chaleur accablante. Les invités commencèrent d'arriver peu avant midi. Jane, avec Enid et Frank, les accueillit, et fut présentée à tous ceux qui vivaient dans un rayon d'une centaine de kilomètres – ce fut du moins son impression. Elle se sentait peu sûre d'elle-même dans la robe de batiste jaune qu'Enid avait cousue pour elle ! Les mules de satin étaient un peu trop étroites, sa jupe de cuir lui manquait, comme ses bottes. Jane aurait nettement préféré s'occuper des chevaux plutôt que d'assister à une fête où elle avait l'impression d'être un poisson hors de l'eau.

Elle espérait que les choses finiraient par s'arranger, mais l'arrivée de la famille Mills, venue de Virginia City, marqua la promesse d'une journée ratée.

Enid fit les présentations :

— Monsieur Mills, voici Jane McBride, qui est venue vivre chez nous, ce dont nous sommes ravis : elle est la nièce que nous n'avons jamais eue. Jane, voici monsieur Jedediah Mills et sa famille ; il est attorney à Virginia City.

Il eut un signe de tête un peu guindé.

— Ravi de vous rencontrer, mademoiselle. Voici mon épouse Christina, et ma fille Carol Ann. J'espère que vous deviendrez bonnes amies.

Jane croisa les grands yeux bruns de la nouvelle venue et sut aussitôt que M. Mills se trompait. Carol Ann était une très belle jeune femme, assez grande, un peu plus âgée qu'elle, au teint pâle, aux hautes pommettes et à la bouche en cœur. Sa chevelure brune était nouée en tresses qui lui tombaient dans le dos en lourdes vagues. Elle eut un petit sourire.

— Jane McBride ? C'est vous que Chase a gagnée au poker ? dit-elle d'une voix douce. Tout Virginia City en a ri pendant des jours ! Je ne savais pas que vous étiez restée aux Quatre-Vents. Mais les Dupré sont des gens très charitables ! Chase a toujours eu bon cœur.

Puis la jeune femme s'éloigna dans un bruissement de jupons. Jane la suivit des yeux, d'abord stupéfaite, puis furieuse. Son humeur ne s'arrangea pas quand, quelques instants plus tard, elle vit Carol Ann dans la cour, protégeant d'une ombrelle la fraîcheur de son teint – et bras dessus bras dessous avec Chase.

L'après-midi parut s'écouler avec une lenteur d'escargot. Carol Ann n'était jamais très loin de Chase, à qui elle jetait des regards pleins d'adoration et de grands sourires. La chaleur était abominable, mais la jeune femme y paraissait insensible, alors que Jane, en sueur, se sentait presque sale, et surtout horriblement seule.

Vers le soir, elle quitta furtivement la fête et alla chercher un peu de réconfort dans le corral, auprès de Kansas et Wichita.

— Quelle garce ! chuchota-t-elle à l'oreille de la jument. Il devrait pourtant voir clair à travers tous ses chichis ! Je l'aurais cru plus malin que ça.

Kansas s'ébroua et hocha la tête, comme pour l'approuver.

— Oh Chase, dit Jane d'une voix haut perchée, tout en battant des cils, j'aime tant venir chaque année à votre barbecue ! Si seulement Père pouvait nous conduire ici plus souvent ! Mais c'est un si long trajet, et il est si occupé ! Et je ne peux venir seule à cheval, ce ne serait pas convenable.

Puis la jeune fille prit un air mauvais.

— Jamais rien vu d'aussi idiot ! Elle bat des cils et lui reste là, à boire du petit lait !

Revenant vers la maison, elle entendit des rires venant du dortoir des cow-boys, s'approcha et, de la porte, regarda à l'intérieur : plusieurs d'entre eux jouaient aux cartes, assis autour d'une grande table.

Rodney Daniels l'aperçut.

— Ça te dirait, Jane ? On est plusieurs à penser qu'on sait vraiment jouer au poker.

Jetant un coup d'œil par-dessus son épaule, la jeune fille vit les invités, sortant de la maison, se répandre sur la pelouse. Elle aurait adoré être près de Chase. Mais ce n'était pas possible et autant valait s'y faire, du moins pour le moment.

— Bien sûr, dit-elle. J'adorerais ça.

Les menus bavardages de Carol Ann inspiraient à Chase un ennui mortel. Si seulement il pouvait lui échapper ! Mais elle lui avait collé aux semelles toute la journée. Plissant les yeux sous le soleil aveuglant, il aperçut un groupe de cavaliers qui approchait de la demeure et se raidit. C'était Josh et Powell Daniels, ainsi que plusieurs des employés des Grands Pins.

Chase tourna la tête en direction de son oncle et de sa tante : ils se dirigeaient vers les nouveaux venus pour les saluer. Le jeune homme vit Frank serrer la main de Josh et se sentit envahi par la fureur. Il aurait dû depuis longtemps les prévenir, mais il est vrai qu'Enid n'avait rien voulu entendre. À l'époque, Frank se remettait encore d'une maladie grave ; elle disait que tout cela sombrerait dans l'oubli. Même quand son mari fut remis, elle fit promettre à Chase de ne parler de rien, ajoutant que si Frank était au courant, cela provoquerait des ennuis qui ne serviraient à rien.

Mais Chase n'avait rien oublié.

La voix de Carol Ann le tira de ses rêveries.

— Chase ? J'aimerais tant une autre des merveilleuses glaces de ta tante, minauda-t-elle avant de poser une main sur son bras. Serais-tu assez bon pour aller m'en chercher une ? Je t'en serais si reconnaissante.

— Bien sûr, Carol. Attends ici.

Heureux d'avoir un prétexte pour lui échapper, il se dirigea vers les longues tables installées sous les arbres. Un des enfants Stewart était là : après avoir vérifié que sa mère n'était pas aux environs, il s'empara d'un canapé et se le fourra dans la bouche.

— Hé, Todd !

Le jeune garçon avala d'un coup et prit un air coupable.

— Ça t'ennuierait d'aller porter une glace à Mlle Mills ? demanda Chase. Là-bas, sur la pelouse, sous le grand sureau. Dis-lui que je dois parler à des gens et que je reviens tout de suite.

Mais, loin de se mêler à la foule, il alla à l'arrière de la demeure fumer une cigarette. La compagnie de Carol Ann lui plaisait, d'ordinaire – du moins il l'avait toujours cru. Qui donc avait le plus changé ? Elle ou lui ? Comment savoir ? En tout cas, elle l'ennuyait à périr. Et il était suffisamment futé pour savoir qu'elle n'avait qu'une idée en tête. Le Mariage, avec un grand M. Elle ferait sans doute une bonne épouse – mais pas pour lui. Il n'avait pas encore rencontré de femme qu'il aurait eu envie d'épouser.

Et d'ici là, il préférait la compagnie de Jane aux petits flirts un peu sots de Carol Ann.

— Alors, on se cache ? Je peux me joindre à toi ?

Levant les yeux, Chase hocha la tête à l'adresse de son oncle :

— Bien sûr ! Viens donc en griller une.

Frank se roula une cigarette, s'assit à côté de son neveu, frotta une allumette contre la semelle de sa botte et se mit à fumer pensivement.

— C'est vraiment d'un ennui ! Je n'ai jamais compris pourquoi les femmes aimaient ce genre de sauteries.

Puis ils restèrent sans mot dire, assis sur les marches de la véranda, à fumer et à regarder les montagnes qui se dressaient vers le ciel bleu pâle. L'oncle et le neveu se sentaient unis, et aucun des deux n'éprouvait le besoin de rompre le silence.

Frank parut pourtant s'y décider.

— Je voulais te parler du ranch. Les Quatre-Vents prospèrent, nous avons fait du bon travail ces dernières années : nous avons du bon personnel et le troupeau nous rapporte beaucoup. Mais si nous voulons croître encore, il va nous falloir l'augmenter. Nous avons près de deux mille hectares de pâturages superbes autour de la maison, il y a de la place pour des bêtes supplémentaires. J'aimerais que tu ailles voir ça au Texas.

Il eut un grand sourire.

— Et ce sera bon pour toi! Il est temps que tu voies du pays, voyager te fera du bien.

— Tu ne viendrais pas avec moi?

Frank secoua la tête :

— Non. Enid m'arracherait les yeux si je voulais la laisser seule si longtemps à s'occuper de tout. Ce dont elle est parfaitement capable, évidemment, dit-il en riant. Ma femme pourrait gérer tout le territoire si elle le voulait! Non, Chase, je veux que tu ailles là-bas seul. Prends ton temps, restes-y un an si tu le désires. Vois un peu comment font les autres, puis trouve les meilleures vaches que tu pourras et ramène-les aux Quatre-Vents.

Il y avait là de quoi réfléchir. Jamais Chase n'avait vraiment songé à quitter le ranch, hormis chaque automne, quand ils partaient vendre les bêtes. Mais l'idée le séduisait. Une occasion de voir le Texas, ce royaume du bétail… C'était trop beau pour la laisser filer.

— Mon oncle, je ne te laisserai pas tomber.

Frank lui tapa dans le dos et eut un regard vers les montagnes.

— J'en étais sûr, mon garçon! Enfin, si je peux dire, car personne ne sait mieux que moi que tu es un homme. Ce ranch est le tien tout autant que le mien. Ton père aurait été fier de savoir qu'il avait un tel fils.

Puis ils replongèrent dans le silence, plus proches encore qu'auparavant.

Jane sourit jusqu'aux oreilles et étala ses cartes sur la table :

— Il ne vous reste que les yeux pour pleurer!

— Faut vraiment plus la laisser jouer! grommela Teddy Hubbs – mais elle savait qu'il plaisantait.

Le soir était venu, l'air se faisait plus frais; Jane avait presque oublié Chase et Carol Ann. Assise au milieu des cow-boys, cartes en main, elle se sentait vraiment dans son élément. Plus besoin de surveiller son langage, de redouter de faire honte à Enid et Frank. Ces hommes étaient ses amis, ils l'aimaient telle qu'elle était, la mettaient à l'aise. Avec eux, elle pouvait oublier Chase. Enfin, presque...

— Hé Jimmy, c'est ici que ça se passe?

Levant les yeux, Jane vit Powell et deux autres entrer dans la pièce. Il la reconnut aussitôt.

— Vous cherchez des partenaires?

— Pas vous, dit-elle d'un ton sans réplique.

Elle l'avait détesté lors de leur rencontre près de la rivière, et ne l'aimait pas plus aujourd'hui. Heureusement, ils n'avaient pas eu l'occasion de se rencontrer depuis. Mais voilà qu'il arrivait aux Quatre-Vents, et s'en venait gâcher le seul bon moment qu'elle ait eu de toute la journée.

Powell gloussa :

— Hé là, ma belle! C'est une façon de traiter des invités?

S'emparant d'un tabouret, il s'approcha de la table :

— Allons, chérie, laisse-moi jouer.

— Surveille ton langage, Powell, intervint Rodney.

Le visage du nouveau venu se crispa.

— De quoi tu te mêles, petit frère? Tu as des vues sur elle? Elle a besoin d'un homme, un vrai, pas d'un gamin mollasson qui n'a pas assez de bon sens pour vivre avec sa famille.

— Daniels, si tu allais te chercher à manger ou à boire? dit Pike Matthews d'un ton très calme – mais ses yeux bleus étincelaient. Il y a suffisamment pour tout le monde. Si tu n'aimes pas notre compagnie, je te suggère de te trouver d'autres partenaires aux cartes.

Powell fit mine de n'avoir rien entendu et se tourna vers Jane :

— Et toi, chérie ? Tu ne veux quand même pas que je m'en aille ?

Il tendit le bras pour la prendre par l'épaule :

— Donne-moi un baiser, qu'ils voient qu'on est amis.

Rodney se précipita vers lui avec une fureur qui prit tout le monde par surprise : il fit tomber son frère de son tabouret et tous deux roulèrent sur le sol. Il y eut un instant de silence stupéfait avant que les deux compagnons de Powell ne s'en mêlent, et bientôt le dortoir fut en pleine émeute. Jane recula pour s'appuyer contre le mur, contemplant la scène en écarquillant les yeux.

Plus grand, plus massif que son frère, Powell reprit bientôt l'avantage : il le frappa au visage à plusieurs reprises, puis lui décocha un coup de poing qui le fit voler à travers la pièce. Comme il s'avançait vers lui, manifestement décidé à en finir, Jane s'empara d'un tabouret et, sans vraiment réfléchir, le lui abattit sur la tête de toutes ses forces. Powell s'arrêta, se tourna vers elle, l'air stupéfait. Puis son regard sombra dans le vague et il s'effondra comme un château de cartes.

Jane était presque aussi surprise que lui. Elle le regarda, sans vraiment croire qu'elle avait réussi à le faire tomber. Puis ses yeux eurent une lueur espiègle, elle se sentit toute-puissante. Ces bons à rien des Grands Pins allaient voir ! Elle les assommerait tous, à grands coups de tabouret sur leurs crânes vides, et les étendrait sur le sol comme des sacs de farine ! Elle fit volte-face… et se retrouva face à un poing qui arrivait à toute allure.

Le monde parut basculer et elle sombra dans le noir.

— Jane, Jane, ça va ? Jane, ouvre les yeux !

Elle entendit la voix de Chase, qui semblait venir de très loin. Elle rêvait encore : ils dansaient, tournoyaient à n'en plus finir, il lui disait qu'il l'aimait, tout était beau, lumineux, merveilleux.

— Jane, allons, regarde-moi !

Elle se contraignit à ouvrir les paupières et croisa le regard bleu saphir.

— Tu ne l'aimes pas, n'est-ce pas ? Tu n'es pas amoureux d'elle ? chuchota-t-elle avant de lui lancer un sourire un peu hagard : la pièce semblait tourner sur elle-même, comme lorsqu'ils dansaient tous les deux.

— Comment ?

— Tu ne l'épouserais pas, hein ?

— Qui donc ? De quoi parles-tu ?

— Tu préférerais m'épouser moi, n'est-ce pas, Chase ?

Il resta silencieux un moment, comme s'il réfléchissait à la question. Puis, d'une voix amusée, attendrie, il répondit :

— Bien sûr, bien sûr. Si tu veux encore de moi quand tu seras grande !

4

Ranch des Quatre-Vents, Montana, 1880

Jane suivit des yeux le soleil orange et rouge qui descendait lentement derrière l'horizon, tandis que l'obscurité prenait peu à peu possession de la demeure et de la cour. Puis elle fit demi-tour et rentra.

Enid était assise à côté de la lampe, ses travaux d'aiguille sur les genoux.

— Tu les as vus ?

Jane fit non de la tête.

— Alors, mieux vaudrait aller te coucher. Ils ne reviendront pas ce soir.

La jeune fille se dirigea vers la fenêtre et jeta un dernier coup d'œil à travers les rideaux.

— Nous ne pouvons quand même pas laisser cette fichue saleté d'ours dévorer nos vaches !

Puis elle se reprit aussitôt.

— Excuse-moi, tante Enid.

Elle faisait de son mieux pour ne pas jurer, mais parfois...

Interrompant son reprisage, Enid se leva avec lassitude :

— Ça ne sert à rien que tu restes là, ce n'est pas pour autant qu'ils tueront l'ours ! Allons nous coucher. Nous serons très occupées demain, sans hommes dans la maison.

— J'éteins les lumières et je monte, répondit Jane en laissant retomber les rideaux. Dis bonsoir à l'oncle Frank pour moi.

Jane écouta le bruit de pas d'Enid décroissant peu à peu, la porte de la chambre que l'on refermait, puis le silence régna dans toute la maison. Soupirant, elle alla éteindre la lampe. Si seulement elle avait pu partir avec les hommes ce matin ! Devoir attendre sans savoir ce qui se passait lui était intolérable. Elle aurait tant aimé voir tuer l'ours – et même avoir une chance de s'en charger ! L'été dernier, le même grizzly avait massacré le bétail dans toute la vallée, et voilà qu'au printemps il recommençait. Les hommes l'avaient poursuivi des jours durant, mais à chaque fois l'animal leur échappait. Quelques-uns l'avaient vu de près : un seul, Charlie Brothers, avait eu la chance de survivre à la rencontre – avec une jambe en moins.

Jane grimpa l'escalier dans l'obscurité. Des voix feutrées venaient de la chambre d'Enid et de Frank. Pauvre oncle, comme ce devait être dur de ne pouvoir partir avec les autres ! Pourtant il ne se plaignait jamais.

Elle entra dans sa chambre et s'appuya un instant contre la porte. La lune se levait à l'est au-dessus des montagnes, projetant sa douce lumière argentée à travers les fenêtres. Traversant la pièce, Jane s'assit à côté de l'une d'elles, posa la tête sur ses bras croisés, aperçut au-dehors la silhouette du dortoir, et soupira.

Les souvenirs lui revinrent avec une parfaite clarté. La soirée du barbecue. Les jeux de cartes. Powell Daniels. La bagarre. Puis, comme toujours, elle entendit Chase lui dire : « Bien sûr, petite, je t'épouserai. »

Quand il était parti pour le Texas, Jane s'était accrochée à cette promesse. Et s'y raccrochait encore, près de cinq ans plus tard – tout en sachant que c'était absurde. Il ne voyait en elle qu'une gamine à qui il avait simplement voulu faire plaisir. Elle aurait dû surmonter tout cela depuis le temps. Des années sans l'avoir revu. Des années sans avoir de nouvelles. Mais elle était devenue femme et son amour pour Chase n'avait fait que croître.

— Sois maudit, Chase Dupré! siffla-t-elle entre ses dents, en retenant ses larmes. Sois maudit!

Cela lui faisait du bien, parfois, de se mettre en colère. Parfois…

Une lettre. Une seule lettre en cinq ans. Il comptait rester un peu plus longtemps au Texas, il ne fallait pas s'inquiéter… En revenant, il aurait une surprise pour eux… Mais il n'était toujours pas rentré.

Jane se leva et se dirigea vers le lit tout en déboutonnant son corsage. Elle venait d'ôter sa jupe et tendait la main vers sa chemise de nuit, quand elle entendit des voix poussant des cris, ainsi que des bruits de sabots. Ils ont eu l'ours! songea-t-elle en se précipitant vers la fenêtre.

Ils étaient trois, tous armés de torches. Elle vit l'un d'eux entrer à cheval dans la grange, puis en ressortir presque aussitôt. Le second jeta la sienne à l'entrée du hangar. Incrédule, Jane vit le troisième faire de même.

— Tante Enid! lança-t-elle en courant à toute allure vers la chambre de sa tante. Les incendiaires sont là!

Sans attendre de réponse, elle descendit l'escalier quatre à quatre, s'empara d'un fusil dans le râtelier installé près du bureau de Frank, sortit et tira en direction de l'un des trois hommes. Elle eut l'impression de l'avoir touché à l'épaule, mais il resta en selle. Elle s'apprêtait à faire feu sur un autre quand une balle lui siffla aux oreilles. Elle se laissa tomber à terre.

— Fichons le camp! lança l'un des assaillants.

Jane tira encore une fois tandis qu'ils se perdaient au galop dans l'obscurité.

Se relevant, elle courut vers la grange. Des flammes orange léchaient déjà le bâtiment, une épaisse fumée montait vers le ciel. Ouvrant grand la porte, elle se mit à tousser, mais n'hésita qu'une seconde avant de se précipiter à l'intérieur : il fallait sauver les chevaux avant qu'il ne soit trop tard.

Les cris d'épouvante des bêtes prises au piège remplissaient la grange. Refoulant sa propre peur, Jane s'empara d'une couverture qu'elle jeta sur la tête du cheval installé dans le premier box.

— Doucement, doucement…

Elle le fit sortir, puis revint sur ses pas. Quelques secondes à peine s'étaient écoulées, et pourtant l'incendie avait gagné en intensité. Il faudrait aller plus vite : il restait trois autres chevaux dans la grange, dont Wichita – il fallait sauver Wichita !

Jane se précipita vers son box, malgré la fumée qui lui brûlait les yeux et la faisait sangloter. La jument roulait des yeux, s'agitait en donnant de grandes ruades. La jeune femme tenta d'ouvrir la porte de la stalle, mais les sabots l'en empêchaient.

— Wichita, doucement ! Laisse-moi entrer !

Elle réussit à se glisser à l'intérieur, à saisir le licou de la jument d'une main, mais fut soulevée du sol par une ruade. Elle s'accrocha désespérément, tentant d'oublier la douleur lancinante et, serrant les dents, jeta sa couverture sur la tête de l'animal.

— Viens, ma fille ! Il faut sortir d'ici ! Doucement ! Calme-toi ! Allez, Wichita, allez…

Une arche de flammes illuminait l'entrée de la grange. Jane se sentit gagnée par la terreur, eut envie de reculer, de se cacher. Mais elle surmonta sa panique et courut, entraînant la jument avec elle.

Enid attendait dehors, avec Katie, la femme de Rod, qui tenait dans ses bras son enfant en larmes.

— Prends Wichita ! Il faut que j'y retourne !

Sa tante la saisit par le bras.

— Il n'en est pas question, Jane ! Tu ne peux plus rien faire.

— Mais les chevaux…

— C'est trop tard, Jane.

La jeune femme se tourna vers la grange, dont les flammes barraient désormais l'entrée, dévorant le toit et détruisant tout ce qui était à leur portée. Au grondement de l'incendie se mêlaient les hennissements d'épouvante des bêtes prisonnières à l'intérieur.

— Nous ne pouvons plus rien faire, répéta Enid.

Les femmes reculèrent prudemment et restèrent là, à contempler le désastre.

Jane ne dormit pas de la nuit. Un peu après minuit, une fois sûre que le vent ne pourrait propager vers le dortoir ou la maison des flammes qui n'avaient plus grand-chose à détruire, Enid était remontée dans sa chambre, en lui disant de faire de même. Mais Jane ne put trouver le sommeil, et marcha de long en large jusqu'à l'aube.

Elle décida finalement de faire chauffer de l'eau et remplit la baignoire pour se laver de la suie et des cendres qui la couvraient de la tête aux pieds – espérant pouvoir aussi laver l'angoisse et la colère. Elle était furieuse de sa propre impuissance. Furieuse contre ceux qui avaient provoqué ce désastre. Furieuse contre Chase, une fois de plus, qui n'était pas là quand on avait tant besoin de lui.

Jane enfila une chemise de nuit propre et alla s'asseoir près de la fenêtre, en défaisant ses longues tresses d'un blond roux pour les démêler. Mais ses pensées la ramenèrent vers la grange, dont elle apercevait les restes encore fumants.

Powell dirigeait les assaillants, elle en était certaine. Chaque fois qu'il y avait des ennuis dans la région, on pouvait parier qu'il y était pour quelque chose. Elle finirait bien par le prendre sur le fait. Elle l'avait détesté depuis leur première rencontre, et un jour elle causerait sa chute.

Puis Jane aperçut au loin deux silhouettes à cheval qui se dirigeaient vers le ranch et se dressa d'un bond :

— Tu ne t'en sortiras pas deux fois, Powell Daniels !

Elle ne prit pas la peine de passer une robe : pas question qu'ils puissent brûler la maison comme ils avaient détruit la grange. De nouveau elle descendit les marches en courant et reprit le fusil. Mais cette fois, ils n'auraient pas l'occasion de lui tirer dessus. Entrant dans le salon, Jane ouvrit la fenêtre, posa l'arme sur le rebord et visa avec soin le premier cavalier, tandis que la lumière du jour apparaissait au sommet des montagnes.

Chase avait passé la plus grande partie de la nuit à cheval, tant il était impatient d'arriver au ranch des Quatre-Vents. Pourtant, à mesure qu'il approchait, il ne ressentait aucune allégresse, mais bien au contraire une vive inquiétude. Il avait reniflé l'odeur de la fumée bien avant de voir la carcasse de la grange, et s'attendait au pire, aussi fut-il un peu soulagé de constater que la maison était intacte.

En revanche, il ne s'attendait nullement à voir son chapeau disparaître, emporté par une balle. Une voix de femme lança depuis la demeure :

— Et n'approchez pas ! Faites demi-tour et disparaissez !

— Qu'est-ce qui se passe, *amigo* ? demanda Julio.

Chase jeta un regard rapide à son compagnon :

— Je n'en sais rien, mais je vais le découvrir !

Il fit avancer son cheval de quelques pas et aussitôt

une balle s'en vint frapper la poussière juste devant l'animal.

— Je vous aurai prévenu ! La prochaine est pour vous ! Disparaissez !

Chase fronça les sourcils. Où était tante Enid ? Oncle Frank ? Tout semblait tranquille et, en dépit des coups de feu, personne n'était accouru. Tournant la tête vers la droite, il contempla ce qui restait de la grange. Quelque chose n'allait pas.

— Je suis venu voir Frank Dupré, s'écria-t-il. Où est-il ?

Il y eut un moment de silence, puis la voix répondit, d'un ton un peu radouci :

— Pourquoi voulez-vous le voir ?

— C'est mon oncle, je m'appelle Chase Dupré !

Le fusil disparut, les rideaux s'agitèrent, puis la porte de la maison s'ouvrit, sans pour autant qu'apparaisse celle qui s'y dissimulait. Chase fit avancer sa monture, mit pied à terre et resta là, attendant de voir ce qui allait se passer.

Elle sortit sur la véranda, vision vêtue de blanc aux longues boucles blondes lui tombant sur les épaules, laissa tomber le fusil qu'elle tenait en main, courut à travers la cour et se jeta dans ses bras avant qu'il ait compris ce qui arrivait.

— Chase, tu es rentré ! Tu es rentré ! chuchota-t-elle en l'enlaçant.

Puis elle l'embrassa. L'espace d'un instant, il resta gauche, ne sachant comment réagir puis, sans presque y penser, la serra contre lui, savourant la douceur de ses lèvres. Tout en se demandant à qui il pouvait bien avoir affaire.

Elle recula brusquement, leva les yeux vers lui et dit en souriant :

— Tu nous as manqué, Chase.

Il en resta bouche bée : c'était Jane McBride !

Sa longue chevelure blonde lui tombait presque jusqu'aux hanches – oubliées, les courtes boucles d'autrefois ! Les taches de rousseur avaient disparu, son teint était d'un blanc laiteux qui soulignait encore ses grands yeux verts et les lèvres roses d'une bouche bien dessinée. Elle était toujours aussi petite et donnait l'impression de devoir s'envoler au premier coup de vent. Mais son corps était celui d'une femme – comme on pouvait s'en rendre compte à travers la chemise de nuit…

— Tu as grandi, depuis mon départ, dit-il en se sentant très sot.

— Il le fallait bien, répondit-elle, rougissante. Tu avais dit que tu m'épouserais.

— L'épouser, *amigo* ?

Chase se tourna vers son compagnon :

— Julio, je te présente ma… cousine.

Descendant de son cheval noir, Julio s'avança, ôta son chapeau :

— Chase, tu ne m'avais jamais parlé d'elle ! Sinon, j'aurais amené le bétail ici sans t'attendre !

Il prit la main de Jane et la porta à ses lèvres, tout en regardant la jeune femme de ses grands yeux bruns.

— Je ne suis pas vraiment sa cousine, répondit-elle en rougissant un peu.

— Chase !

Il fit volte-face en entendant son nom : sa tante venait d'apparaître sur la véranda. Contournant Jane, il courut vers la maison.

— Tante Enid ! lança-t-il en la serrant très fort dans ses bras avant de l'embrasser sur les joues, puis de la contempler pour voir si elle avait autant changé que Jane.

Mais il n'en était rien, à l'exception d'une ou deux rides au coin des yeux.

— Qu'est-ce qui s'est passé ici ? Où est oncle Frank ?

— Entre donc, Chase. Je vais préparer du café et nous discuterons. Cela fait longtemps que tu es parti.

Elle vit Jane et Julio approcher.

— Jane, tu ferais bien de t'habiller, tu vas attraper la mort !

La jeune fille parut se souvenir d'un coup qu'elle était en chemise de nuit ; elle blêmit, rougit, puis fila d'un trait à l'étage.

Chase la suivit des yeux et secoua la tête. Qui aurait cru qu'elle deviendrait une telle beauté ? Il l'avait presque oubliée. Et si jamais il avait pensé à elle, sans doute se serait-il dit qu'elle avait quitté les Quatre-Vents. L'été où il l'avait rencontrée était bien loin, désormais. C'était à une autre époque, meilleure que celle-ci...

— Où est l'oncle Frank ? demanda-t-il de nouveau.

— À l'étage, mais il faut que je te parle avant que tu montes le voir. Viens donc, dit sa tante en le prenant par le bras. Tu t'assoiras avec ton ami pendant que je ferai le café.

— Ce sera un plaisir, *señora*, lança Julio en s'inclinant. J'ai beaucoup entendu parler de vous, ces dernières années !

— J'aimerais pouvoir en dire autant, dit Enid pour taquiner son neveu – mais sans rien ajouter de plus.

Il faisait bon dans la cuisine : le poêle était déjà allumé. L'odeur de café, le soleil qui entrait par la fenêtre donnèrent à Chase l'impression d'être rentré chez lui pour de bon.

— Katie a dû vous entendre arriver : c'est elle qui a préparé le café.

— Katie ? demanda Chase.

— La femme de Rod. Elle me donne un coup de main. Ils vivent dans la petite maison derrière la nôtre.

— La femme de Rod... Rodney Daniels ?

— Beaucoup de choses ont changé ici, Chase, lança Enid en riant. Attends de les voir tous les deux avec leur petite fille.

Sans trop savoir pourquoi, il avait pensé que les choses seraient restées les mêmes aux Quatre-Vents. Cinq ans. Il était parti cinq ans. Jane avait grandi. Rod s'était marié, il avait une fille. Tout avait changé, en fait, et lui aussi.

Il se passa la main dans les cheveux.

— Tante Enid, raconte-moi tout ce qui s'est passé ! Pourquoi oncle Frank n'est-il pas descendu m'accueillir ? Et la grange ? Qu'est-il arrivé ? Où sont les hommes ?

Sans répondre, elle prit la cafetière, remplit deux tasses pour les nouveaux venus, s'en versa une et s'assit. Elle but une longue gorgée en regardant son neveu.

— Les ennuis ont commencé il y a deux ans environ. Le bétail que tu nous avais envoyé du Texas était en bonne forme, nous avions eu de jolis veaux au printemps. Puis les vols de bétail ont commencé. Nous en avons perdu beaucoup ces temps-ci.

— Tu sais de qui il s'agit ?

— J'ai mon idée, comme tout le monde, mais pas de preuves. Ce n'est d'ailleurs pas le seul problème. Un ours descend des montagnes pour massacrer nos vaches. Et il ne s'en tient pas là : Wade Irvine s'est fait tuer l'été dernier, Charlie Brothers y a perdu une jambe. C'est un vrai miracle qu'il en soit sorti vivant.

Chase échangea un regard avec Julio.

— Puis ce printemps, les incendiaires ont commencé leurs chevauchées. Ils s'en prennent aux fermes et aux ranchs, de la Golden Bar jusqu'à Hallatin, brûlant les granges, abattant les clôtures, dispersant le bétail. Sans raison apparente, par pur plaisir de la destruction. Ils ont réussi à chasser plusieurs familles.

Les doigts de Chase se crispèrent sur sa tasse :

— Comme ici ? La grange ?

— Oui, tout à l'heure. Ils sont arrivés dans la nuit, à trois, et y ont mis le feu.

— Et les hommes n'ont pas essayé de les en empêcher ? lança-t-il, incrédule. Ils ne leur ont pas tiré dessus ?

— Personne n'était là. Nous avions appris que le grizzly était descendu des collines, à une dizaine de miles d'ici, j'ai envoyé tout le monde à sa poursuite. Nous étions déjà au lit quand les autres sont arrivés. Jane les a vus de sa fenêtre, elle leur a tiré dessus, et pense que peut-être l'un d'eux a été touché. Mais c'était trop tard. Elle a ensuite réussi à sortir deux chevaux de la grange avant que…

Elle se tut et prit un air accablé.

Chase se sentit envahi d'une rage impuissante à imaginer les trois femmes tentant de sauver seules les bêtes prises au piège dans la grange en flammes. Puis il s'apaisa en songeant tout d'un coup que sa tante n'avait pas parlé de Frank, se gardant de répondre à ses questions. Il lui fallut bien demander :

— Et où était l'oncle Frank ?

Enid se leva et se dirigea lentement vers le poêle, les épaules voûtées ; elle paraissait d'un seul coup beaucoup plus vieille.

— Il est paralysé, dit une voix.

Chase se retourna brusquement. Jane était à l'entrée de la cuisine, les yeux brûlant d'une fureur qu'il avait déjà perçue dans sa voix. Elle avait noué ses cheveux sur la nuque à l'aide d'un ruban. Le corsage blanc, la jupe de cuir soulignaient en elle la femme qu'il avait devinée sous la chemise de nuit, mais il n'eut pas le temps d'y réfléchir davantage.

— C'est arrivé au printemps, pendant qu'on rassemblait le bétail, poursuivit-elle. Powell Daniels l'a défié de monter Old Whitey, en lui pariant son meilleur étalon. Tu sais comment est l'oncle Frank. Il voulait l'étalon, il voulait prouver qu'il en était encore capable.

Chase se souvenait d'Old Whitey, que lui-même avait essayé de monter une fois.

— Mais personne n'y est jamais arrivé !

— Powell le tenait tandis qu'oncle Frank montait en selle. Mais dès qu'on l'a lâché, le cheval s'est dressé et lui a fait vider les étriers, tout en lui décochant un coup de sabot en plein milieu du dos.

S'avançant, Jane se dirigea vers Enid, posa doucement la main sur son épaule, puis se tourna vers Chase, le regard plein de colère.

— Tante Enid et moi étions là. Elle a pris un fusil, s'est dirigée vers le corral et a tué Old Whitey d'une balle entre les deux yeux. Mais l'oncle Frank avait le dos brisé. Le médecin dit que plus jamais il ne pourra marcher.

Chase mit la tête entre ses mains, avec l'impression de sentir dans sa poitrine comme un coup de couteau.

Puis Jane frappa du poing sur la table :

— Où diable étais-tu, Chase Dupré ? hurla-t-elle. Qui t'a donné le droit d'abandonner ton oncle et ta tante cinq ans durant ? Cinq ans, bon sang ! Nous t'avons attendu, en nous posant des questions, en nous inquiétant ! Tu aurais dû être ici, avec nous, là où est ta place ! Si tu avais été là…

Tante Enid intervint et, saisissant Jane par les épaules, la fit reculer.

— Et tu aurais pu écrire ! lança la jeune femme.

— Mais j'ai écrit !

— Une seule lettre ! Une seule en cinq ans ! Où tu n'avais rien à dire, sinon que tu ne rentrais pas encore !

Jane fondit en larmes. Enid la serra contre elle, la laissant sangloter, se libérer de sa souffrance et de sa colère.

— J'ai écrit plus souvent que ça, protesta Chase – qui se sentit coupable à l'idée qu'en fait, il ne leur avait envoyé que trois lettres. En cinq ans.

— Nous n'avons rien reçu d'autre ! s'écria Jane.

Chase se leva, conscient de son incapacité à arranger les choses.

— Jane, dit-il doucement, tu ne comprends pas. Je voulais rentrer plus tôt, mais…

Il n'acheva pas sa phrase, attendant une réponse qui ne vint pas.

— Je monte voir l'oncle Frank, annonça-t-il.

Enid acquiesça de la tête, avec un regard qui lui disait qu'elle l'aimait, que les raisons de son absence n'avaient pas d'importance.

Le cœur lourd, Chase s'engagea dans l'escalier.

Elle n'aurait pas dû s'en prendre à lui, le rendre responsable de tout ce qui s'était passé en son absence. Il lui était après tout suffisamment pénible d'apprendre que Frank était infirme, que la grange avait brûlé, que depuis deux ans toutes sortes de problèmes accablaient les Quatre-Vents et les ranchs voisins.

Jane le trouva appuyé contre la barrière du corral. Le regard vide, il contemplait les restes calcinés de la grange. Son beau visage bronzé paraissait hagard, il y avait dans ses yeux bleus une lassitude immense.

— Chase ?

Elle lui toucha le bras, tout doucement, et il la regarda comme s'il ne la connaissait pas, comme s'il était perdu. La jeune fille en fut inquiète.

— Chase, je suis navrée de ce que j'ai dit.

— Ce n'est rien, petite, répondit-il avec un sourire attristé. Je l'ai bien mérité.

— Non, non, non ! C'est simplement que… tu nous as tant manqué. Tu es parti si longtemps ! ajouta-t-elle d'une voix étranglée.

— Pourquoi es-tu restée, Jane ? Je croyais que tu serais partie depuis longtemps.

Qu'il ait si peu pensé à elle, sans songer qu'elle serait encore là, lui fit du mal. Où aurait-elle pu attendre son retour ?

— C'est chez moi, ici, finit-elle par répondre.

— Je le sais bien, ce n'est pas ce que je voulais dire. Je pensais que tu aurais épousé quelqu'un.

Mais je t'attendais, Chase, je t'attendais ! Jane se tourna vers lui, en prenant soin de détourner les yeux. Si jamais elle le regardait, il verrait aussitôt son amour. Et ce n'était pas le moment de révéler ses sentiments. Plus tard, quand les choses seraient revenues à la normale, il serait temps…

— Je ne m'attendais pas à te voir aussi jolie, dit-il d'un ton badin. Tu joues toujours aussi bien au poker ?

Elle lui rendit son sourire.

— Bien sûr !

Brusquement il la désigna du doigt, stupéfait :

— Toi ! C'était toi !

— Comment ?

— C'est toi qui m'as tiré dessus !

Il avait l'air si incrédule qu'elle ne put s'empêcher de rire.

— En effet !

— Tu aurais pu me tuer !

— Certainement pas. La balle est arrivée exactement là où je visais.

— Je me souviens d'avoir voulu t'apprendre à tirer ! Jamais je n'ai vu quelqu'un d'aussi peu doué ! Tu as oublié ?

— C'est toi qui oublies, Chase. J'ai eu un très bon professeur, et près de cinq ans pour pratiquer après son départ.

Peut-être avait-elle tort. Peut-être fallait-il tout lui dire, lui montrer. Elle brûlait d'envie de le toucher, de caresser sa joue, d'ébouriffer ses cheveux qui lui tombaient sur le front. Et surtout, elle voulait par-dessus tout l'embrasser, qu'il la prenne dans ses bras et la serre contre lui.

— Chase…

Elle sentit qu'il se tendait ; une ombre parut passer dans son regard tandis qu'il regardait au loin. Pourquoi semblait-il avoir d'un seul coup perdu son humour ? Un chariot approchait.

— Qui est-ce, Chase ?

D'une voix dépourvue d'émotion, il répondit :

— Ma femme.

5

Sa femme.

Jane le vit marcher vers le chariot et tendre la main à quelqu'un pour l'aider à descendre.

Sa femme.

Elle se sentait accablée, une sorte de bourdonnement abrutissant lui résonnait aux oreilles.

Sa femme.

Le bras passé autour de sa taille, Chase conduisit une beauté d'allure latine vers Jane qui, les voyant approcher, se sentit d'un seul coup toute petite, et très banale.

— Jane, voici ma femme, Consuela.

— Bonjour ! dit Jane d'une voix à peine audible en tendant la main à la nouvelle venue.

Des yeux noirs bordés de longs cils la dévisagèrent avant de se poser sur la main tendue.

— Consuela, reprit Chase, voici ma cousine, Jane McBride.

La femme toucha le bout des doigts de Jane et, d'une voix aussi douce que le miel, marquée par un accent très aguichant, déclara :

— *Señora* McBride ! Je ne savais pas que Chase avait une cousine !

— Je suis heureuse de vous voir, répondit Jane.

Pur mensonge, bien entendu. Elle détesta aussitôt la superbe peau brune, les hautes pommettes sculptées, la bouche aux lèvres si pleines, la chevelure noir corbeau ramenée en chignon sur la nuque, les doigts gantés glissés au creux du bras de Chase.

— *Gracias, señora*, répondit Consuela avec un sourire lointain, avant de tourner la tête vers son mari :

— Chase, la journée a été longue, j'aimerais pouvoir me décrasser un peu de toute la poussière de la route.

— Bien sûr ! Je vais te conduire à notre chambre. Excuse-nous, Jane.

Leur chambre. Cette pensée lui fit l'effet d'un coup de couteau. Au cours de ces cinq ans, combien de fois Jane n'y était-elle pas entrée, pour épousseter, cirer, afin qu'elle soit prête à son retour – sans cesser d'espérer qu'un jour elle la partagerait avec lui.

Jane sentit la colère lui monter aux joues et les toucha du bout des doigts. Elle aurait voulu pouvoir arracher les yeux de cette femme – et bourrer Chase de coups de poing jusqu'à ce qu'il demande grâce. Il l'avait trahie !

Puis sa fureur tomba aussi vite qu'elle était venue, ne lui laissant qu'une douleur qui lui perçait le cœur. Non, il ne l'avait pas trahie. Jamais il ne l'avait aimée, il fallait bien l'admettre – et regarder la vérité en face.

Se raidissant, Jane se dirigea vers la maison, respirant profondément et se jurant que personne ne saurait jamais rien. Il la traiterait comme la cousine qu'il voulait qu'elle fût, elle se lierait d'amitié avec son épouse… elle ferait tout ce qu'il faut… même s'il fallait en mourir.

Comme elle marquait le pas pour mieux endurcir sa résolution, la porte s'ouvrit et Julio sortit sur la véranda. Il redressa son sombrero et, l'apercevant, lui lança un sourire éblouissant qui révéla des dents parfaitement blanches.

— *Señorita*… dit-il en s'inclinant poliment.

Jane fit de même.

— Mon ami n'a pas vraiment fait les présentations,

ce matin ! Peut-être était-il encore un peu nerveux de s'être fait tirer dessus !

Il sourit de nouveau, elle l'imita de son mieux.

Il s'inclina encore, cette fois très bas.

— Je m'appelle Julio Manuel Enrique Valdez de la Casa de Oro. À votre service, *señorita* !

Cette fois, elle lui sourit un peu plus sincèrement.

— C'est mieux ! s'exclama-t-il. Dites-moi, *señorita* Dupré… Vous êtes une Dupré mais pas une cousine ?

— Je ne suis pas de la famille, répondit Jane non sans peine.

Elle avait si longtemps pensé, espéré, rêvé, pouvoir un jour s'appeler Jane Dupré. Mais jamais cela ne se produirait. Elle s'efforça vaillamment de surmonter sa souffrance et fit une révérence un peu appuyée.

— Jane Elizabeth McBride, *señor* Valdez. Ravie de faire votre connaissance.

Julio continua à la dévisager, l'air un peu plus sérieux : il discernait chez elle, derrière la façade de courtoisie, une douleur qu'elle voulait cacher. Puis les yeux noirs du jeune homme se tournèrent vers le sud.

— Je vais retrouver le troupeau. Aimeriez-vous m'accompagner ?

Consciemment ou non, il lui offrait ainsi un moyen de s'échapper, de fuir la demeure – au moins pour un moment –, avant que de nouveau il ne lui faille affronter Chase et Consuela. Jane voulait d'abord avoir l'occasion de rassembler ses pensées et ses émotions.

— Bien sûr, monsieur Valdez, cela me plairait beaucoup.

— *Señorita*, s'il vous plaît ! Si nous devons être amis, il faut que vous m'appeliez Julio.

— D'accord, Julio. Et vous m'appellerez Jane. Je vais seller mon cheval.

Elle partit en courant vers le corral.

Chase suivit la conversation depuis la fenêtre de sa chambre et laissa ses pensées dériver vers le passé, vers l'été pendant lequel Jane l'avait suivi dans tout le ranch comme un jeune chiot… Quand elle avait été ravie du poulain qu'il lui avait offert, quand elle avait assommé Powell Daniels d'un coup de tabouret avant d'être assommée elle-même. Il sourit en se souvenant de son œil au beurre noir. Juste avant qu'il ne parte pour le Texas.

Pour le Texas. Et Consuela.

Tournant le dos à la fenêtre, il s'appuya contre le rebord pour regarder sa femme brosser ses longs cheveux. Elle était assise sur le lit, seulement vêtue d'un corsage et d'un jupon. Sa chevelure lui tombait jusqu'aux genoux ; elle était d'un noir lustré qu'il avait toujours admiré. La généreuse poitrine s'épanouissait au-dessus du corset. Cela faisait longtemps qu'ils n'avaient eu l'occasion de partager une chambre. Il sentit le désir monter en lui.

Elle leva les yeux et croisa son regard.

— *Señor* Dupré, si vous croyez pouvoir disposer de moi à votre guise parce que nous sommes arrivés, vous vous trompez lourdement. Je suis fatiguée. Va-t'en et laisse-moi dormir.

Le désir disparut aussitôt, remplacé par une colère encore plus soudaine.

— N'ayez crainte, madame Dupré, lança-t-il en s'emparant de son chapeau posé sur une chaise, je ne vous imposerai pas davantage ma présence.

Maudissant en silence le sexe féminin, il sortit de la maison, heureux de constater que sa tante restait invisible. Elle l'aurait questionné – sinon de la voix, du moins du regard –, et il n'était pas d'humeur à expliquer à qui que ce soit pourquoi il avait épousé la superbe Consuela Valdez.

Julio et Jane avancèrent en silence à travers la vallée. De longues herbes ondulaient doucement sous la faible brise de juin, un peu comme le paysage tout en collines. Des ruisseaux sortaient des montagnes pour se diriger vers la rivière, dont les rives étaient bordées de cotonniers et d'arbrisseaux. À l'est comme à l'ouest, des pics crevassés, couverts de grands pins, se dressaient avec majesté vers un ciel bleu immense. C'était une terre à bétail, riche en eau et en pâturages, une terre de défis et de promesses.

Entendant un cri, Jane tourna la tête puis, tirant sur les rênes, arrêta Wichita. Julio fit de même. Clignant des yeux sous le soleil, la jeune femme observa en silence les cow-boys qui venaient vers eux.

Rodney était à leur tête, les épaules voûtées; sans doute n'avait-il pas beaucoup dormi depuis leur départ. Elle regarda les autres, les comptant en silence. Cinq. Ils étaient tous là. Elle eut un bref soupir de soulagement.

— Alors, Rod? lança-t-elle comme ils s'approchaient.

Il arrêta son cheval.

— Rien! Nous l'avons poursuivi et pensions bien l'avoir coincé, mais il a été plus malin que nous! Heureusement qu'il ne nous a pas suivis!

Il jeta un coup d'œil à Julio, puis son regard revint vers Jane.

— J'ai de bonnes nouvelles, dit celle-ci. Chase est de retour, et il a ramené un troupeau.

Cinq visages las parurent s'illuminer.

— Chase est revenu! s'écria Rodney. Teddy, tu entends ça? Chase est de retour!

— J'ai entendu! Quand est-il arrivé, Jane?

— Ce matin.

Elle eut un geste de la main en direction de son compagnon:

— Et voici son ami, Julio Valdez. Nous allons retrouver le troupeau.

— Tu veux qu'on vous accompagne ? demanda Rodney.

— Non, *señor*, répondit Julio en secouant la tête. Nos hommes s'en occuperont.

— Alors, on va rentrer au ranch. Bon Dieu, que c'est bon de revoir Chase !

— Rod, il faut que tu saches autre chose. Les incendiaires nous ont attaqués cette nuit. Ils ont brûlé la grange.

— Et Katie ? Et le bébé ?

— Katie et Maggie vont bien.

Rodney la remercia d'un signe de tête et partit avec les autres. Jane les suivit des yeux.

— Cela fait longtemps qu'ils travaillent aux Quatre-Vents. Ils sont ravis de revoir Chase.

— Mais pas autant que vous, *señorita*, si je ne me trompe ?

— Non, Julio, répondit-elle doucement en prenant soin de ne pas le regarder. Pas autant que moi.

— C'est bien ! Cela faisait longtemps que Chase voulait revenir aux Quatre-Vents. C'est bon d'être accueilli par autant de gens.

Ils repartirent sans discuter davantage. Mais Jane se posait des questions. Si Chase voulait tant revenir, pourquoi n'être pas rentré plus tôt ? Qu'est-ce qui l'avait retenu loin de sa famille, de ceux qui l'aimaient, pendant si longtemps ?

Et pourquoi, pourquoi, pourquoi avait-il fallu qu'il revienne avec une femme ?

Le soir allait tomber quand Jane et Julio revinrent. Chase était sur la véranda, contemplant le paysage ondulé qui s'étendait devant le ranch. Une odeur de viande de porc et de haricots venait du dortoir, avec des voix d'hommes qui plaisantaient gaiement. À l'intérieur de la maison, il entendait discuter tante Enid et Katie, qui préparaient le souper.

Cela faisait un bon moment qu'il était là, à savourer le plaisir d'être de nouveau chez lui, à oublier un peu les problèmes qui l'attendaient. Rien de plus facile quand on est entouré de parents et d'amis, quand on sait qu'on est là où on doit être, quand les hommes vous donnent de grandes claques dans le dos en évoquant le bon vieux temps. Tout irait bien jusqu'à ce que Consuela sorte de sa chambre.

Jane et Julio traversèrent la cour à cheval et s'arrêtèrent près de la véranda. Sautant à terre, la jeune femme attacha les rênes de sa monture à un poteau, repoussa sur sa nuque son chapeau à large bord. Son visage était un peu rouge, couvert de poussière… et étonnamment joli.

— Chase, je viens de voir le bétail ! Et les chevaux ! L'oncle Frank sera ravi ! Tu sais comment il est… quand il verra les juments…

Elle se tourna vers Julio, toujours en selle.

— Et Julio m'a promis que nous pourrions faire couvrir Kansas et Wichita par Diablo.

L'étalon hocha la tête en reniflant, comme s'il savait qu'on parlait de lui.

— Kansas ? dit Chase. Je l'aurais cru morte, depuis tout ce temps ! Elle n'était pas dans le corral.

— Non, Pike l'a emmenée cette semaine. Lui et Red Saunders sont partis vers Cottonwood Creek.

— Oui, Rodney me l'a dit, répondit Chase qui regarda le cheval de Jane : et c'est Wichita !

S'avançant, il posa la main sur le cou luisant de la jument.

— Elle est encore plus belle que je ne l'aurais cru.

Puis il croisa le regard de Jane par-dessus l'encolure de la bête et pensa : Et toi aussi.

Julio mit pied à terre d'un bond.

— Je vais mettre les chevaux dans le corral, *amigo*.

S'emparant des rênes, il s'éloigna discrètement, les laissant seuls.

— Je l'aime beaucoup, il a l'air très gentil, déclara-t-elle en regardant Chase bien en face.

— C'est un très bon ami à moi.

— Il va rester aux Quatre-Vents ?

— Je ne sais pas. Son père a un ranch au Texas, mais ses autres frères y vivent aussi. Il n'est pas pressé de rentrer.

— Mais toi, tu restes, n'est-ce pas, Chase ? demanda-t-elle à voix basse.

— Rien ne pourrait me convaincre de repartir.

Il se souvint brusquement l'avoir embrassée le matin même, et souhaita pouvoir recommencer. Si seulement… Puis il recula d'un pas, un peu honteux. Il n'avait pas le droit d'y penser.

La voix d'Enid leur parvint.

— Chase ? Consuela te réclame. En montant, dis-lui que le souper sera servi dans dix minutes. J'espère qu'elle est assez reposée pour se joindre à nous.

— Je te reverrai à table, marmonna Chase en s'éloignant.

Tournant les talons, il entra dans la demeure et monta l'escalier sans se presser. Autrefois, il aurait suffi que Consuela chuchote son nom pour qu'il arrive à toute allure. Cela avait vite changé ! Comme son amour avait été cruellement détruit !

Sa femme, assise devant la coiffeuse, leva les yeux quand il entra. Elle était vêtue d'une robe de satin jaune vif, et le corset qui l'enserrait soulignait la plénitude de sa poitrine comme la finesse de sa taille. Elle avait rassemblé son épaisse chevelure en chignon maintenu par un peigne. Chase se souvint de la première fois où il l'avait vue : jamais il n'avait rencontré de femme aussi belle. Mais il voyait désormais au-delà des apparences et savait ce qui se dissimulait derrière.

— Chase, dit-elle d'un ton boudeur, pourquoi ne

viens-tu pas quand je t'appelle? J'ai bien cru que tu m'avais abandonnée dans cette horrible petite chambre!

Il regarda autour de lui pour contempler la pièce qui lui avait tant manqué. Horrible? Elle était spacieuse, occupée par un énorme lit à baldaquin, avec des tapis de peluche venus de la côte Est, un chiffonnier d'acajou, sans compter la coiffeuse qui avait appartenu à Chantal. Une belle chambre, certes sans rapport avec la leur, du temps de l'hacienda Valdez.

Posant les yeux sur Consuela, Chase se rendit compte qu'il n'éprouvait aucune fureur, rien qu'une lassitude mêlée d'un amer sentiment d'échec. Il soupira :

— Tante Enid te fait savoir que le souper est prêt, et espère que tu es suffisamment reposée pour te joindre à nous. Ils sont tous impatients de faire ta connaissance.

— C'est bien normal. Je suis désormais la maîtresse de ce petit ranch, non? Je ne les décevrai pas, mon amour.

Jane n'avait eu que le temps de se laver sommairement, et de se brosser les cheveux, avant que le repas soit servi. Elle s'était plus d'une fois assise à table toute poussiéreuse après une journée à cheval, et se dit que c'était une mauvaise idée en voyant Consuela, fraîche comme une rose, entrer dans la pièce au bras de Chase; aussitôt elle s'imagina telle que les autres devaient la voir en comparaison, et eut envie de se cacher.

La nouvelle venue fut une fois de plus présentée à tout le monde. Tante Enid l'embrassa sur la joue, Frank se déclara ravi d'avoir une aussi jolie bru et s'excusa de ne pouvoir se lever du lit pliant que Chase et Julio avaient descendu pour lui.

Jane se souvint avoir juré qu'elle deviendrait l'amie de Consuela, à n'importe quel prix. Elle lui tendit la main.

— Je suis ravie de vous voir, déclara-t-elle d'un ton un peu forcé. J'espère que… nous serons amies, et même un peu sœurs.

— Mais bien sûr! J'ai eu tant de frères à la Casa de Oro que je serais ravie d'avoir une petite *hermana*, répondit la femme de Chase, qui jeta un coup d'œil à Julio. Comme vous le voyez, *señora*, je ne peux pas leur échapper, même dans le Montana.

— Julio est votre frère?

— En effet, dit Consuela. Mon mari a une grande affection pour toute la famille Valdez. N'est-ce pas, Chase?

Il eut une expression que Jane ne put tout à fait déchiffrer, puis conduisit son épouse vers la grande table et lui offrit un siège. Elle s'assit en le contemplant d'un air radieux, tout en lui chuchotant quelque chose qu'on n'entendit pas. Sans répondre, il revint vers les autres et, aidé de Julio, déplaça le lit de Frank, qu'il plaça à côté de la chaise d'Enid.

Celle-ci, une fois qu'ils furent tous assis et que les plats furent servis, déclara :

— Il faut nous parler de chez vous, Consuela. Que veut dire «Casa de Oro»?

— Pour moi, rien, répondit la jeune femme d'un ton sec.

Il y eut un instant de silence.

— Veuillez pardonner à ma sœur, *señora* Dupré, intervint Julio d'une voix douce. Elle oublie parfois les bonnes manières que ma mère lui a enseignées quand elle était petite. Je crains qu'elle n'ait été trop gâtée par ses frères. Tu ne crois pas, *niña*?

Consuela se contenta de le fusiller du regard.

— Casa de Oro signifie «la maison d'or», reprit Julio d'un ton neutre. Ma mère, Domenica Valdez, l'a appelée ainsi quand mon père, qui venait de l'épouser, l'y a amenée. Le soleil se levait, elle a eu l'impression que la demeure était toute dorée et y a vu un heureux présage.

Le regard de Jane passait d'un visage à l'autre. Celui de Julio était plein d'orgueil et d'affection ; Chase paraissait l'approuver – sans doute avait-il été heureux là-bas. Mais Consuela semblait amère. Pourquoi donc ?

— Ma mère est morte voilà deux ans, *señora* Dupré, poursuivit Julio. C'est pourquoi votre neveu n'est pas revenu plus tôt : il est resté pour nous aider. Mon père a été accablé de chagrin pendant des mois.

— Je suis navrée de l'apprendre, Julio, répondit Enid en lui posant la main sur l'épaule. Nous comprenons.

— *Gracias, señora*. Je vois maintenant pourquoi Chase est un tel ami.

Enid fut visiblement ravie du compliment :

— Julio ! Oubliez donc le « señora » ! Pour tout le monde, je suis Enid ou « tante Enid ». C'est aussi valable pour vous, ajouta-t-elle en se tournant vers Consuela.

De nouveau Jane sentit la fureur l'envahir, se souvenant du jour où Enid lui avait dit à peu près la même chose : elle se sentit exclue, victime d'une usurpatrice. Aussi préféra-t-elle baisser les yeux sur son assiette, en espérant que personne ne se rendrait compte de rien.

6

Jane ne put dormir et se retourna en tous sens, froissant draps et couvertures. Des rayons de lune filtraient à travers les rideaux de dentelle, comme pour lui rappeler ironiquement le jour où elle avait dormi dans cette chambre pour la première fois.

Mais comment faire, quand la pensée de Chase l'obsédait ? De multiples images défilaient derrière ses paupières closes. Toutes de lui, toutes du premier jour. Chase souriant. Chase fronçant les sourcils. Chase riant. Et Chase avec Consuela.

Il n'était pas heureux, aucun doute là-dessus. À cause de Consuela.

Une raison supplémentaire de la détester.

Mais il l'avait aimée. Il ne souffrirait pas autant, sinon.

Et comment le sais-tu ?

Ça se voit.

Je pourrais faire en sorte qu'il cesse de souffrir. Je le sais.

Non. Tu n'es que sa petite cousine. Tu ne seras jamais rien d'autre. Une gamine très sotte et follement amoureuse.

Mais s'il ne l'aime plus…

Tu n'en sais rien.

Mais…

Il n'est pas à toi. Il est marié à Consuela, point final.

Oh, Chase, je pourrais te rendre heureux. Je t'aime tant.

Rejetant les couvertures, Jane s'habilla en hâte, enfila ses bottes et quitta sa chambre comme si les démons la poursuivaient.

Et peut-être était-ce vrai.

— Oh, Chase… murmura-t-elle.

— Jane ? Qu'est-ce que tu fais là ?

Elle sursauta en poussant un cri, la main posée sur la poitrine comme pour empêcher son cœur de battre follement.

Il s'avança et lui prit le bras.

— Ça va ?

— Oui, oui, répondit-elle en toute hâte. Tu m'as fait peur, c'est tout.

— Désolée. Quand je t'ai entendue prononcer mon nom, j'ai cru que tu savais que j'étais là, et… dit-il sans achever sa phrase.

— Je voulais marcher un peu. Je n'arrive pas à dormir.

Cela n'expliquait rien. Mais que lui dire ? Impossible de lui avouer que c'était parce qu'elle pensait à lui. Et pourtant, comment nier la vérité ?

— Moi non plus.

La lune avait déjà disparu, la pénombre leur permettait juste de se voir, sans que chacun pût discerner le visage de l'autre.

Jane chercha frénétiquement quelque chose à dire, rien que pour rompre le silence. La main de Chase était toujours sur son bras.

— Nous sommes si heureux que tu sois revenu.

— Et moi, donc !

Jane ne put s'en empêcher et avança des doigts tremblants qui se posèrent sur la poitrine de Chase. Elle sentit sa chaleur à travers la chemise, fut comme prise d'une faiblesse et dut reprendre son souffle. Ses paupières se fermèrent à demi. Elle aurait tant voulu qu'il la serre dans ses bras, qu'il l'embrasse, qu'il l'aime, et l'espace d'un instant crut bien que c'était ce qu'il allait faire.

Il se pencha vers elle, puis eut un soupir étouffé et, faisant demi-tour, s'éloigna. Elle le suivit, cherchant quelque chose à dire :

— Je… je… Consuela sera sans doute heureuse, ici.

Il se mit à marcher plus vite, elle dut presser le pas pour rester à sa hauteur. Ils laissèrent derrière eux la maison, les corrals, le dortoir, se dirigeant vers les collines menant aux montagnes. Chase allait de plus en plus vite, Jane avait du mal à le suivre.

— Chase !

Il s'arrêta net. Elle savait que, malgré l'obscurité, il la regardait fixement. Et sans doute avait-il l'air buté, comme pendant la journée. Elle voulut tendre la main pour l'apaiser.

— Jane, je ne veux pas parler de Consuela avec toi. Tu as compris ? C'est ma femme et ce sont mes affaires. Si tu veux être son amie, vas-y. Mais ne lui parle pas de moi et ne me parle pas d'elle.

Un ton aussi bourru la mit au bord des larmes :

— Bien sûr, Chase, répondit-elle avec un hoquet.

Il eut un grand soupir, tendit la main pour lui ébouriffer les cheveux.

— Désolé, petite. Je ne voulais pas te faire de peine.

Lui prenant le menton, il leva son visage vers le sien :

— Tu ne vas quand même pas pleurer ? Je ne reconnais plus la fille qui, la dernière fois que je l'ai vue, a assommé net Powell Daniels !

— Non, je ne pleurerai pas.

— Menteuse ! dit-il d'une voix douce. Ah, petite, je suis vraiment navré. Parfois j'oublie que tu n'es pas un cow-boy.

Sans doute voulait-il la réconforter ! C'était raté…

— Je crois qu'il vaut mieux que j'aille me promener seul, ajouta-t-il. Je ne suis pas en état de tenir compagnie à qui que ce soit.

— Pas de problème, Chase, répondit-elle en faisant demi-tour avant que les larmes lui reviennent.

— Jane! dit-il d'une voix si douce qu'elle s'arrêta aussitôt. Nous rassemblons le bétail demain, je veux qu'oncle Frank voie le troupeau avant qu'on le disperse sur le ranch. Tu viendras donner un coup de main?

Elle repartit, lançant d'une voix étouffée :

— Bien sûr, Chase, j'en serai ravie. On se revoit ce matin.

Puis elle s'enfuit en toute hâte.

On ne peut jamais compter que sur soi-même, lui avait appris son père. Jane y repensa avant de descendre pour le petit déjeuner, jurant que jamais personne ne saurait à quel point elle était malheureuse.

S'avançant dans le couloir, elle surprit des paroles furieuses venues de la chambre de Chase, dont la porte était close. Elle voulut ne pas entendre, continuer à marcher. Mais…

— C'est ça le ranch dont tu étais si fier? Tu étais si pressé d'y revenir que tu as contraint mon père à me chasser! C'est pour ça que tu m'as traînée dans cette minable contrée? Tu n'as pas assez de *vaqueros* pour faire le travail à ta place?

— Consuela, j'ai toujours travaillé avec les hommes, et j'ai bien l'intention de continuer. Tu n'es pas seule, l'oncle Frank et la tante Enid sont là. Va voir si tu peux leur donner un coup de main!

— Chase Dupré, tu n'es qu'un moins que rien. Va donc courir derrière tes vaches! Sors! Sors de ma chambre et disparais! Et ne crois pas que je te laisserai jamais entrer dans mon lit! Tu n'es pas assez homme pour moi!

La porte s'ouvrit.

— M'avez-vous compris, *señor* Dupré ? Pas question que vous me touchiez ! Jamais je n'ai voulu de toi ! Jamais !

Chase sortit en hâte – et découvrit Jane pétrifiée en haut des marches. Elle se sentit virer à l'écarlate tandis qu'il descendait précipitamment l'escalier, sachant qu'elle avait tout entendu. Baissant les yeux, elle le suivit.

Tante Enid était dans la cuisine, occupée à préparer le petit déjeuner. Jane prit la cafetière posée sur le fourneau, se servit une tasse, puis se dirigea vers la porte grande ouverte donnant sur l'arrière de la maison et contempla les montagnes, sans se retourner quand Chase arriva : il lui était impossible de le regarder en face.

— Bonjour, Chase ! lança Enid. Julio déjeune avec nous, ce matin !

— Je croyais qu'il mangeait dans le dortoir ? Ne me prépare pas trop de choses, je n'ai pas faim.

— Balivernes ! Tu vas travailler toute la journée, mieux vaut que tu commences l'estomac plein. Assieds-toi et mange ce que je t'ai préparé. Et toi aussi, Jane, si tu veux les accompagner !

L'un et l'autre déjeunèrent en hâte, sans lever le nez de leur assiette, laissant Enid faire la conversation. Jane fut la première à finir et se leva.

— Je vais seller Wichita, dit-elle en embrassant la tante sur la joue.

Sortant, elle entendit Chase déclarer :

— Dis à oncle Frank que nous serons là avec les bêtes en fin d'après-midi. Nous le sortirons pour qu'il puisse les voir.

— Je n'y manquerai pas, répondit Enid avec une tendresse inhabituelle dans la voix.

Elle a entendu aussi, songea Jane, qui en fut encore plus abattue. Si seulement elle ne s'était pas arrêtée pour tendre l'oreille !

Il suffit à Julio de voir le visage de son ami pour savoir que sa sœur, une fois de plus, lui avait causé du chagrin. Il aurait aimé pouvoir donner à celle-ci une bonne fessée ; mais c'était trop tard. Elle jouait de l'amour de Chase, le pliait à ses caprices, puis le rejetait avec cruauté. Après ce qu'elle avait fait, tout autre l'aurait quittée. Mais Chase avait trop le sens de l'honneur. Il l'avait épousée, il ferait tout son possible pour que la vie commune continue.

Comme Julio montait à cheval, il aperçut Jane qui sortait sa jument du corral, et eut un sourire. Sa longue chevelure blonde était nouée sur sa nuque, un chapeau lui couvrait les yeux, et elle avançait du pas insouciant des vrais cow-boys.

— *Buenos dias*, Jane, lança-t-il.

— Bonjour, Julio, répondit-elle.

— Vous allez nous regarder rassembler le bétail, *amiga* ?

— Je vais vous donner un coup de main !

— Vous l'avez déjà fait ? Ce n'est pas un travail facile.

Elle éclata de rire :

— Julio, cela fait deux ans que je prends part aux convois vers Cheyenne, et je m'occupe du bétail depuis mon arrivée aux Quatre-Vents.

Elle sauta en selle, le regarda, pencha la tête et cligna de l'œil.

— Je suis sans doute meilleure que Chase !

C'était bien sûr un moyen d'attirer l'attention de celui-ci, occupé à seller son cheval : il leva les yeux. Il avait encore les sourcils froncés, mais on venait de le défier et il y réfléchissait. Ses grands yeux bleus eurent même comme une lueur amusée.

— Meilleure que moi ? s'écria-t-il.

— Ça se pourrait, tu es plus fort, mais je parie que dans l'ensemble…

— Parier ? Tu penses à une petite partie de cartes ?

— C'est une bonne façon de terminer la journée, non ?

Elle est amoureuse de lui, songea Julio. Et d'un amour de femme, pas de simple cousine.

— Très bien, Jane McBride, rétorqua Chase avec un grand sourire.

Il monta en selle.

— Nous allons rassembler le troupeau et nous ferons un petit concours.

— Tope là ! s'exclama-t-elle en tendant la main.

Mais Chase ne sait pas qu'elle l'aime, se dit Julio en secouant la tête. Manifestement, tous n'étaient pas au bout de leurs ennuis.

Wichita se précipita vers la vache, corps tendu, tête baissée. Chaque fois que l'animal changeait de direction, elle le suivit. Jane n'avait guère qu'à s'accrocher et à préparer le lasso. Puis elle le projeta de sa main gantée autour du cou de la bête et le noua au pommeau de sa selle. Les hommes poussèrent des grands cris tandis que Teddy emprisonnait la patte arrière et achevait le travail. Dans l'affaire, le chapeau de Jane, retenu par la bride, lui était tombé dans le dos. Des mèches humides bordaient son visage déjà poussiéreux.

Elle eut un sourire de triomphe à l'adresse de Chase :

— Monsieur Dupré, si je ne me trompe, j'ai passé l'épreuve !

— J'en conviens volontiers, mademoiselle McBride.

La poussière se dissipa, un peu comme le souvenir de la querelle du matin avait disparu dans l'euphorie de cette journée. Jane tendit son lasso à un cow-boy, puis fit avancer Wichita vers Chase et Julio.

— Tu as vraiment su la dresser, dit Chase sans ironie. Je n'ai jamais vu meilleure monture.

Jane en rosit de plaisir.

— Merci ! L'oncle Frank m'a beaucoup aidée !

— Nous ferions mieux d'y aller. Il va se demander ce qui nous est arrivé, répondit Chase avant de s'éloigner.

Teddy libéra la vache et prit le lasso de Jane avant de se diriger vers elle en souriant :

— Tu l'as surpris !

Elle hocha la tête, radieuse.

— *Amiga ?*

Jane se tourna vers Julio.

— Puis-je vous donner un conseil ?

— Bien sûr !

— Prenez garde de ne pas montrer à Consuela ce que vous éprouvez pour lui. Elle vous découperait en lanières.

Elle voulut protester, dire qu'elle ne comprenait pas – mais à quoi bon ?

— Ça se voit tant que ça ?

— Pour moi, oui. Mais pas pour lui.

Elle tourna la tête vers le troupeau, cherchant le cheval de Chase.

— Je crois que ça vaut mieux comme ça, dit-elle tristement.

— Oui.

— Je me suis promis d'être l'amie de Consuela, puisqu'elle est sa femme. Mais après ce que j'ai entendu ce matin… je ne sais pas si je pourrai.

— Il m'est pénible de dire cela de ma propre sœur, mais vous perdriez votre temps. Jamais elle n'acceptera votre offre. Je la connais : elle prend toujours et ne donne jamais.

— Il l'aime, Julio, n'est-ce pas ?

Demander lui était très pénible. Jane n'était même pas sûre de vouloir connaître la réponse.

— Il l'a aimée autrefois. C'est terminé depuis longtemps. Je crois même qu'il ne veut plus savoir ce qu'est l'amour.

— Et Consuela ?

— Elle a fait bien pire, *señora*, répondit Julio d'une voix à peine audible dans le vacarme du troupeau qui passait devant eux.

— Mais quoi, Julio ? J'ai besoin de comprendre.

— *Amiga*, quand il voudra que vous sachiez, il vous le dira. Mais ne lui demandez rien tant qu'il n'est pas prêt.

Ils étaient cinq dans le dortoir, réunis autour d'une table : Chase, Julio, Jane, Rodney et Teddy. Tous les hommes fumaient, entourés d'un nuage bleuté. Dehors, quelqu'un grattait une guitare en chantant d'une voix paisible. Pour Chase, c'était la fin d'une bonne journée. En voyant le troupeau, l'oncle Frank avait eu une expression dont son neveu se souviendrait longtemps.

— Vingt-cinq *cents* en plus, annonça Teddy en jetant une pièce de monnaie au centre de la table.

Chase regarda ses cartes et l'imita.

— Je vais voir, dit Jane d'une voix douce. Je monte les enjeux.

La petite futée est vraiment en veine, ce soir, songea Chase en voyant les piles de pièces qui s'entassaient devant Jane. Tous allaient être lessivés !

Elle avait quitté sa tenue de cow-boy et revêtu un corsage qui avait presque la couleur de ses yeux. Une barrette maintenait ses cheveux en place sur sa nuque. Ils lui tombaient en vagues très douces sur les épaules, et la lumière des lanternes semblait y jeter des reflets dorés. Comme elle était différente de cette enfant qu'il avait ramenée aux Quatre-Vents – et pourtant, si semblable…

Levant les yeux, Jane croisa son regard et eut un sourire qui illumina son visage.

— C'est à toi, Chase !

Perdu dans ses pensées, il se souvint tout d'un coup qu'ils disputaient une partie de poker. Regardant de nouveau ses cartes, il les posa sur la table après les avoir retournées.

— Je passe.

La partie se poursuivit, le pot augmentant de vingt-cinq *cents* par-ci, de cinquante par-là. Chase, pourtant, n'y était guère : il se contentait de regarder les autres et de suivre la conversation.

Les hommes venus avec eux du Texas seraient payés demain matin. Ensuite, ils rentreraient chez eux, mais quelques-uns resteraient sans doute sur place. Chase espérait que Julio serait du nombre.

— Désolé, les gars, dit Jane en étalant ses cartes. Un full !

Les autres eurent un grognement collectif.

— *Señora*, vous avez vraiment trop de chance aux cartes, dit Julio. Vous n'oseriez quand même pas gruger d'honnêtes travailleurs ?

Elle eut un grand sourire :

— Tricher avec mes amis ? Jamais !

Puis elle se tourna vers Chase.

— J'ai toutefois un problème à régler, monsieur Dupré. Admettez-vous votre défaite ?

— Mademoiselle McBride, répondit-il sur le même ton, je la reconnais en effet. Je confesse publiquement que vous êtes un cow-boy de premier ordre, l'un des meilleurs que j'aie eu le plaisir de rencontrer – sans compter que c'est aussi l'une des plus jolies ! Et vous êtes de surcroît une sacrée joueuse de poker !

— Merci ! s'exclama Jane en se levant. Excusez-moi, les gars, mais j'ai besoin d'une bonne nuit de sommeil dans un lit douillet.

Elle entassa ses gains dans son chapeau.

— Je t'accompagne, dit Chase en se levant à son tour. Bonne nuit, les gars.

— Bonne nuit, Chase. Bonne nuit, Jane !

Ils marchèrent à pas lents vers la maison, où l'on apercevait de la lumière dans la chambre de Frank et Enid.

— Tu as vraiment fait plaisir à l'oncle Frank ! dit-elle. Quand il a vu la taille du troupeau, il a failli éclater d'orgueil ! Son rêve se réalise.

— Nous n'y sommes pas encore, mais au moins nous sommes sur le bon chemin.

Puis il ajouta :

— Je regrette simplement qu'il m'ait fallu tant de temps pour y arriver.

— Tu es de retour, c'est la seule chose qui compte.

Ils parvinrent devant la véranda et s'arrêtèrent en même temps en haut des marches. Chase se rendit brusquement compte du bonheur qu'il éprouvait à marcher avec Jane dans le noir. Puis il songea à sa propre chambre, où Consuela l'attendait, et son plaisir disparut.

— Je vais rester dehors un petit moment, lança-t-il. Bonne nuit, Jane.

Elle hésita un instant, surprise, puis se dirigea vers la porte.

— Bonne nuit Chase, dit-elle doucement avant de disparaître.

Il l'entendit monter les marches, puis refermer la porte de sa chambre, et l'imagina allumant la lampe, s'asseyant sur le lit pour se brosser les cheveux. Quel mélange bizarre ! Une très jolie fille et un cow-boy dur à cuire ! En deux jours, il avait senti la chaleur de son sourire et la brûlure de sa langue acérée.

Il secoua la tête. Des choses autrement importantes devraient lui occuper l'esprit. Sortant de sa poche un cigare, il frotta une allumette contre la balustrade de la véranda. Demain, il s'attaquerait à la grange, en commençant par nettoyer les débris. Il irait à Virginia City commander du bois à la scierie. Et il en profiterait pour voir le shérif et lui demander ce qu'on faisait contre les incendiaires et les voleurs de bétail. Pas question que cela continue ! Pas aux Quatre-Vents, et pas maintenant qu'il était rentré.

7

Jane n'allait pas souvent en ville. Pourtant, s'il y avait à Virginia City des gens qu'elle ne tenait guère à rencontrer – comme Carol Ann Mills ou son père si guindé, Jedediah –, elle aimait s'y rendre, car c'était une sortie ; aussi fut-elle ravie que Chase lui demande de l'y accompagner. Elle accepta aussitôt, puis le regretta en apprenant que Consuela serait du voyage.

Le ciel matinal était d'un bleu sans nuages lorsque le buggy quitta les Quatre-Vents, Chase tenant les rênes, tandis que Jane et Julio suivaient derrière à cheval. Le bavardage enjoué de Consuela parvenait aux oreilles de la jeune fille, qui remarqua que le nouveau marié répondait rarement. Elle-même ne tenta guère de converser avec son compagnon, gardant le silence tout le long du chemin, en se demandant quelles pouvaient bien être les relations de Chase avec son épouse. Qu'avait-elle pu faire pour détruire l'amour qu'il lui portait ? À en juger par les remarques de Julio, ce devait être quelque chose de terrible.

Vers midi, tous quatre parvinrent à Virginia City. Chase les conduisit à l'autre bout de la ville, s'arrêtant devant le restaurant de Mme Culverson. Il offrit sa main à Consuela, qui descendit avec grâce du buggy.

— Nous allons manger un morceau, dit Chase à Julio, puis Jane pourra montrer la ville à Consuela tandis que nous irons à la scierie.

Jane aurait préféré les accompagner, mais bien entendu ne pouvait le dire. Il lui faudrait simplement tenir la promesse qu'elle s'était faite, et ne rien épargner pour devenir l'amie de la nouvelle venue, en dépit de ce qu'elle savait ou soupçonnait.

— Peut-être aimeriez-vous visiter les boutiques de mode, lui dit-elle alors que tous s'installaient à table.

— *Si*, cela me plairait. Je suis lassée des vêtements que j'ai apportés avec moi. Ils me rappellent les mois abominables que j'ai passés à suivre le troupeau. Si nous étions restés à la Casa de Oro…

Chase l'interrompit d'un ton sec.

— Achète-toi ce que tu veux, Consuela – et toi aussi, Jane.

— *Gracias, mi amor*, dit son épouse en l'embrassant sur la joue. Tu es si bon avec moi.

Jane baissa les yeux, préférant ne pas suivre leurs propos, où l'on discernait tant de choses non dites. Consuela lui disait *mi amor* comme pour le blesser…

Chase et Julio mangèrent sans perdre de temps et, dès qu'ils eurent terminé, se levèrent en s'excusant, promettant de retrouver les femmes d'ici deux heures. Consuela hocha la tête puis sirota son café tandis que Jane suivait les deux hommes des yeux.

— *Señorita !*

— Oui ?

— Souvenez-vous que c'est mon mari.

Jane tourna la tête vers son interlocutrice.

— Que voulez-vous dire ? demanda-t-elle – en sachant parfaitement de quoi il était question.

Consuela eut un grand sourire.

— Il se peut que je sois lassée de lui, mais aucune autre ne l'aura. Comprenez-vous ?

Jane se raidit sur sa chaise.

— Pourquoi tenez-vous tant à le blesser ?

L'autre se borna à hausser les épaules en souriant d'un air cruel.

— Et d'ailleurs, poursuivit Jane, vous vous trompez. C'est mon cousin ou peu s'en faut, il fait partie de ma famille.

— Comme vous voudrez, *señorita*. Mais soyez prévenue, ne vous mêlez de rien. Allons donc faire un peu de lèche-vitrines.

Près de deux heures plus tard, elles quittaient la boutique de Hartie – Jane les bras chargés des coûteux achats de Consuela – quand elles rencontrèrent Josh et Powell Daniels. Le père eut un grand sourire.

— Mademoiselle McBride! Quel plaisir de vous voir! Qui est donc votre amie?

Jane tenta de le contourner sans répondre, mais il lui bloqua le passage.

— Allons, allons, vous n'allez quand même pas nous quitter si vite! Pourquoi mon fils et moi ne pourrions-nous pas vous aider à porter vos paquets?

— Ce n'est pas nécessaire, monsieur Daniels. Nous y arriverons.

Consuela croisa le regard de Powell.

— Allons, Jane, ne soyez pas sotte et laissez ces messieurs nous aider. *Gracias, señor*, ajouta-t-elle à l'adresse de Powell.

— De rien, *señora*, répondit celui-ci, qui, se tournant vers Jane, ajouta : Tu vas quand même nous présenter?

À contrecœur, la jeune fille s'exécuta.

— Consuela, voici Powell Daniels et son père Josh, du ranch des Grands Pins. Consuela est l'épouse de Chase. Ils sont arrivés du Texas voilà deux jours.

Powell sourit de toutes ses dents, le regard plein d'admiration.

— Grands dieux! Et qu'avez-vous pu trouver à Chase pour vouloir être sa femme? lança-t-il en offrant son bras à Consuela.

— Pour le moment, *señor*, je ne me le rappelle pas, répondit celle-ci en acceptant son offre.

Tous deux se dirigèrent vers le restaurant de Mme Culverson.

Jane resta clouée sur place, envahie par la fureur. Consuela se mettait à flirter avec Powell Daniels, qu'elle-même détestait depuis leur première rencontre! Et elle n'ignorait pas que Chase le haïssait aussi, pour des raisons à lui. Elle s'avança en toute hâte, sans vouloir confier ses paquets à Josh.

Fort heureusement, Chase et Julio n'étaient pas encore là.

Powell déposa les cartons à chapeaux et le reste à l'arrière du buggy, puis aida Consuela à s'asseoir et la salua.

— C'était un plaisir, madame Dupré. J'espère que nous aurons l'occasion de nous revoir.

— Je le souhaite également, monsieur Daniels.

Jane, furieuse, suivit des yeux les deux hommes qui s'éloignaient, puis, mains sur les hanches, jeta à Consuela un regard de défi.

— Écoutez, Consuela, il ne faut plus que vous parliez à cet homme, vous m'entendez? Ce n'est pas un ami des Dupré, et son père non plus. Chase et Powell ne peuvent se supporter. Je n'ai pas de preuves, mais je ne serais pas surprise que ce soit lui qui ait brûlé la grange.

Consuela agita négligemment son éventail.

— Vous n'avez pas à me dire ce que je dois faire, *muchacha*.

Jane disposait de tout un répertoire de jurons appris voilà bien longtemps; ils lui revinrent en mémoire d'un seul coup et elle faillit bien les cracher tous. Mais elle songea à tante Enid et eut un cri étouffé avant de se diriger vers son cheval et de monter en selle.

— Dites à Chase que je suis repartie pour le ranch!

Et elle s'éloigna sans attendre la réponse.

Chase la retrouva dans le pré où il l'avait autrefois entraînée au tir à la cible. Jane, qui s'exerçait sur des pommes de pin alignées sur un arbre mort, ne l'avait pas remarqué et ne le vit qu'en rengainant son revolver.

— Un sacré bon tir ! lança-t-il.

— Merci, répondit-elle d'un ton sec.

Il fit avancer son cheval.

— Tu es furieuse à propos de quelque chose.

— En effet.

— Et tu pourrais me dire quoi ? Tu as quitté la ville sans nous.

— Non.

— C'était Consuela ? demanda-t-il d'un ton radouci.

— Ça n'a pas d'importance, soupira-t-elle.

Il sauta à terre.

— Je ne l'ai pas ramenée ici pour qu'elle fasse des misères à tout le monde.

— C'est ta femme, répondit Jane en haussant les épaules. Elle est chez elle, comme tout le monde ici.

— Jane, qu'a-t-elle fait ?

L'espace d'un instant, il sembla qu'il allait répondre à l'amour qu'on lisait dans les yeux de la jeune femme. Leurs regards se croisèrent, elle eut l'impression de pouvoir lire en lui, de partager son désespoir. Puis d'un seul coup il eut un regard dur, comme pour la prévenir de ne pas approcher trop près. Les doigts de Chase se refermèrent sur le poignet de Jane, il abaissa la main qui allait caresser sa joue, puis recula de quelques pas.

— Chase, dit-elle, peut-être vaudrait-il mieux que nous parlions.

— Ça ne servirait à rien, répondit-il d'un ton bourru avant de lui tourner le dos.

— Julio a dit…

— Julio parle trop.

Jane contint le désir de se serrer contre lui. Ce n'était pas le moment. Pour elle, pour Chase, mieux valait le laisser tranquille. Faisant volte-face, elle se dirigea en toute hâte vers l'arbre mort, y disposa de nouvelles pommes de pin. Puis, revenant sur ses pas, elle prit son arme et la chargea.

— Ça te dirait de voir comment je tire ? demanda-t-elle d'un ton volontairement léger.

Chase jeta un coup d'œil par-dessus son épaule.

— Ça te dirait ? répéta-t-elle.

Il fit demi-tour.

Jane leva son arme et se mit à tirer à toute allure, dispersant les pommes de pin en tous sens.

Prends ça, Consuela, pensait-elle à chaque appui sur la détente, et ça ! Et ça ! Et ça !

Si seulement il pouvait comprendre qu'elle l'aimait ! Mais il devrait croire qu'elle avait de la peine pour lui, et jamais sa fierté ne lui permettrait d'accepter la pitié. C'est ce qu'il pensait, et elle le comprenait. Jane ne s'apitoyait pas non plus sur elle-même. Au demeurant, même s'il s'apercevait de son amour, à quoi bon ? Elle devrait quitter les Quatre-Vents, partir loin de lui. Mais où irait-elle, comment gagner sa vie ? Pas question de s'occuper du bétail : personne n'embaucherait de femme pour faire un métier d'homme, même si elle en était parfaitement capable, comme elle l'avait prouvé la veille. Et que faire d'autre ?

Il y eut un long silence tandis que toutes ces pensées traversaient l'esprit de Jane, au point qu'elle ne remarqua même pas qu'il montait à cheval et repartait.

— Je parlerai à Consuela, et j'essaierai de…

— Non ! s'écria-t-elle en rengainant son arme. Je t'interdis de lui dire un seul mot à mon sujet, Chase Dupré. Si j'ai à me battre, je m'en chargerai moi-même. Si Consuela et moi avons des problèmes, ce sera entre nous, comme ceux que vous avez tous les deux.

Chase eut un sourire fugace.

— D'accord, petite. Ce sera comme tu veux.

— Chase !

— Oui ?

— Je ne suis plus une gamine.

— C'est bien ce que je vois.

— Nous devrions rendre visite à Chase et à sa charmante épouse, papa. Après tout, ça se fait entre voisins.

Appuyé contre la balustrade, Powell frotta une allumette et la regarda se consumer, puis la jeta à terre et l'écrasa du pied avant qu'elle ne lui brûle les doigts.

— Je ne crois pas que nous serions les bienvenus ! Chase n'a jamais eu très bonne opinion des Daniels ! répondit Josh en se levant pour aller rejoindre son fils.

Celui-ci savait à quoi pensait son père. Il était venu dans la région à cause d'Enid Dupré, il y était resté à cause d'elle, il avait bâti son ranch en espérant qu'un jour elle serait à lui. Mais Enid ne voulait pas plus entendre parler des Daniels que son neveu. Bref, elle avait éconduit Josh, et Powell en était furieux. Mais son père ne semblait plus s'en formaliser. Après tout, ils avaient leur maison, leur ranch, leur bétail…

Pourtant, cela ne suffisait pas à Powell. C'était de la bonne terre et il en voulait davantage, tout jusqu'à Yellowstone, et un jour il y arriverait. Il aurait le plus grand troupeau du Montana. Il n'était pas homme à renoncer, contrairement à Josh. Cette terre serait à lui, quoi qu'il dût faire ; il ne laisserait personne se mettre en travers, et surtout pas un Dupré.

Il alluma une autre allumette et en contempla la flamme, fasciné par la petite lueur jaune orangé, et envahi par une bizarre excitation, comme toujours : elle était d'autant plus grande que la flamme était plus forte – ainsi quand une grange brûlait…

— Après tout, ça ne peut pas faire de mal d'aller leur rendre visite, dit brusquement son père. Ça te donnera l'occasion de voir ton frère, sa femme et leur fille.

Powell grommela : Rod et sa famille ne l'intéressaient guère.

Les fils de Josh Daniels étaient aussi différents que le jour et la nuit. Powell ressemblait à son père, en plus petit ; il était massif, rougeaud, avec un grand nez et des yeux bruns. Rodney ressemblait davantage à sa mère : une silhouette mince, des cheveux blonds, des traits avenants. Leurs personnalités étaient tout aussi opposées : l'aîné était obstiné, prompt à s'échauffer, dangereux ; le cadet se montrait beaucoup plus calme et prenait soin de ne jamais céder à la violence. Son tempérament affable, son sens de l'honnêteté lui avaient fait quitter les Grands Pins ; jamais il n'avait accepté les méthodes brutales de Powell, prêt à tout pour avoir ce qu'il voulait. Il était normal qu'il soit allé chez les Dupré : il leur ressemblait plus qu'aux Daniels.

Bon débarras, songea son aîné en allumant une nouvelle allumette. Il pensa à la grange des Quatre-Vents et eut un grand sourire.

— Ce n'est pas Rod ou Chase que je veux voir, mais cette chère Mme Dupré.

— Je te préviens, mon garçon, ne va pas tourner autour de la femme d'un autre. Cela ne te vaudra que du chagrin.

Powell eut un ricanement méprisant.

— Un sage conseil de la part de quelqu'un qui s'y connaît ! Laisse-moi te dire quelque chose, papa. Si je cours après la femme d'un autre, personne ne m'en empêchera, même pas elle. Et un jour ces Dupré apprendront ce qui arrive à ceux qui nous méprisent.

— Les choses ne sont pas si simples, Powell.

— Elles le sont du moment qu'on est assez homme pour s'en occuper, répliqua son fils. Et un de ces jours je me chargerai du boulot pour toi.

Josh secoua la tête, passa la main dans sa chevelure grisonnante.

— Je t'ai trop enseigné la haine, mon garçon. Elle te dévore de l'intérieur.

Powell eut un gros rire, puis se dirigea vers leur grange. Il était impatient de se rendre aux Quatre-Vents et de revoir la si charmante Consuela Dupré.

8

Chase avait ôté sa chemise et, torse nu sous le brûlant soleil de juin, clouait des planches sur la nouvelle grange. Il s'arrêta un instant pour essuyer d'un revers de main la sueur de son front. Ses muscles étaient douloureux, il se sentait épuisé, mais c'était une bonne fatigue. Le bâtiment édifié de ses mains, presque achevé, se dressait, prêt à abriter leur bétail des féroces hivers du Montana.

Clignant des yeux, il jeta un regard en direction de la maison. Enid et Consuela étaient assises à l'ombre de la véranda. Sa tante s'occupait à quelque chose, comme d'habitude – couture ou reprisage, sans doute –, mais sa femme restait oisive, agitant son éventail. Chase sentit l'irritation lui monter dans la gorge comme une bile. Pourquoi s'étonner qu'elle ne fasse jamais rien pour se rendre utile ? À la Casa de Oro, elle n'avait pas manqué de domestiques. Elle était la petite sœur chérie, la seule fille de parents déjà âgés. On l'avait élevée pour qu'elle remplisse la maison de sa beauté et de ses rires, rien de plus. D'ailleurs, n'était-ce pas ce qui l'avait attiré vers elle ? Sa splendeur, sa gaieté, son innocence… Il l'avait aimée au point de ne pas rentrer le moment venu, comme il l'avait promis. Il l'avait aimée à en avoir mal.

Mais c'était fini. Rien ne pouvait plus le faire souffrir. L'égoïsme de Consuela, ses tromperies ne lui inspiraient qu'une colère froide ; et parfois il s'attristait de songer à quel point sa propre vie était futile.

S'emparant du marteau, il se remit au travail. Pas le temps de s'apitoyer sur lui-même. Il était marié, il faudrait bien qu'il s'y fasse. Peut-être qu'une période loin d'elle lui ferait du bien. Demain il partirait à cheval inspecter sur toute l'étendue du ranch les cabanes qui servaient d'étables. Ce n'était pas encore la saison, bien sûr, mais dans cette région l'hiver avait l'art d'arriver sans qu'on s'en rende compte.

— Julio, passe-moi des clous, veux-tu ?

Le regard de Chase se tourna vers Jane, dont il venait d'entendre la voix. Elle était agenouillée au coin de la grange, à marteler des planches pour les récupérer. Il la contempla avec… quoi donc ? Ce fut un sentiment si fugace qu'il n'eut pas le temps d'y regarder de plus près. Tout au plus savait-il que, depuis son retour aux Quatre-Vents, Jane avait illuminé son existence.

Julio laissa tomber des clous dans les mains tendues de la jeune femme, lui dit quelques mots qui l'amusèrent, puis lui effleura le bout du nez pour en ôter une trace de poussière. Tous deux éclatèrent de rire. Chase ressentit une jalousie soudaine qui le surprit lui-même.

Puis Julio fit demi-tour et s'éloigna, avant de s'arrêter et de diriger son attention vers la route. Chase l'imita.

Cela faisait cinq ans qu'il ne les avait pas vus, depuis la journée du barbecue et de la bagarre, mais il reconnut Josh Daniels et son fils avant même de discerner leurs visages. Fronçant les sourcils, il se raidit, revoyant ce lointain hiver, quand il n'était encore qu'un petit garçon de cinq ans…

La neige s'entassait autour de la vieille cabane en rondins. Chase n'avait jamais entendu le vent hurler si fort et si longtemps. Il était allongé dans son lit, encore affaibli par la fièvre qui l'avait consumé des jours durant. Tante Enid n'avait cessé de s'occuper de lui, lui donnant à boire ou le poussant à prendre une autre cuillerée de bouillon.

Il était seul quand des voix s'en vinrent le réveiller. Il resta immobile, tentant de se souvenir depuis combien de temps il était malade. Sa mère avait été la première : elle s'était évanouie dans la cuisine et son père l'avait mise au lit. Puis la cousine de Chase avait commencé à se plaindre d'avoir mal à la gorge. Lui-même avait dû être le suivant, mais il ne se rappelait rien. Il se demandait comment sa mère et Chantal s'en étaient sorties. Étaient-elles encore malades ? Et les autres ? Pourquoi ne voyait-il plus son père, l'oncle Frank ou son cousin Paul ?

Il étendit les jambes et tenta de se lever, mais elles se dérobèrent sous lui. Sa tête se mit à tourner. Respirant profondément, il se mit à genoux et commença à ramper jusqu'à l'échelle qui menait en bas. Les voix se firent plus fortes et plus distinctes.

— Josh, je te demanderai d'en rester là. J'ai à m'occuper de mes malades.

— Qu'ils se débrouillent, Enid. Viens avec moi avant que tu ne sois atteinte à ton tour.

C'était une voix d'homme, que Chase ne connaissait pas.

— Tu me demandes d'abandonner aussi mon époux ?

— Je n'oublie rien du tout. Ma femme est morte, Frank la suivra bientôt. Cela fait longtemps que je pense à toi, et je ne veux pas quitter cette vallée sans toi.

— Lâche-moi ! Josh Daniels, tu n'as pas l'air de comprendre. J'aime mon mari et, même s'il mourait, je n'irais nulle part avec toi. Je t'ai déjà dit cela sur la côte Est, et je te le répète aujourd'hui.

— Je ne renonce jamais à ce qui est à moi.

— Je ne t'appartiens pas.

Chase atteignit l'échelle au moment où l'homme prenait tante Enid dans ses bras et l'embrassait brutalement.

— Bas les pattes ! s'écria l'enfant.

Reculant, l'homme leva les yeux et lui jeta un regard méprisant.

— C'est le moutard de Frank ?

— C'est le fils de Denise, répondit Enid en s'éloignant en toute hâte pour s'emparer du fusil posé près de la porte. Maintenant, Josh, je veux que tu t'en ailles. Je consentirai à oublier ce qui s'est passé. Disparais et laisse-nous tranquilles.

Josh continua à fixer Chase d'un air mauvais, puis se tourna vers Enid avec un sourire menaçant.

— Je ne renonce jamais à ce qui m'appartient. Je m'en vais, mais pas bien loin. Je serai patient. Mes fils et moi pouvons attendre.

Puis il sortit et Enid se hâta d'aller remettre Chase au lit.

— Qui était-ce ? Qu'est-ce qu'il voulait ? demanda le garçonnet.

Enid contempla le petit visage amaigri par la fièvre, à la fois si enfantin et si grave, tout en réfléchissant à ce qu'elle allait dire.

— Je l'ai rencontré bien avant de connaître ton oncle. Ses parents et les miens avaient décidé de nous marier, mais je ne l'ai jamais trouvé sympathique. Je l'aurais sans doute fait, pourtant, si Frank n'était pas arrivé. Josh me poursuit depuis que je suis parti avec ton oncle.

— Il est au courant ?

— Non, et il ne faut pas que tu lui dises. Jamais. Je veux que tu me le promettes.

Chase fronça les sourcils. Il n'aimait pas cet homme et pensait que Frank devrait être informé : tant qu'il serait aux environs, il y aurait des ennuis, le petit garçon en était certain.

— Promets-moi, Chase Dupré. Ton oncle est malade et je ne veux pas qu'il se fasse du souci. Je veux que tu me donnes ta parole.

À contrecœur, il accepta.

— D'accord, tante Enid, je promets. Mais je n'aime pas ça. Pas du tout.

Et il n'avait pas changé d'avis. La cabane en rondins avait depuis cédé la place à leur demeure actuelle. Le petit ranch avait grandi, comme le jeune garçon d'autrefois. Bien des choses avaient changé, mais Josh et son fils aîné inspiraient toujours les mêmes sentiments à Chase. Il y avait toujours eu une profonde hostilité entre lui et Powell.

— Salut, Chase. J'ai appris que tu étais de retour.

Josh mit pied à terre.

— Nous avons rencontré ta femme en ville l'autre jour. On pensait vraiment que tu ne reviendrais jamais ici! Ta tante a dû être heureuse! C'est bon de te revoir, dit-il en tendant la main.

Chase le contempla d'un air soupçonneux. Il ne se souvenait pas que Josh Daniels ait jamais eu une parole aimable pour lui. Il se borna donc à une poignée de main rapide.

— Oui, Josh, c'est bon d'être revenu, et je compte bien rester ici! J'ai ramené un beau troupeau avec moi.

— C'est ce que j'ai entendu dire, répondit Josh en tournant le regard vers la grange : on dirait que vous avez eu des ennuis.

— Rien de grave.

— Powell, mon garçon, reprit Josh, descends donc de cheval et viens saluer Chase!

— Je peux le faire d'ici, papa.

Josh cligna des yeux sous le soleil.

— Il fait sacrément chaud, pour un mois de juin! Tu aurais quelque chose à nous offrir à boire?

Jane s'était approchée.

— Il y a de la limonade à la maison. Nous ne serions pas de bons voisins si nous ne vous en offrions pas par une journée aussi chaude.

Ce n'était pas exactement une invitation chaleureuse, mais Chase n'aurait pu faire mieux. Il savait pourtant que Jane avait raison : s'ils n'invitaient pas les deux hommes, tante Enid en serait furieuse. Elle avait trop le sens de l'hospitalité pour se montrer hostile, même envers eux.

Jane, Josh et Chase se dirigèrent vers la maison, tandis que Powell les suivait à cheval, ne mettant pied à terre que devant les marches de la véranda. Consuela et tante Enid s'étaient levées pour les accueillir.

— Bonjour, Enid, dit Josh en enlevant son chapeau. Nous sommes venus saluer Chase.

— C'est bien de ta part, Josh. Entre donc dire bonjour à Frank, il s'ennuie beaucoup ces temps-ci. Il sera sans doute ravi de passer un moment avec un vieil ami.

Un vieil ami ? la formule agaça Chase. Josh et Frank n'avaient jamais été très liés. Daniels père se contentait d'attendre la mort de son rival pour s'emparer de son épouse.

— J'en serai enchanté ! dit-il.

— Voici ma bru, Consuela Dupré, poursuivit Enid. Elle est venue du Texas avec Chase.

— Nous avons déjà eu le plaisir de la rencontrer à Virginia City. Heureux de vous revoir si tôt, madame Dupré.

— Tout le plaisir est pour moi, monsieur Daniels, répondit la jeune femme d'un ton suave.

Puis ses yeux bruns se posèrent sur Powell.

— Et vous aussi, *señor* Powell.

Chase attendit que la colère ou la jalousie montent en lui, mais en vain. Il avait été trop souvent témoin de ce genre de scène. Consuela n'y pouvait rien, c'était une flirteuse-née. Il fallait absolument qu'elle subjugue tous les hommes aux environs, pour les ajouter à sa liste d'admirateurs. Et bien entendu ils ne pouvaient pas lui résister – comme lui-même, d'ailleurs. Que Powell entre dans le jeu était toutefois un peu inquiétant.

Le nouveau venu se tourna vers Chase :

— Rien qu'en venant dans le Montana, ta femme le rend plus agréable. Je n'aurais jamais cru que tu puisses avoir autant de chance !

— De chance ? On peut dire ça.

— Que les hommes s'assoient, dit Jane, je vais apporter la limonade.

Ses yeux croisèrent ceux de Chase, qui comprit aussitôt qu'elle partageait ses sentiments : elle méprisait les Daniels aussi farouchement que lui. Il se demanda s'il y avait eu quelque chose entre elle et Powell pendant son absence, puis se sentit coupable de n'avoir pas été là pour la protéger.

Consuela avait pris Powell par le bras et l'emmenait vers les fauteuils disposés sur la véranda.

— Il faudra que je demande à mon mari de m'emmener voir votre ranch, *señor* Daniels. Il paraît qu'il est très beau.

Powell eut un grand sourire.

— Quand vous voudrez, avec ou sans Chase ! Vous n'avez qu'à passer !

— Je vous le promets, *señor*.

Chase se joignit aux autres en grinçant des dents.

Consuela, parader devant quelqu'un comme Powell Daniels ! Jamais Jane n'avait rien vu d'aussi répugnant. Y penser suffisait à la faire bouillonner de colère. Si seulement Chase l'avait remis à sa place, ou l'avait assommé d'un bon coup de poing… Mais il était resté là à boire de la limonade en faisant comme si de rien n'était. Pourtant, Jane avait bien senti qu'il n'aimait guère l'intrus. Il était donc surprenant qu'il ait laissé sa propre femme enjôler son vieil ennemi, et flirter avec lui en agitant ses longs cils et en gloussant comme une écolière idiote.

Mais Jane, elle, s'en était choquée. Si jamais elle n'avait pas déjà détesté Consuela Valdez, cet après-midi-là aurait suffi.

9

Le lendemain matin, Jane sellait Wichita quand Chase sortit de la maison. Du coin de l'œil, et sans s'interrompre, elle le vit marcher vers le corral.

— Où vas-tu donc si tôt ? lança Chase.

— Je vais avec toi.

— Ah bon ? Je n'étais pas au courant.

Elle se tourna vers lui ; il avait dans les yeux une lassitude qui semblait ne jamais le quitter.

— J'ai pensé que tu aimerais avoir de la compagnie.

— En effet, mais je pars pour quelques jours.

Elle haussa les épaules.

— Alors je reviendrai tout de suite.

Jane aurait voulu pouvoir dire qu'elle l'accompagnerait, mais n'en eut pas le courage. Frissonnant, elle se demanda ce que ce serait de passer une nuit à la belle étoile, seule avec Chase...

— Bon, allons-y, alors, dit Chase en franchissant la barrière du corral pour se diriger vers son cheval.

Quelques minutes plus tard, ils quittaient les Quatre-Vents.

La journée s'annonçait chaude, une fois de plus : dans la vallée, l'herbe virait au brun. Et le soleil, qu'on apercevait derrière les montagnes déchiquetées, était déjà brûlant.

— Si jamais il ne pleut pas sous peu... commença Chase comme tous deux se dirigeaient vers le sud.

— L'été risque d'être chaud, acquiesça Jane.

Puis ils continuèrent leur route en silence avant de s'arrêter pour faire boire leurs chevaux. Le ruisseau dévalait la montagne, encore nourri par la fonte des neiges.

Jane s'agenouilla au bord de la crique et mit ses mains en coupe pour boire aussi. Quand elle eut apaisé sa soif, elle s'aspergea un peu le visage, puis agita la tête et s'assit sur ses talons en rouvrant les yeux. Elle adorait l'odeur des pins, qui s'en venait lui chatouiller les narines et l'agitait intérieurement. Elle se sentait fraîche et propre, comme après la pluie. Prenant son chapeau qu'elle avait posé sur l'herbe, elle se releva et s'aperçut que Chase la contemplait.

Il sourit.

— Partout où je suis allé, ça ne sentait pas comme ça.

— Ce n'est pas possible! dit-elle en lui rendant son sourire.

Ce fut un instant très bref pendant lequel ils parurent ne faire qu'un. Tous deux adoraient cette terre, avec une force que peu de gens auraient comprise; mais cela les rapprochait.

Chase rompit le charme.

— Il vaudrait mieux qu'on y aille. On a beaucoup de chemin à faire, et il faudra quand même que tu rentres tôt.

Elle hocha la tête et remonta à cheval.

Plusieurs heures plus tard, juste après la deuxième étable, ils trouvèrent la carcasse d'un bœuf et les traces du grizzly. L'animal avait été tué peu de temps auparavant, mais il n'en restait pas grand-chose.

— J'espérais pourtant qu'on en avait terminé, dit Jane tandis que Chase, sautant à terre, allait examiner les larges empreintes imprimées dans la boue.

— Il était là il n'y a pas longtemps.

— Tu es sûr ? demanda-t-elle en se sentant parcourue d'un frisson glacé.

Ses yeux se tournèrent vers la forêt de pins qui se faisait de plus en plus épaisse à mesure qu'elle montait vers le sommet de la montagne.

— J'en suis certain, répondit Chase. Il est là-haut, à attendre de dévorer nos bêtes, et je n'ai certainement pas amené le troupeau de si loin pour qu'un fichu grizzly s'en repaisse ! Il va falloir aller le chercher.

— Nous avons déjà essayé.

— Pas moi. Jane, je veux que tu retournes au ranch pour dire à tous de venir ici. Je vais le poursuivre pendant que la piste est fraîche.

— Chase, tu ne peux pas y aller seul ! Il a déjà tué plus d'un homme, et estropié Charlie. Il est malin et sait surprendre ceux qui le poursuivent.

— Va donc ! Tu perds du temps !

Sortant son fusil, il dirigea son cheval vers la montagne.

Jane le suivit des yeux en commençant à paniquer. Cet ours était un tueur. Si Chase le rencontrait alors qu'il était seul…

Plantant ses éperons dans les flancs de sa jument, elle repartit à toute allure vers le ranch. Penchée sur la selle, elle pressa la bête d'aller plus vite encore, mais ses pensées demeuraient auprès de Chase. Il ne savait pas dans quoi il s'engageait – et ne pouvait pas le savoir : il n'était pas là quand ils avaient trouvé le corps de Wade. Mais Jane était présente, et n'oublierait jamais la scène. On n'avait pu l'identifier qu'à son fusil, et aux lambeaux de ses vêtements : il n'avait plus de visage, que l'ours avait déchiqueté de ses griffes et de ses crocs.

— Dépêche-toi, Wichita ! lança-t-elle en l'éperonnant de nouveau.

— Je n'ai pas eu l'impression que Chase aimait Powell et son père. Pourquoi donc, *señora* ? demanda Consuela, installée dans un fauteuil près de la porte donnant sur l'arrière-cour, et s'éventant, tandis qu'à l'extérieur Enid lavait du linge dans un grand bassin.

Celle-ci leva la tête, jeta à la jeune femme un regard distant, balaya des mèches qui lui tombaient sur le front.

— Il fut un temps où Josh s'imaginait être amoureux de moi.

— Et vous, *señora* ?

— Oh que non ! Pour moi il n'y a jamais eu d'autre homme que Frank Dupré, et il n'y en aura jamais !

Enid se remit au lavage, mais ses pensées se tournèrent vers son mari. Elle avait toujours cru avoir pu garder le secret sur les intentions de Josh, et pensé que Frank ne voyait rien quand il l'importunait en ville ou la dévorait des yeux en passant aux Quatre-Vents. Son mari le jugeant peu sympathique, mais tenant à ce qu'on le traite en voisin, elle se disait que son subterfuge avait réussi. Elle sourit.

Bien entendu, l'homme de sa vie était moins aveugle qu'elle n'aurait cru. Il avait vu à quoi jouait Josh et, sans attendre que l'autre ne lui tire une balle dans le dos, s'était rendu aux Grands Pins pour le remettre à sa place. Enid ne savait pas ce qui s'était passé ce jour-là, mais Josh avait changé d'attitude. Elle se sentait encore mal à l'aise en sa présence, mais plus menacée. Et si les deux hommes ne s'étaient bien entendu jamais liés d'amitié, ils avaient, au fil des années, commencé à se témoigner une sorte de respect mutuel un peu revêche.

— Mais *señora*, dit Consuela, pourquoi Chase déteste-t-il donc Powell ? Ce n'est pas de sa faute si son père vous aimait.

Enid prit le linge pour aller l'accrocher.

— Powell et Chase se détestent depuis qu'ils sont gamins. Je crois que Chase a ses raisons, que j'ignore – je n'ai d'ailleurs pas à les connaître. Je sais simplement que Powell est un moins que rien, et je ne doute pas qu'il soit derrière tous les ennuis qui arrivent dans la région.

Faisant demi-tour, elle posa les mains sur les hanches.

— Consuela, je ne sais pas ce qu'il y a entre vous et Chase, je ne veux pas le savoir. Mais écoutez-moi bien : restez loin de Powell Daniels. Il ne vous vaudra que du chagrin, comme à nous tous. N'oubliez pas ce que je vous dis là.

Consuela se leva lentement, avec un regard plein d'innocence.

— *Señora*, je ne comprends pas. Je me montrais amicale, voilà tout. Après tout, j'ai cru qu'ils étaient vos amis. Ils sont venus saluer Chase, et vous avez emmené le *señor* Daniels voir le *señor* Dupré.

Enid se sentit honteuse d'elle-même ; la jeune femme semblait sur le point de fondre en larmes.

— Josh et moi avons fait la paix voilà des années, mais je ne tiens pas à voir les Daniels aux environs. Chase est un bon mari, vous feriez mieux d'essayer de le rendre heureux.

— Je n'ai pas l'air de savoir rendre heureux qui que ce soit, *señora*, rétorqua Consuela qui partit en courant.

Enid resta silencieuse un moment, puis revint vers son linge. Elle avait beau essayer, impossible de croire à la sincérité des larmes de sa bru. Elle aurait mieux supporté sa paresse si Consuela avait vraiment aimé Chase.

Pourquoi n'avait-il donc pas épousé quelqu'un comme Jane ? Mieux encore, pourquoi pas Jane ?

Laissant son cheval derrière lui, Chase avança à pied. Le feuillage était si épais que suivre la piste de l'ours se révélait difficile. Il écoutait avec attention, épiant le moindre bruit de branche brisée ou quelque bruissement de feuilles. Depuis son retour, il avait assez entendu parler de ce grizzly pour savoir qu'il était redoutablement malin. Pas question d'être sa prochaine victime.

Les minutes s'écoulèrent avec lenteur tandis qu'il grimpait, le regard en alerte, toujours aux aguets. Sa chemise était déjà trempée de sueur; heureusement que les grands pins lui procuraient de l'ombre. Il s'arrêta un instant pour ôter son chapeau et s'essuyer le front, puis jeta un coup d'œil derrière lui.

C'est alors qu'il entendit le bruit d'une branche qui se casse, suivi d'une sorte de reniflement rauque. Faisant volte-face, fusil levé, il se figea sur place en voyant le grizzly un peu au-dessus de lui, dressé sur un affleurement rocheux. Debout sur ses pattes de derrière, il avait une allure presque majestueuse. Son torse était énorme, les poils de sa fourrure brune étaient semés d'argent. Il agitait doucement la tête, le nez pointé vers le ciel, tout en grondant sourdement. Il faisait près de deux mètres de haut et devait peser dans les cinq cents kilos.

— Ta peau fera bel effet sur les murs de ma chambre, dit Chase en levant son arme.

Brusquement, l'ours se mit à quatre pattes et disparut en courant avant que Chase ait eu le temps de tirer. Il attendit donc, tendu. L'animal reviendrait-il? Ou bien allait-il descendre le flanc de la montagne? Tournant la tête, respirant à peine, Chase inspecta tous les chemins que la bête pourrait emprunter.

Consuela se sentait incapable de demeurer une minute de plus dans cette maison. Elle ignorait comment on attache un cheval à un buggy. Fort heureusement, il y avait un cow-boy dans la grange.

— *Señor*?

Il leva les yeux.

— Je désire faire une promenade en buggy. Accepteriez-vous de le préparer pour moi ?

— Il fait bien chaud, madame. Peut-être feriez-vous mieux d'attendre le soir ?

— Non, je n'en ai pas envie, répondit-elle d'un ton sec. Acceptez-vous, ou dois-je m'en charger moi-même ?

L'autre soupira.

— Non, madame. Si vous tenez vraiment à sortir par cette chaleur, je n'ai pas l'intention de vous en empêcher.

Quand le cheval eut été harnaché, il aida la jeune femme à monter, puis il dit :

— Je ferais mieux de venir avec vous, madame. Je ne voudrais pas que vous ayez des ennuis.

— Je n'en ai aucune intention, *gringo*, répliqua-t-elle avant de cravacher la croupe du cheval, qui partit aussitôt.

Consuela savait exactement quelle direction emprunter. Powell avait indiqué où se trouvait le ranch des Grands Pins, et elle désirait savoir si vraiment la demeure était aussi grandiose qu'il l'affirmait. Aussi merveilleuse que la Casa de Oro ? Non, c'était impossible.

Elle lui manquait tant. Comme ses frères, Pedro, Juan, Iago, Fidel. Comme Maria, la femme de Pedro, comme ses amies, Dulcinea, Alicia, Pepita. Comme son père.

— Non, dit-elle à mi-voix. Pas *Padre* ! Jamais !

Le souvenir de leur dernière rencontre lui revint aussitôt.

— *Tu ferais cela ? Tu nous ferais cela, à moi et à ton mari ?*

Manuel Valdez était à l'autre bout de la pièce, et le soleil entrant à flots par la fenêtre semblait illuminer sa silhouette trapue.

— Padre, je ne peux pas te quitter. Ce n'est pas de ma faute ! Chase voulait m'emmener loin de la Casa de Oro. Il fallait que je l'empêche de partir. Il fallait que je fasse quelque chose !

— Quand tu l'as épousé, tu savais que tu quitterais la maison, que sa place était au Montana !

— Mais, padre, je croyais vraiment qu'il resterait au Texas ! Je pensais qu'il m'aimait assez pour cela. J'ai cru que...

— Assez ! Plus de prétextes ! Dieu merci, ta mère n'est plus parmi nous ! Cela l'aurait tuée !

Consuela se mit à sangloter. Ce n'était pas sa faute. Si Chase n'avait pas voulu rester...

Manuel Valdez se dirigea vers la porte. Main sur la poignée, il se tourna vers sa fille :

— Quand ton mari sera prêt à partir avec son troupeau, tu l'accompagneras. La Casa de Oro n'est plus ton foyer, Manuel Valdez n'est plus ton père. Il n'a plus de fille.

— Padre !

La porte claqua. Elle était seule...

Tout était de la faute de Chase. S'il ne l'avait pas convaincue de l'épouser... S'il n'avait pas tenu à ce qu'ils reviennent dans le Montana... S'il ne l'avait pas mise enceinte...

Wichita se donna à fond pour ramener Jane à l'endroit où elle avait laissé Chase. La jument était en sueur quand elles y arrivèrent enfin.

Jane fit un geste en direction de la montagne.

— Il suivait la piste en montant par là.

Teddy sauta à terre et examina les traces un instant, puis hocha la tête et remonta en selle :

— Jane, tu ferais mieux de rester ici, que ton cheval se repose. Julio et moi irons le chercher.

— Je viens aussi !

— *Amiga*, dit Julio d'une voix douce mais ferme, vous allez tuer votre petit cheval. Regardez-la !

Il avait raison, bien sûr : Wichita semblait prête à s'effondrer et tremblait d'épuisement. Jane fut bien contrainte de s'exécuter.

— Nous tirerons trois coups de feu quand nous l'aurons retrouvé, dit Teddy avant de s'éloigner avec son compagnon.

Jane ôta la selle de la jument en sueur, la déposa sur le sol, puis fit lentement tourner l'animal en cercle.

— Repose-toi un peu, ma fille, repose-toi. Je ne voulais pas trop t'en demander, j'ai cru que...

Mais ses pensées étaient ailleurs. Elle ne songeait qu'à Chase et au grizzly. Que s'était-il passé en son absence ? Il lui avait fallu un temps fou avant de rencontrer Teddy et Julio. Tout avait pu arriver. Chase aurait même pu...

— Arrête ! s'exclama-t-elle à voix haute pour s'empêcher de céder à ces pensées morbides.

D'un pas décidé, elle se dirigea vers le ruisseau voisin pour faire boire sa monture, non sans lui relever la tête très vite.

— Pas tout d'un coup, ma fille !

Puis elle emmena loin du ruisseau la jument qui renâclait, tout en contemplant de nouveau la montagne. Où étaient-ils ? Où était Chase ? Que se passait-il ?

Wichita se cabra brusquement, se dressant sur ses pattes de derrière et hennissant de terreur. Jane fut précipitée à terre, mais réussit à garder les rênes, empêchant la jument de s'enfuir. Son propre cœur battait à tout rompre. La frayeur de l'animal n'avait sans doute qu'une cause : le grizzly.

Jane tira de force sa jument pour la faire avancer, non sans regarder dans toutes les directions. Comme elle s'apprêtait à prendre son fusil, l'ours jaillit de la forêt, à une centaine de mètres. Il courait à quatre pattes, sans avoir apparemment remarqué sa présence. Jane épaula et voulut viser. Mais l'animal était déjà trop loin. Baissant son arme, elle le vit disparaître.

Wichita frémissait encore. Jane lui caressa le cou d'une main apaisante.

— Doucement, doucement !

La jument parut se calmer un peu, mais battait toujours de la queue en donnant des coups de sabot.

Jane se sentait à peu près de la même humeur. Elle attendit que ses deux compagnons lui envoient un signe.

Quand Julio et Teddy le retrouvèrent enfin, Chase était à côté de son cheval. Celui-ci était mort.

— J'ai eu de la chance, dit Chase d'une voix rauque. Il aurait très bien pu s'en prendre à moi.

— Tu lui as tiré dessus, *amigo* ?

— Non. Je l'ai vu il y a une heure environ, en haut de la crête là-bas. Il était sur un éperon rocheux, je ne pouvais pas faire grand-chose. C'est l'ours le plus énorme que j'aie jamais vu.

Teddy leva son fusil en l'air et tira à trois reprises. Chase le regarda, surpris.

— Nous avons promis à Jane de la prévenir quand nous t'aurions retrouvé !

— Elle attend ?

— Oui. Nous l'avons laissée près du cours d'eau.

— Bon, dit Chase, retournons là-bas. Et pas moyen de savoir où est ce fichu grizzly, maintenant !

L'attente fut pire encore une fois qu'elle eut entendu les coups de feu. Allait-il bien ? Ou s'était-il passé quelque chose ? Fusil au creux du bras, Jane conduisit Wichita au ruisseau et cette fois la laissa boire tout son soûl. Devoir rester là était insupportable. Étouffant un juron, elle remit la selle à sa jument, sauta en croupe et se dirigea vers la montagne.

— *Amiga !*

La voix de Julio portait loin à travers les pins ; Jane arrêta son cheval et leva les yeux, avant de découvrir les trois hommes qui s'avançaient vers elle.

— Il est avec nous ! lança Julio, en faisant un grand geste de la main. Il va bien.

Chase était monté en croupe derrière lui. Jane se hâta vers eux. Quelque chose en elle exigeait des preuves. Elle voulait le voir, sain et sauf, de ses propres yeux. Elle voulait le toucher, s'assurer qu'il n'était pas blessé.

Mais bien entendu, c'était interdit, quelle qu'en fût son envie. Arrivant à leur hauteur, elle se borna donc à demander :

— Et ton cheval ?

— Le grizzly l'a eu.

Elle lui jeta un coup d'œil rapide. Pas de sang, pas de blessure...

— Je l'avais laissé sur place pour m'avancer à pied. Je n'étais pas là quand c'est arrivé. Nous ne savons pas où est l'ours.

— Il est sorti de la montagne et s'est dirigé droit vers la rivière, dit Jane.

Chase se tendit.

— Tu l'as vu ?

— J'ai voulu lui tirer dessus, mais il était trop loin.

— Tu risquais de te faire tuer.

— Toi aussi, répondit-elle d'une voix douce, sentant qu'il passait entre eux quelque chose de très particulier.

Détournant le regard, Chase leva les yeux vers le ciel.

— Nous ferions mieux de rentrer au ranch. Une rude journée nous attend demain si nous voulons l'avoir.

— Nous repartons à sa poursuite si vite ?

— Pas toi, Jane. Les hommes.

— Je suis aussi bonne tireuse que…

— Ne discute pas.

Elle pinça les lèvres. Ils verraient bien s'ils pouvaient l'en empêcher !

— Je ne pensais pas que tu serais de retour ce soir, Chase.

Il ferma derrière lui la porte de la chambre.

— Désolé de te décevoir, Consuela.

Il alla s'asseoir sur la chaise placée à côté du lit et entreprit d'ôter ses bottes.

Elle était assise devant sa coiffeuse. Sa longue chevelure noire miroitait sous la lampe, et lui tombait dans le dos. Elle se leva.

— Pourquoi dis-tu cela, Chase ? Je ne suis nullement déçue de te voir, j'aimerais que tu passes plus de temps avec moi. Nous pourrions retourner à Virginia City, donner une soirée… j'adorerais ça ! Chase, s'il te plaît ! Je m'ennuie tellement !

— Consuela, j'ai du travail.

Laissant tomber ses bottes, il la regarda. Le mince tissu de la chemise de nuit révélait le corps voluptueux de la jeune femme, mais ce spectacle le laissa de marbre.

— Ah, toi et tes stupides vaches ! Tu es l'homme le plus égoïste que je connaisse ! Qu'est-ce qui m'a pris de t'épouser ? Pourquoi m'avoir amenée dans cet horrible endroit, si c'est pour me laisser seule ?

Chase se leva :

— Si je me souviens bien, Consuela, c'est toi qui voulais que je te laisse tranquille.

— Mais je ne voulais pas que tu m'abandonnes, *mi amor*. Ne suis-je donc plus la femme que tu désirais ?

Comme il restait indifférent, les yeux de Consuela s'emplirent de fureur.

— C'est dans notre lit que je veux que vous me laissiez tranquille, *señor* !

— Alors, *señora*, vous allez être satisfaite : c'est le dernier endroit où je tiens à vous rencontrer.

Là-dessus, il ôta sa chemise et son pantalon, ignora les nouveaux jurons qu'elle proférait, entra dans le lit, ferma les yeux.

Consuela, toujours furieuse, éteignit la lumière et l'imita, chacun d'eux prenant soin de rester de son côté.

Chase avait cru qu'il s'endormirait aussitôt ; il n'en fut rien. Il se souvint d'autres nuits, du temps où elle l'avait accueilli dans son lit et dans ses bras. Ou du moins, avait fait semblant. Consuela jouait la comédie, jamais elle n'aurait besoin de personne, hormis d'elle-même. Cela n'avait plus aucune importance. Il ne ressentait plus rien pour elle, ni amour ni désir. Mieux valait ne plus y penser. Jamais elle ne changerait. Coquette avec lui, comme avec tout homme de passage. Et croyant le punir en se refusant à lui, sans comprendre que, comme il ne l'aimait plus, il avait cessé de la désirer.

Il songea à toutes ces années au Texas. S'il avait agi autrement, Consuela l'aurait-elle aimé ? Seraient-ils heureux à présent ?

Non. Ils ne l'avaient jamais été, ils ne le seraient jamais. Il le savait, il fallait l'accepter. Mais les choses auraient peut-être été plus faciles si son fils avait vécu.

Son fils ?

C'était une question qui jamais n'aurait de réponse.

10

Le lendemain matin à l'aube, les hommes sellèrent leurs chevaux tandis que Jane et Consuela les regardaient depuis la véranda. Chacune avait pour la journée des projets qu'elle ne comptait nullement confier à Chase Dupré.

Jane n'avait aucune intention de rester à la maison tandis que les autres partaient en quête du grizzly. Elle s'était suffisamment rongé les sangs la veille – et d'ailleurs tirait aussi bien que les membres du groupe. Après leur départ, elle monterait Wichita et les suivrait. Si l'ours était aux environs, ils ne pourraient la renvoyer et devraient bien accepter sa présence.

Consuela avait des plans tout à fait différents : le grizzly n'y tenait aucune place. L'homme qui occupait ses pensées était cependant tout aussi dangereux. La veille, elle avait contemplé le ranch des Grands Pins, intriguée par ce qu'elle savait de Powell – et plus encore par ce qu'elle ignorait. Une chose était certaine, en tout cas, Chase le détestait. Ce qui bien entendu suffisait à son épouse pour le trouver attirant. Elle entendait bien rendre la monnaie de sa pièce à son mari, qui l'avait arrachée à sa famille, séparée de son père, emmenée dans une terre étrangère. Powell Daniels semblait un bon moyen de commencer.

— Nous serons peut-être absents plusieurs jours, tante Enid, dit Chase en la serrant dans ses bras. Ne va pas t'inquiéter pour nous. Cette fois, nous l'aurons !

— Prends garde à toi, mon garçon !

— Consuela… dit Chase en se tournant vers la véranda.

— *Hasta luego*, Chase. J'attendrai ton retour, susurra-t-elle d'un ton sans réplique.

Chase préféra s'adresser à Jane.

— Veille bien sur tout le monde pendant notre absence. Red et Corky seront là si tu as besoin d'eux.

— Tout ira bien, répondit la jeune femme avec une feinte assurance. Fais attention à toi !

Il hocha la tête, puis monta en selle.

— Allons-y, les gars !

Ils quittèrent la cour au grand galop, laissant derrière eux un nuage de poussière.

Enid les suivit longuement des yeux avant de lever la tête.

— Il se pourrait qu'il pleuve avant ce soir ! dit-elle en s'essuyant les mains sur son tablier.

Puis elle rentra dans la maison.

— De la pluie ? dit Consuela. Il n'y a pas un nuage !

— Elle doit le sentir dans ses os, répondit Jane qui s'éloigna à son tour, trop préoccupée pour vouloir faire la causette.

Elle monta en courant l'escalier menant à sa chambre, où elle jeta quelques affaires dans ses fontes, sans oublier un ciré. Si tante Enid disait qu'il pouvait pleuvoir, mieux valait en tenir compte. Jane avait déjà placé dans ses sacoches un peu de nourriture, de quoi tenir deux jours. Avant de partir, elle griffonna un message rapide à l'intention de la tante :

Je ne peux pas rester en arrière à m'inquiéter. Il faut que je fasse ce que je peux pour les aider. Avec toute mon affection,

Jane.

Elle posa le billet sur son oreiller, jeta les fontes sur son épaule et, sortant de la maison, se dirigea en hâte vers la grange.

Les plans de Consuela étaient moins précis ; il lui fallut pourtant peu de temps pour se préparer. Elle comptait bien retourner aux Grands Pins, mais cette fois jusqu'à la demeure. Powell était sensible à sa présence et elle le savait, ayant perçu dans ses yeux une lueur qu'elle avait vue plus d'une fois depuis ses quatorze ans ; et elle savait comment en tirer parti.

Elle rassembla sa chevelure en un lourd chignon, qu'elle enserra dans un bonnet de feutre rouge orné d'un grand plumet noir, puis revêtit sa plus belle tenue de cheval, elle aussi rouge vif. Il fallait que Powell la voie arriver.

Consuela était une assez bonne cavalière, sachant même seller son cheval seule, et aujourd'hui il le faudrait bien. Les hommes qui n'étaient pas partis à la recherche de l'ours travaillaient quelque part sur le domaine. Pas question de demander à Jane de l'aider, ni de laisser Enid savoir où elle allait. Elle quitta furtivement la demeure et se rendit à la grange, dont elle sortit la jument très docile que Chase lui avait donnée pour leur voyage depuis le Texas.

Puis elle s'éloigna des Quatre-Vents, non sans noter que son cœur battait. Elle ressentait un mélange d'excitation et de sentiment du danger. Un léger sourire lui vint.

Vois-tu, *señor* Dupré ? Je n'ai pas besoin de toi. Pas plus que de *mi padre*. Je fais ce qui me plaît.

La pluie se mit à tomber vers le soir. Les hommes, montés trop haut dans la montagne pour pouvoir se réfugier dans un abri à bétail, furent donc contraints de camper sous les arbres, en se protégeant de leur mieux. Assis à côté d'un maigre feu qui luttait vaillamment pour survivre, Chase songea à l'ours qu'ils pour-suivaient. Il n'était pas homme à avoir peur, mais savait l'ours aussi redoutable que rusé. Ce ne serait pas une partie de plaisir.

Se levant, il s'avança pour scruter la pénombre. Le grizzly était-il tout près, attendant qu'ils s'endorment ? Il tendit l'oreille, mais sans rien entendre d'autre que les gouttes de pluie tombant sur les arbres.

Puis il aperçut une faible lueur et s'avança. Pas d'erreur possible : quelqu'un était là.

— Julio !

— *Sí, amigo* ? dit celui-ci en arrivant aussitôt.

— Nous avons de la compagnie.

— Tu sais qui ?

Chase hocha la tête et fit la moue.

— J'ai une petite idée. Je te parie le prochain veau à naître aux Quatre-Vents que Jane arrive.

— Jane ? s'écria Julio, incrédule. Mais elle n'aurait pas osé…

— Oh que si ! lança Chase avec une admiration revêche. Elle est si sotte qu'elle n'a même pas l'idée d'avoir peur de quoi que ce soit ! Allons la chercher.

Il se tourna vers les autres :

— Je crois que Jane nous a suivis. Julio et moi allons la ramener au camp.

Zeke gloussa :

— Incroyable ! C'est quelqu'un, cette fille !

Les deux hommes montèrent à cheval et s'avancè-rent dans l'obscurité, leur chapeau baissé sur les yeux.

Elle les entendit bien avant de les voir. Ce n'est que lorsque leurs silhouettes se découpèrent parmi les arbres qu'elle abaissa le fusil appuyé contre son épaule et lança :

— Arrêtez ! Et identifiez-vous !

— Ne tire pas, petite ! Ce n'est que nous.

Chase ! Le cœur de Jane faillit défaillir. C'était si bon d'entendre sa voix, surtout en plein milieu d'une nuit qu'elle n'aurait jamais cru aussi solitaire.

Les chevaux s'avancèrent et Jane, l'air un peu coupable, leva les yeux vers Chase qui avait pris un air mauvais.

— Je croyais t'avoir dit de rester à la maison ?

— Je n'ai pas pu, répondit-elle d'un ton qu'elle espérait tranchant. Je n'allais pas rester à ne rien faire pendant que les autres agissaient.

Il ne put réprimer un sourire.

— Monte à cheval, Jane. Je crains de ne pouvoir te renvoyer !

— Certainement pas ! lança-t-elle en s'emparant de sa selle.

Sautant à terre, Chase dispersa les cendres de son feu d'un coup de pied, puis s'avança ; au même moment, il la saisit par le bras.

Jane ne pouvait voir son visage, mais elle sentit passer entre eux comme une étincelle qui la fit frémir. Heureusement qu'il faisait noir : elle ne voulait pas qu'il puisse voir ce qu'elle ressentait.

— Cela t'arrive de faire ce qu'on te dit ? demanda-t-il doucement.

— Si je suis d'accord.

— Alors, je te préviens, Jane. Si tu veux nous accompagner dans cette chasse à l'ours, il faut que tu promettes d'obéir. Je ne veux pas qu'il t'arrive quelque chose. Tu m'entends ?

— Je t'entends, Chase.

— La *señora* Dupré va s'inquiéter, dit Consuela en contemplant la nuit orageuse.

— Non. J'ai déjà envoyé un de mes hommes la prévenir que vous êtes ici en sécurité.

Consuela se détourna de la fenêtre et leva un sourcil :

— Vraiment, *señor* ? dit-elle en se rapprochant. Je ne suis pas sûre qu'une femme soit en sécurité avec vous.

Pas besoin de le regarder pour savoir qu'il contemplait avec avidité son opulente poitrine. Elle sourit, le sachant un peu mal à l'aise. C'était là un jeu dangereux, mais qui l'avait toujours enchantée : rien de plus agréable que de voir les hommes la désirer, sans savoir comment parvenir à leurs fins.

Les doigts de Powell se refermèrent sur le bras de la jeune femme, qu'il attira vers lui. Levant les yeux, elle eut un frisson. Peut-être ce jeu-là était-il trop dangereux…

— Vous avez raison, madame, dit-il en riant. Une femme comme vous n'est pas en sécurité avec moi.

Elle en est ravie, d'ailleurs.

— Mon époux n'aimerait pas vous voir me tenir ainsi, dit-elle, en sachant parfaitement que ces mots allaient le rendre jaloux, peut-être furieux.

— Mais il n'est pas là pour le voir. D'ailleurs, madame Dupré, j'avoue n'avoir jamais pris garde à ce que votre mari aime ou non.

Il la serra contre lui.

— Et je ne crois pas que cela vous préoccupe beaucoup non plus.

Elle le regarda un instant d'un air incrédule, puis sourit.

— Vous n'aimez pas mon mari, *señor* ?

— Pas le moins du monde.

— Alors, vous pouvez m'embrasser, *señor*.

Ce qu'il fit brutalement. Jamais on ne l'avait embrassée ainsi. Ses soupirants s'étaient toujours montrés doux et tendres, tant elle savait les convaincre qu'elle était timide et innocente. Et ceux qui l'avaient conduite au lit avant qu'elle épouse Chase l'avaient tous crue vierge ! Les hommes sont si sots.

Elle se libéra, redressa son chignon et remit de l'ordre dans sa tenue.

— Vous êtes un peu trop sûr de vous, *señor*, lança-t-elle en se détournant de lui.

Les doigts de Powell se refermèrent une fois de plus sur son bras pour l'attirer vers lui. Le visage tout près du sien, il dit à voix basse :

— Pas du tout, Consuela. Je lis en toi comme dans un livre. Tu crois pouvoir m'aguicher puis t'en aller en souriant, en te croyant très forte. Mais ce n'est pas ainsi que je vois les choses. Tu es venue ici pour rendre furieux ton époux. Ce sont tes raisons, pas les miennes.

Powell l'embrassa de nouveau et éclata de rire quand elle tenta en vain de se débattre. Puis il la lâcha ; elle hoqueta.

— Très bien, ma petite dame ! À vous de choisir. Vous voulez entamer quelque chose, je n'y vois pas d'inconvénient, mais il ne faut pas commencer si vous ne voulez pas finir.

Il eut un regard sur sa poitrine.

— Et tu sais ce que je veux dire.

Bien sûr. Cette fois, les choses étaient sérieuses. Cet homme était dangereux. Mais il était aussi l'ennemi de Chase, donc cela en valait la peine. Chase regretterait de l'avoir arrachée à la Casa de Oro, même si c'était la dernière chose qu'elle ait l'occasion de faire.

— *Sí señor*, dit-elle d'une voix rauque chargée de sous-entendus. Je sais ce que vous voulez dire.

Chase contemplait le visage endormi de Jane à la faible lueur des braises.

— C'est vraiment quelqu'un, *amigo* !

Julio était appuyé contre un arbre, fumant un cigare.

— Oui, c'est vrai.

— Je donnerais cher pour avoir l'amour d'une telle femme.

Chase acquiesça de la tête. Jane dormait, la tête au creux du bras. Sa chevelure blonde tombait presque jusqu'à la couverture. Lui aussi donnerait cher…

Et puis après ? se demanda-t-il en fronçant brusquement les sourcils. Il avait déjà assez de problèmes avec son épouse pour ne pas s'encombrer d'une autre, surtout pour une histoire sans avenir.

Il s'allongea et posa la tête sur sa selle.

— Rien ne t'empêche d'essayer, Julio, dit-il d'un ton bourru avant de fermer les yeux.

— Rien, *amigo* ? chuchota l'autre.

— Rien.

11

Il avait plu toute la nuit ; l'air était glacé. Au matin, c'est en frissonnant que les chasseurs levèrent le camp et sellèrent leurs chevaux.

— Nous nous retrouverons ici avant le crépuscule. Veillez à rester avec vos partenaires, et prenez garde à ce qui peut venir de l'arrière ! lança Chase. Jane, tu viens avec Ben et moi.

Déjà en selle, elle hocha la tête. Julio passa à sa hauteur.

— Prenez bien soin de mon *amigo*, Jane.

Elle lui rendit son sourire.

— Pourquoi diable pensez-vous qu'il veut que je l'accompagne !

Il prit brusquement sa main, la porta à ses lèvres et ajouta :

— Et surtout prenez bien soin de vous.

Jane ne sut comment réagir. Il y avait dans les grands yeux bruns de Julio plus que de l'amitié : de la tendresse. Elle détourna le regard – et croisa celui de Chase.

— Allons-y ! dit celui-ci d'un ton bourru.

Julio pressa la main de la jeune fille puis la lâcha.

Les hommes se séparèrent en groupes de trois, dont chacun partit dans une direction différente. Avec Ben et Chase, Jane entama l'escalade d'une montagne couverte de forêts. Elle haussa les épaules avec agacement.

Le froid la laissait indifférente, mais elle ne savait plus que penser et se sentait malheureuse.

Qu'avait-elle pu faire pour laisser croire à Julio qu'il y avait plus que de l'amitié entre eux ? À sa connaissance, rien. Il était de surcroît le seul au monde à savoir qu'elle aimait Chase. Cela ne lui avait donc pas suffi ?

Et puis il y avait Chase. Pourquoi se montrait-il si bourru ? La veille au soir, elle avait cru un instant qu'il était heureux de la voir. Mais ce matin, on aurait cru que l'ours c'était lui !

Jane McBride, tu n'es qu'une sotte. Qu'espères-tu donc ? Il est marié ! Ce n'est pas la femme qu'il lui faut, il est malheureux, mais tu n'y peux rien. Tiens-tu vraiment à ce qu'il aille encore plus mal ?

Elle aurait tant voulu que tout soit comme avant ! Avant son départ vers le Texas, où il avait rencontré Consuela. Quand ils partaient à cheval ensemble, quand ils riaient, quand ils jouaient aux cartes dans le dortoir. Du temps où sa passion d'adolescente la rendait à la fois heureuse et malheureuse. Ce dont bien entendu il ne s'était jamais rendu compte.

Leurs chevaux suivaient une piste sinueuse qui, traversant une végétation épaisse, semblait vouloir monter à n'en plus finir.

Pourquoi donc, se demanda Jane, lui est-il si facile de suivre la piste d'un animal sauvage, alors qu'il est incapable de voir ce que j'éprouve pour lui ? Il est vrai que cela ne changerait rien, même s'il savait.

Le problème paraissait insoluble et Jane se sentit encore plus abattue à mesure que le jour se levait.

Le soleil commençait à dissiper le brouillard matinal quand Chase, levant la main, arrêta son cheval. Sautant à terre, il se pencha pour examiner le sol, sans lâcher la bride de sa monture.

— Regarde ! dit-il à Ben. Il est passé ici ce matin.

Jane fit avancer sa jument.

— Tu es sûr ?

Ôtant son chapeau, il s'essuya le front d'un revers de manche :

— Certain ! Il y a une ou deux heures à peine.

Sans la regarder, il remonta en selle.

— Ouvrez l'œil ! Il pourrait être plus près qu'on ne croit.

Powell se chargea de ramener Consuela aux Quatre-Vents. La nuit avait été excellente. Ce n'était sans doute pas la femme la plus enthousiaste qu'il eût jamais accueillie dans son lit, mais elle ne rechignait pas à la besogne. Au demeurant, il n'ignorait nullement que ce n'était pas le désir qui la poussait. Elle avait ses raisons, qu'il ne comprenait guère. Encore que… S'il l'avait désirée, c'était bien parce qu'elle était la femme de Chase. Cocufier un Dupré, quelle sensation agréable !

Enid les attendait sur la véranda quand ils s'arrêtèrent devant la demeure.

— Consuela, j'étais si inquiète ! J'ai envoyé Corky à ta recherche ce matin.

— Mon employé n'est donc pas passé chez vous hier soir, madame Dupré ? lança Powell.

Enid jeta un regard soupçonneux.

— Votre employé ? Lequel ?

— Le cheval de Consuela a fait une chute près des Grands Pins. L'orage menaçait, mon père et moi avons pensé que mieux valait qu'elle reste chez nous pour la nuit. Nous l'avons installée dans la chambre d'amis, et Mme Blake a pris soin d'elle.

Jolie trouvaille, pensa Powell, content de lui. En fait, Josh Blake était à Virginia City, et son épouse consignée dans sa chambre dès l'arrivée de Consuela.

— *Señora*, j'ai eu si peur ! lança Consuela en sautant à terre. Je ne sais ce que je serais devenue sans le *señor* Daniels ! J'étais partie faire une promenade à cheval et je me suis perdue. Je ne savais plus comment retrouver le ranch, l'orage menaçait... Puis mon cheval a glissé et s'est abîmé une patte. Si je n'avais pas vu les lumières de l'hacienda du *señor* Daniels...

Bien joué, petite putain, songea Powell en se retenant de sourire, sachant qu'Enid le regardait fixement. Quelle actrice !

Il leva son chapeau à l'adresse des deux femmes.

— Je ne reste pas, j'ai simplement tenu à ramener la femme de Chase chez elle. Nous vous rendrons le cheval dès que sa patte ira mieux.

— Merci, Powell. Je vous en suis reconnaissante, dit Enid.

Mais son regard restait méfiant.

Il fit claquer les rênes sur le dos de ses chevaux, qui se mirent aussitôt au trot, et quitta les Quatre-Vents.

Le soleil disparut derrière de gros nuages noirs tandis que les trois cavaliers suivaient toujours la trace du grizzly. Jane savait qu'ils s'étaient trop avancés pour pouvoir retrouver les autres avant la nuit ; mais comment renoncer, alors que la piste était si fraîche ?

De petites gouttes de pluie vinrent lui picoter les joues, le vent se leva, courbant les arbres devant eux. Remontant le col de sa veste, elle pencha la tête en avant, examinant la piste des deux côtés. Malgré la bourrasque, rien ne semblait bouger, mais elle sentait monter la peur. Quelque chose n'allait pas.

Chase était un peu devant Ben ; il s'arrêta d'un seul coup. Son compagnon, se penchant sur sa selle, contempla le sol.

— Hé, Jane ! lança-t-il. Regarde un peu ça !

Elle releva son chapeau juste à temps pour voir l'ours se dresser au milieu des fourrés. Il se précipita vers Ben en poussant un énorme grognement. Wichita se cabra, mais Jane eut le temps de voir le coup de patte monstrueux qui fit voltiger la tête de

Ben. Puis elle chuta lourdement, tandis que sa Winchester tombait dans les fourrés. Mais les yeux de Jane étaient fixés sur Ben, dont l'ours avait pris le crâne dans sa gueule; puis il le souleva de son cheval, qui s'enfuit en galopant, avant de le secouer comme un chien le fait d'un rat.

Elle entendit un hurlement terrifié et ne comprit qu'ensuite qu'elle l'avait poussé. Malgré son épouvante, elle savait que Ben était déjà mort.

Le grizzly jeta à terre le corps sans vie, comme une poupée de chiffon. Puis il tourna vers Jane sa tête brune semée de poils argentés, l'agita d'un côté à l'autre, eut un nouveau grognement.

Elle allait mourir. Comme Ben. L'ours allait se mettre à quatre pattes et courir vers elle pour la tuer aussi. Il fallait qu'elle cherche son arme, qu'elle bouge, qu'elle coure. Il fallait qu'elle fasse quelque chose. Mais la panique la pétrifiait.

À travers le vent et la pluie, Chase entendit le hurlement et se tourna sur sa selle. Il fut ainsi témoin de la mort rapide mais sanglante de Ben. Le grizzly en eut terminé en un clin d'œil et se dirigea vers Jane.

Le cheval de Chase broncha, mais il le contraignit à redescendre la piste. Sortant son fusil du fourreau, il poussa un cri, espérant détourner l'attention de l'ours. Il n'y avait pas de temps à perdre!

Il sauta à bas de sa monture et se mit à tirer avant même d'avoir touché le sol.

Le grizzly fit demi-tour en pleine course et se rua sur Chase avant que celui-ci ait compris ce qui se passait. Il tira encore une fois avant que le fusil ne lui soit arraché des mains d'un coup de patte. Chase partit en arrière, le sang inondant déjà sa manche. L'énorme bête se dressa sur ses pattes de derrière. Malgré les coups de feu, il ne paraissait pas blessé, bien qu'il poussât des cris de rage. Une patte aux griffes mortelles fit tomber Chase comme une masse. Il roula sur le côté, ensanglanté, tenta de se relever, mais l'ours était déjà sur lui. Il regarda sa tête et eut l'impression de contempler sa propre mort. L'haleine brûlante de l'ours lui parvint aux narines. Sa gueule grande ouverte révélait des crocs tachés de sang, qui allaient se refermer sur lui, comme cela était arrivé à Ben.

Désespéré, sans armes, Chase frappa le grizzly du poing, le touchant à l'œil. L'animal hurla avant de refermer ses crocs sur son poignet. Chase eut le temps de sentir les os se briser, et de pousser un hurlement de souffrance.

Il y avait eu cet instant terrible où l'ours allait se jeter sur elle, mais ce n'était rien face à l'épouvante qu'elle ressentit en le voyant s'attaquer à Chase. Il fallait qu'elle le sauve, il le fallait !

S'emparant de son arme, elle grimpa la piste en courant.

Elle s'immobilisa et visa l'ours avec soin : pas question de le manquer...

Elle tira. Puis tira de nouveau. À si courte distance, elle entendit distinctement le bruit sourd des impacts.

Le grizzly laissa retomber Chase et se tourna lentement vers elle. Il se redressa, de plus en plus haut : animé d'une volonté farouche, indomptable, il refusait de mourir, bien que la vie s'écoulât déjà de toutes ses blessures.

— Tombe, bon Dieu ! Tombe ! hurla-t-elle en sanglotant, non sans tirer une fois de plus, touchant l'ours à l'épaule.

Poussant un grognement, il tomba, se mit à quatre pattes et, péniblement, se perdit dans la forêt en descendant la pente à grand bruit.

Elle se précipita vers Chase, tomba à genoux. Son visage mortellement pâle était inondé de sang qui se mêlait à la boue.

124

— Chase, sanglota-t-elle. Chase !

Il ouvrit lentement les yeux.

— Il est parti ? demanda-t-il d'une voix faible.

— Oui, oui, et il ne reviendra plus.

Elle glissa un bras sous sa tête.

— Il faut nous sortir d'ici. Tu peux marcher ?

Les vêtements de Chase étaient en lambeaux, trempés de sang. Impossible de dire quelle était la gravité de ses blessures. Elle le regarda, mais il avait de nouveau sombré dans l'inconscience.

Terrifiée, Jane tenta de rassembler ses idées. Il faudrait qu'elle trouve un endroit à peu près sec, pour pouvoir s'occuper de ses blessures. Le grizzly s'était enfui pour mourir, cela ne faisait aucun doute ; il était mortellement blessé. Mais elle ne pouvait courir le risque de laisser Chase sur place pour aller chercher de l'aide.

Le soulevant par les aisselles, elle le traîna dans la forêt, où tous deux seraient un peu abrités de la pluie. Puis elle ôta sa veste et en couvrit son torse ensanglanté. Elle s'arrêta un instant pour appuyer les doigts sur ses tempes où son propre sang battait avec violence.

Il faut que je réfléchisse. Il faut que je réfléchisse.

Elle leva les yeux vers le ciel où roulaient sans fin d'énormes nuages noirs. Pas de répit en vue, et le vent sifflait avec violence parmi les arbres ; bien qu'on fût en juin, il régnait un froid glacé. Que faire, que faire ?

Son regard tomba sur le corps désarticulé de Ben. Reprenant son fusil, Jane se dirigea vers lui et, retenant son envie de vomir, s'agenouilla et, du bout des doigts, chercha un signe de vie, tout en sachant que c'était inutile.

— Je suis navrée, Ben, chuchota-t-elle en fondant en larmes.

Entendant un bruissement, elle se dressa d'un bond, fusil pointé, cœur battant à tout rompre. Elle retint tout juste son doigt crispé sur la détente ; le cheval de Chase s'avança dans la clairière. Jane eut un cri : jamais elle n'avait rien vu d'aussi beau que cet animal encore effrayé.

— Ho ! Ho ! dit-elle doucement en marchant vers lui. Tout va bien, mon garçon, tout va bien. Viens, viens donc !

Le cheval frémit et secoua la tête.

— Allons, allons, tout va bien. Il faut que nous sortions Chase d'ici. Doucement, doucement !

Elle s'empara des rênes et marmonna une action de grâces avant de ramener la bête vers Chase.

La pluie tombait dru tandis qu'elle avançait, tenant l'animal par la bride, en redescendant la piste. Elle glissa plusieurs fois, manquant trébucher. Ses vêtements étaient couverts de boue, ses cheveux trempés lui tombaient dans les yeux.

Elle avait réussi, sans trop savoir comment, à placer Chase en travers de la selle, sur le ventre, toujours inconscient. Il geignait de temps à autre, sans pour autant revenir à lui. Jane ignorait où ils se trouvaient, la direction qu'elle avait prise ; descendre suffisait. Il fallait qu'ils sortent de la montagne.

Il faisait noir quand ils atteignirent une clairière où elle découvrit une minuscule cabane en rondins, depuis longtemps abandonnée par celui qui l'avait construite, et servant sans doute d'abri à toutes sortes de créatures de la forêt ; mais Jane eut l'impression d'être au paradis.

Elle attacha les rênes à une barrière et, prudemment, entra dans la cabane. Grattant une allumette, elle jeta un coup d'œil autour d'elle. Une souris surprise s'enfuit se cacher dans les feuilles et les pommes de pin qui couvraient le plancher. Un matelas était étendu dans un coin, au centre se dressaient une table décrépite où se trouvait encore une chandelle, et une chaise. La fenêtre n'avait plus de vitres, la porte ne fermait guère, mais cela suffirait à les protéger des intempéries.

L'allumette s'éteignit, replongeant Jane dans l'obscurité. Se dirigeant à tâtons vers la table, elle en gratta une autre, alluma la chandelle. La faible lumière suffit à lui redonner espoir; elle fit demi-tour et se précipita dehors.

— Chase, peux-tu marcher? demanda-t-elle en lui touchant la joue. Réveille-toi, je n'aurai pas la force de te porter! Chase? Chase?

Il émit un grognement.

— Chase, reviens à toi! dit-elle d'une voix plus forte. Il faut que tu entres ici!

Il ouvrit les yeux, mais sans la voir. Contournant le cheval en toute hâte, elle le saisit au moment où il allait tomber de la selle. Ses jambes se dérobèrent sous lui, tous deux chutèrent dans la boue.

— Chase, aide-moi! Lève-toi!

— Tante… Enid? marmonna-t-il.

— Non, c'est moi, Jane. Aide-moi, il faut que tu entres.

Elle prit son bras, qu'elle posa sur sa propre épaule, et s'efforça de le relever.

Miraculeusement, il se redressa en même temps qu'elle, et tous deux entrèrent à grand-peine dans la cabane, parvenant de justesse au matelas avant que Chase ne s'effondre, la faisant retomber. Jane reprit haleine, le souleva; les cheveux de Chase, trempés de pluie, couverts de boue, vinrent effleurer ses lèvres; elle fondit en larmes.

— Chase, Chase, qu'est-ce que je vais faire? Ne meurs pas, je t'en prie, ne meurs pas! Je t'aime, je ne veux pas que tu meures! Mon Dieu, je vous en prie, laissez-le vivre, aidez-moi!

Retenant ses sanglots, elle glissa le bras sous le torse de Chase. Si elle voulait lui venir en aide, prier ne suffirait pas… Il fallait agir, et vite, sans perdre de temps à verser des pleurs.

Elle sortit en courant, prit la couverture placée sous la selle du cheval. Une fois rentrée dans la cabane, elle en ferma la porte, puis déroula le tissu. L'intérieur était encore sec, elle en enveloppa Chase pour le tenir au chaud pendant qu'elle soignerait ses blessures, versa l'eau de sa gourde dans le gobelet de métal et, prenant la chandelle, la déposa à côté du matelas.

Jane s'efforça de surmonter sa panique. Des débris d'étoffe étaient restés incrustés dans les blessures. Le poignet gauche était brisé, le bras lacéré de profondes écorchures, la chemise et le pantalon en lambeaux. En comparaison, les deux lignes rouges qui, du côté droit, allaient de la tempe à la mâchoire paraissaient presque insignifiantes.

Elle lui ôta sa chemise en toute hâte, espérant arrêter le flot de sang qui s'écoulait de son flanc : c'était la plus inquiétante de ses blessures – du moins aux yeux de Jane, qui maudit son ignorance et regretta amèrement de ne pouvoir l'emmener chez un médecin…

Après avoir lavé la plaie, elle prit une chemise propre dans les fontes, la déchira en bandes et pansa la poitrine du blessé du mieux qu'elle put.

Il lui fallait un couteau pour ôter les bouts d'étoffe incrustés dans le bras gauche. Elle fit chauffer le sien dans la flamme de la bougie, en espérant que cela suffirait à le stériliser. Puis il lui fallut s'y reprendre à plusieurs fois pour enlever les fragments de tissu. Chase geignit, mais sans sortir de l'inconscience, ce dont Jane fut soulagée.

Elle nettoya de son mieux son poignet en bouillie puis, brisant un pied de la chaise, en fit une attelle qu'elle fixa avec son mouchoir, espérant, là encore, qu'elle ne s'y prenait pas trop mal.

Elle déchira son pantalon et son caleçon, sans prendre garde à sa nudité ; ce n'était pas le moment de songer aux convenances. La jambe avait souffert, mais le sang commençait à sécher. Elle pansa la cuisse avec ce qui restait de la chemise.

Exténuée, frissonnante, elle regarda le visage épuisé de Chase. Tout ce qu'elle avait pu faire ne serait jamais que temporaire ; il avait besoin d'un médecin, et au plus vite. Il faudrait recoudre ses blessures, sinon elles laisseraient des cicatrices indélébiles. Peut-être reste-rait-il infirme.

Versant un peu d'eau sur une bande d'étoffe, elle en humecta les griffures de son visage. « Tout ira bien, Chase », dit-elle à voix basse, plus pour se rassurer elle-même que pour le réconforter. Elle tira lentement la couverture sur son corps nu, puis s'assit contre le mur de la cabane et ferma les yeux.

Quelques minutes ou quelques heures plus tard, elle l'entendit chuchoter son nom :

— Jane...

Elle se pencha aussitôt.

— Je suis là, Chase.

Il frissonnait de tout son corps, ses dents cla-quaient. La cabane était glaciale, la bougie presque consumée. Jane l'éteignit prestement, puis ôta ses propres vêtements trempés et se glissa sur le matelas à côté de lui. Elle se serra contre lui, en essayant de ne pas toucher son flanc blessé, le prit dans ses bras et tenta de lui communiquer un peu de sa chaleur.

— Et ne va pas mourir, Chase Dupré, dit-elle d'une voix douce. Je t'en empêcherai ! Tu m'entends ? Et bats-toi, bon sang ! Tu m'as déjà abandonnée une fois, il n'y en aura pas d'autre !

12

Jamais il n'avait connu une telle souffrance : son corps tout entier semblait en feu. Il ouvrit les yeux, mais la pièce restait plongée dans les ténèbres. Était-il mort ? Non, la douleur ne serait pas aussi atroce… Il tenta de remuer et émit un geignement.

— Ne bouge pas, Chase.

Des mots chuchotés tout près de son oreille. Il obéit, sachant que le moindre mouvement ne lui vaudrait que de nouvelles souffrances.

— Je te tiendrai chaud, mon amour.

Il se rendit compte peu à peu qu'un bras mince était passé autour de sa taille, qu'un corps tiède se pressait contre le sien. Tous deux également nus.

— Consuela ?

Il y eut un silence, puis :

— Non, Chase. C'est moi, Jane.

Il soupira et ferma les yeux, s'efforçant de découvrir où ils étaient, comment ils se retrouvaient là. Mais la douleur était trop forte.

Il sentit qu'elle bougeait et l'entendit se lever, aller et venir. S'agenouillant, elle dit d'une voix douce :

— Chase, il faut que je trouve de l'eau, et du bois pour le feu. Je reviens tout de suite.

Il tenta de soulever les paupières, de dire quelque chose, mais n'en eut pas le temps : il replongeait déjà dans l'inconscience.

La pluie n'était plus qu'une légère bruine, le vent un simple chuchotement dans les arbres. Frissonnant, Jane se mit en quête d'une source qui lui permettrait de remplir sa gourde, et de bois mort : pourvu que la cheminée de la cabane ne soit pas endommagée, ou remplie de feuilles mortes et d'aiguilles de pin !

Jane se disait que la bicoque devait avoir été construite près d'un ruisseau, et ne se trompait pas. Elle y plongea la gourde vide, puis s'aspergea le visage d'eau glacée pour en ôter la boue séchée dont il était maculé.

Faisant demi-tour, elle reprit le cours de ses pensées. Il fallait tenir Chase au chaud, et surtout le sortir de là, car il avait besoin d'un médecin de toute urgence, sinon il mourrait. Elle devrait aussi construire une espèce de brancard, car il était incapable de monter à cheval. Mais avec quoi ?

Ses prières furent exaucées quand elle découvrit, à l'arrière de la cabane, une pile de bûches entassées contre le mur. Elle en prit autant qu'elle put, les porta à l'intérieur, ressortit ramasser des aiguilles de pin – et se sentit soulagée quand la fumée monta bien droit dans la cheminée.

Jane alla s'agenouiller près du matelas. La lueur des flammes semblait danser sur le visage balafré de Chase. Elle fut prise d'une envie de pleurer qu'elle réprima avec fureur. Ce n'était pas le moment !

— Chase, Chase, bois un peu d'eau, dit-elle en plaçant la gourde contre ses lèvres. Réveille-toi !

Elle le vit battre des cils, puis s'efforcer de bouger. La douleur ternissait ses yeux bleus, qui paraissaient enfoncés dans leurs orbites.

— C'est… toi, Jane ?

— Oui.

— Qu'est-ce que… comment…

— Ne parle pas. L'important, c'est de te sortir d'ici. Je vais te soulever la tête, que tu puisses boire un peu. Doucement, doucement, pas trop vite.

Il but avec difficulté : l'eau lui coulait sur le menton. Comme elle le redéposait sur le matelas, il ouvrit les yeux, qui croisèrent ceux de Jane.

— J'ai… si froid…

Touchant son front, elle constata qu'il brûlait de fièvre.

— J'ai fait du feu, nous serons au chaud.

— … Si froid… serre-moi… Jane… marmonna-t-il avant de fermer les paupières.

Que faire d'autre ? Ôtant ses vêtements, elle se glissa sous la couverture pour lui offrir sa propre chaleur et, peut-être, la force et la volonté de survivre.

Ils retrouvèrent Wichita au petit matin ; les rênes de la jument s'étaient prises dans un arbre mort. Peu avant midi, Julio découvrit le corps de Ben. Deux hommes restèrent sur place pour l'enterrer, les autres se mirent à la recherche de Chase et de Jane. L'orage avait fait disparaître toutes les traces qu'on lit d'ordinaire sur le sol ; ils se dispersèrent, avançant lentement tout en lançant des appels.

Quand il s'éveilla, la douleur était toujours là, mais ses pensées se faisaient un peu plus claires. Le corps tiède de Jane était contre le sien, son menton reposait doucement sur le cou de Chase.

Ce n'était guère le moment d'admettre la tendresse qu'il avait pour elle. Il avait toutes les chances de ne pas survivre et, dans le cas contraire, de rester infirme. Inutile de contempler ses blessures pour connaître l'étendue des dégâts.

La petite Jane… Comment avait-elle réussi à l'amener jusqu'ici ? Il était bien plus lourd qu'elle ! Mais elle était si forte, à l'intérieur, sa Jane. *Sa Jane.* Il réprima un soupir. Si seulement c'était vrai ! Mais il était marié à une autre et, quoi qu'il pût ressentir pour la jeune femme, cela ne leur vaudrait à tous deux que des souffrances.

— Jane...

Elle s'éveilla aussitôt :

— Chase ?

— Tu n'aurais pas dû... te mettre là... avec moi... comme ça, dit-il avec un pauvre sourire.

— Il fallait que je te tienne chaud, Chase, c'était impossible avec des vêtements mouillés.

Il était trop gravement blessé pour pouvoir la désirer, mais sa douleur ne put l'empêcher de reconnaître à quel point il était heureux qu'elle soit blottie contre lui, lui offrant sa chaleur et son réconfort.

— Comment sommes-nous arrivés ici ? demanda-t-il péniblement.

— Ton cheval est revenu. Tu étais inconscient, mais j'ai réussi à te jeter en travers de la selle. Nous avons redescendu la montagne et sommes arrivés ici alors qu'il faisait noir. Je t'ai fait entrer, j'ai lavé tes blessures de mon mieux. Mais il faut les soigner dès que possible, surtout ton poignet.

Elle se leva.

— Mes vêtements doivent être secs, il fait bon dans la cabane. Je vais construire un brancard, une sorte de traîneau...

— Jane ?

Elle s'agenouilla, le visage tout près du sien.

— Oui ?

— Merci.

Il aurait voulu la regarder davantage, mais ses paupières étaient trop lourdes, et de nouveau elles se refermèrent.

— Je t'aime, Chase Dupré, chuchota-t-elle. Et la seule façon de me remercier, c'est d'aller bien.

Je t'aime, Chase Dupré. Il avait déjà entendu ces mots, prononcés par d'autres lèvres. Un mensonge dont il s'était protégé de son mieux. Mais quand Jane lui dit ces mots, ses défenses parurent céder, et il plongea dans le sommeil, réconforté par sa présence.

En milieu d'après-midi, Julio parvint à la clairière. Jane traînait vers la cabane un tronc de pin, non sans pester à chaque pas. Il fut émerveillé : elle était vivante !

— Jane !

Elle leva les yeux, laissa tomber son fardeau, eut un grand sourire et se précipita vers lui.

— Julio ! Tu nous as trouvés, Dieu soit loué !

— Où est Chase ?

— Dans la cabane, gravement blessé. Il faut le conduire chez un médecin. J'essayais de construire un brancard, mais je n'étais pas sûre d'y arriver… Dépê-chons-nous, Julio ! s'écria-t-elle, les larmes aux yeux.

Sautant à terre, il la suivit. Chase était étendu sur un matelas, du feu brûlait dans la cheminée, éclai-rant un visage ravagé par la souffrance. Julio sou-leva la couverture avec précaution. Les bandages étaient imprégnés de sang, mais celui-ci paraissait sécher. Au moins Chase ne saignait pas à mort – pas pour le moment, en tout cas. Il faudrait le sortir de cette montagne et ce ne serait pas facile…

— *Amigo ?*

Jane s'agenouilla à son tour et toucha doucement l'épaule de Chase.

— Chase, Julio nous a retrouvés ! Il va te ramener au ranch, tout ira bien.

Julio la regarda. Ses beaux cheveux blond doré étaient semés de boue séchée, ses superbes yeux aigue-marine profondément cernés. Elle contemplait le blessé avec une tendresse infinie.

S'il meurt, elle mourra aussi, se dit-il. Et il n'est pas question que je les perde tous les deux !

— *Amiga*, il va falloir vous tirer d'ici.

— Il ne répond pas, Julio! dit-elle, prise de panique. Qu'allons-nous faire?

— Rester avec lui. Je vais préparer le brancard. Pas d'inquiétude, *mi amiga*, ajouta Julio en lui caressant la joue. Nous le ramènerons aux Quatre-Vents.

Elle hocha la tête, les yeux rivés sur Chase. Si seulement elle me regardait ainsi! songea Julio.

— Je n'aime pas ça, Frank. J'ai comme un pressentiment, dit Enid qui, sortant du lit, alla à la fenêtre et, soulevant le rideau, contempla le ciel étoilé.

— Ils sont partis quelques jours, et tu sais que Chase ne permettrait pas qu'il arrive quoi que ce soit à Jane. Allons, ma femme, viens te recoucher, et épargne-moi tes plaintes, il y a de quoi devenir fou!

Enid se tourna vers lui, leurs regards se croisèrent. Elle eut l'impression que son cœur se mettait à battre plus vite. Elle l'aimait toujours autant, et souffrait de le voir désormais allongé là, sans plus pouvoir se lever, monter à cheval ou faire ce qu'il avait toujours fait. Il fallait en permanence s'occuper de lui, et elle savait qu'il était très pénible à Frank de ne pas avoir pu, comme Chase, partir à la recherche de l'ours.

Elle vint s'asseoir à côté de lui, et tendrement, balaya quelques mèches grises qui lui tombaient sur le front.

— Vous auriez bien besoin d'une coupe de cheveux, monsieur Dupré.

— Si c'est vrai, madame Dupré, vous êtes le meilleur barbier du ranch, et vous feriez mieux de vous y mettre.

Mais Enid ne l'entendit que distraitement. Ses pensées la ramenaient toujours à cette matinée où Consuela était revenue aux Quatre-Vents dans le buggy de Powell. Elle aurait tant voulu en parler à Frank… Si seulement elle se trompait! Ils croyaient avoir enfin fait la paix avec la famille Daniels, mais si Consuela… Une telle pensée était trop insupportable pour qu'on s'y attarde.

— Enid, qu'est-ce qui te tracasse ? demanda Frank, qui fronça les sourcils. Ce n'est quand même pas cet ours ?

Elle lui caressa la main et eut un sourire.

— Tu as raison, il faut que je cesse de m'inquiéter. Chase est un homme, Jane est une excellente tireuse. Je devrais arrêter d'imaginer ce qui pourrait leur arriver. Je vais chercher mes ciseaux !

— Et je t'attendrai sans bouger !

Il dit cela sur le ton de la plaisanterie, mais elle eut comme un pincement au cœur, et sortit de la chambre avant que les larmes ne lui viennent aux paupières.

Jusqu'à ce qu'ils soient en bas de la montagne, Jane marcha à côté du brancard, en tenant la main de Chase. Il ne reprit conscience qu'une fois, assez longtemps pour demander : « Est-ce que… tu veux… me tuer ? », alors qu'ils traversaient un terrain assez accidenté.

En chemin, ils furent rejoints par tous les autres. Teddy fut le premier à arriver ; il leur apprit qu'ils avaient retrouvé le cadavre du grizzly. Rodney partit en avant chercher le médecin, pour qu'il se rende aux Quatre-Vents. Zeke survint, amenant Wichita, et dit à Jane de monter en selle. Comme elle refusait, Julio la souleva et la déposa sur le dos de la jument.

— Nous irons plus vite si vous êtes à cheval, *amiga*.

— Mais…

— Ne discutez pas, *señorita*. Il est mon ami aussi, et je compte bien faire en sorte qu'il survive.

Teddy et Pike vinrent se placer de chaque côté de Jane.

— Julio a raison, dit Teddy. Nous irons plus vite, maintenant que nous sommes sur terrain plat.

— Si tu veux, ajouta Pike, on peut aller tous les deux au ranch prévenir la tante Enid, qu'elle soit prête quand il arrivera.

— Je reste là, répondit Jane, têtue.

— Elle a raison, Pike, intervint Julio. Pars donc et va dire à la *señora* ce qui s'est passé.

Jane se rapprocha du brancard :

— Tu vivras, Chase, chuchota-t-elle. Pas question de faire autrement !

Tu iras bien, tu feras ce que tu as à faire. Je sais que tu es marié à une autre, je ne te demanderai rien. Mais je n'oublierai jamais ce qui s'est passé entre nous, même si tu oublies tout.

En revenant à lui, il avait prononcé le nom de Consuela. Quelle importance ? Il avait vite compris que c'était Jane. Et c'est à elle qu'il avait demandé de venir contre lui pour le garder au chaud. Elle pourrait y penser plus tard… dans la solitude de sa propre chambre.

Il entendit une voix étouffée, qui semblait venir de très loin. Il était entouré de ténèbres qui semblaient vouloir l'engloutir. Mais la voix, douce et forte à la fois, semblait le tirer en sens inverse.

— Chase, Chase, tu es chez toi, tu es en sécurité ! Ne meurs pas, mon amour, je ne veux pas. Je ne te laisserai pas faire. Reviens à toi, Chase, nous sommes à la maison !

Malgré ses souffrances, il l'entendit, douce comme le miel, chaude comme le soleil du matin.

Puis il y eut un échange furieux de phrases stridentes.

— ¡ *Madre de dios* ! Pas question de l'installer dans ma chambre ! Je n'ai pas l'intention de m'occuper de lui ! Il va mourir !

— Espèce de… espèce de garce ! C'est votre époux, comment osez-vous parler ainsi !

— Comment osez-vous ! Je suis Consuela Valdez, fille de Manuel Valdez de la Casa de Oro, et vous n'êtes qu'une petite…

— N'en dites pas plus ou je vous arrache les yeux. Julio, déposez-le dans la chambre voisine de la mienne, je m'occuperai de lui jusqu'à l'arrivée du médecin.

Puis de nouveau, avec douceur :

— Chase, reste avec moi, je t'en supplie…

Douce comme le miel. Chaude comme le soleil du matin. La voix fut plus forte que les ténèbres.

13

Jane resta auprès du médecin tandis qu'il recousait les blessures de Chase et s'efforçait de soigner son poignet brisé. Il leva les yeux par-dessus ses lunettes.

— Ne comptez pas trop sur ce que je peux faire, dit-il. L'ours lui a vraiment broyé les os. Si nous parvenons à éviter l'infection, il sauvera peut-être sa main, mais il y a toutes les chances pour qu'elle ne soit plus bonne à rien.

— Alors, il faut tout faire pour l'empêcher, répondit Jane d'un ton farouche.

En sortant, le médecin lui tapa sur l'épaule.

— Je reviendrai demain voir où il en est.

Puis il se tourna vers Enid, debout au pied du lit.

— C'est un garçon solide, madame Dupré. Il faudra du temps pour qu'il s'en sorte, mais il y arrivera.

— Merci, docteur, dit Enid, qui le raccompagna, laissant Jane seule avec Chase.

— Oh que oui ! lança-t-elle.

Il était revenu à lui à l'arrivée du médecin, qui l'avait examiné, avant de lui donner une dose de laudanum qui apaiserait la douleur, mais l'avait replongé dans le sommeil.

— Je prendrai soin de toi, lui chuchota Jane, qui prit sa main droite. Ton poignet sera comme il faut. Je t'aiderai.

— Jane ?

Elle se redressa d'un bond et aperçut Enid, qui la regardait avec affection.

— Il est marié à Consuela, dit la tante d'une voix douce.

Jane en fut furieuse.

— Elle ne l'aime pas ! Elle refuse de s'occuper de lui alors qu'il a besoin d'elle !

Enid s'approcha du lit, la serra dans ses bras et lui posa la tête contre sa poitrine.

— Ma pauvre Jane ! N'essaie pas de te duper toi-même. Chase l'a épousée, pour le meilleur et pour le pire. Ce n'est pas chrétien de s'ingérer entre un homme et son épouse, quelle qu'en soit la raison, quels que soient les torts. Crois-tu que Chase ne le savait pas avant de revenir ici ? Il y avait déjà quelque chose qui n'allait pas, et il en souffrait. Il ne l'a pas quittée pour autant. Et il ne la quittera pas, quoi qu'il puisse en penser, quoi que tu puisses en penser. Ne va pas le tenter, vous le regretteriez tous les deux.

Les yeux de Jane se brouillèrent de larmes, elle eut l'impression que son cœur se brisait.

— Je ne peux m'empêcher de l'aimer, tante Enid.

— Je sais, ma chérie, mais ne lui montre pas que c'est un amour de femme. Pour lui, tu as toujours été sa petite cousine, fais en sorte qu'il continue à le croire.

— J'essaierai, répondit péniblement Jane.

— Je le sais bien, dit Enid en l'embrassant sur le front. Va donc dormir un peu ! Toi aussi, tu as traversé une terrible épreuve, tu as besoin de te reposer. Il faudra veiller sur Chase et tu m'y aideras.

À quoi bon discuter ? Accablée, Jane quitta la chambre pour se réfugier dans la sienne.

Il la regardait quand elle le croyait encore endormi. Elle venait s'asseoir à côté du lit, pour lui faire la lecture ou parler de la dernière portée de la chienne. Sa voix suffisait à le tirer du sommeil, mais il se gardait d'ouvrir les yeux aussitôt et, à travers le voile de ses cils, il l'observait.

Les cheveux blond doré lui tombaient jusqu'aux épaules, les yeux aigue-marine semblaient errer en tous sens dans la pièce avant de revenir se poser sur lui. Puis elle se rendait compte qu'il était éveillé, et avait un sourire resplendissant.

C'étaient des moments de bonheur entre eux deux. À mesure que passaient les heures, puis les jours, il parvint à la faire parler de son enfance, avant son arrivée aux Quatre-Vents, puis du temps où lui-même était parti au Texas. Et comme il allait de mieux en mieux, elle réussit pareillement à lui faire raconter ce qu'il ne lui avait jamais confié.

Ils se rapprochaient davantage l'un de l'autre à chaque heure qui passait. Mais les convenances interdisaient à Jane d'avouer à Chase ce qu'elle ressentait pour lui, et lui ne voudrait jamais admettre ce qu'il éprouvait.

Le temps vint où elle pensa pouvoir poser la question qu'elle retenait depuis si longtemps.

— Parle-moi de Consuela... Pourquoi es-tu si malheureux ?

Ce jour-là, il était dans un fauteuil placé près de la fenêtre, et le soleil du matin venait lui chauffer le visage. Jane était assise sur le rebord de la fenêtre, les yeux tournés vers les montagnes qui se dressaient vers le ciel. Chase fut surpris de la facilité avec laquelle les mots lui venaient : comme il était simple de raconter ce qu'il croyait bien ne jamais partager avec quiconque !

— J'ai rencontré Julio peu après mon arrivée au Texas. Il m'a dit que la Casa de Oro avait l'un des plus beaux troupeaux de *longhorns* du Texas, et m'a emmené chez lui. Je l'avais trouvé sympathique, mais quand j'ai fait la connaissance de ses parents et de ses frères, j'ai vraiment eu l'impression d'avoir trouvé une seconde famille.

— Et Consuela ?

— Elle était en pension… Je comptais repartir en début de printemps, elle est revenue à la maison pour les vacances… Elle avait l'air à la fois si protégée et si fragile…

Il s'interrompit, se souvenant de cette première soirée. Par-dessus son éventail, elle l'avait regardé de ses grands yeux bruns avant de baisser modestement les cils. Dona del Gado, son chaperon, avait pris soin de s'asseoir entre eux deux. Mais pour Chase, il était trop tard : la jeune fille tissait déjà sa toile pour le prendre au piège, sans qu'il se rende compte un seul instant qu'il ne s'agissait jamais que d'un jeu.

Jane contemplait les montagnes avec obstination ; pas question de croiser le regard de Chase pendant qu'il parlait de Consuela. Lui-même ne pouvait croire qu'il avait été à ce point stupide. Comment avait-il pu penser que la fille du *señor* Valdez puisse représenter tout ce qu'il désirait ? Et pendant ce temps, Jane était aux Quatre-Vents, si gaie, si fraîche, si douce. Elle l'attendait tandis que… tandis qu'il se couvrait de ridicule.

— Je crois que j'étais tout simplement le jeune péquenot sorti des montagnes, reprit-il. Elle a battu des cils et je suis tombé raide. Julio a bien tenté de me mettre en garde, mais… Elle m'a dit que son père lui choisirait un époux dans un an, qu'elle espérait qu'alors je serais encore là. Après quoi elle est retournée en pension.

Il secoua la tête puis ferma les yeux.

— J'étais certain qu'elle voulait que je l'épouse, et je le désirais aussi. Je suis donc resté au ranch, en attendant qu'elle revienne. Ce jour-là, j'ai demandé à son père la permission de la courtiser, ce qu'il m'a accordé. J'étais un homme heureux !

Comment aurait-il pu savoir que la jeune fleur de serre dont il était si amoureux aimait simplement soumettre tout ce qui portait pantalon ? Un jeu, et rien de plus.

— Pendant l'été, quand je lui ai demandé de l'épouser, elle a accepté. Le *señor* Valdez m'a dit qu'il serait heureux de m'avoir comme gendre, ajoutant que la Casa de Oro ne manquait pas de place pour nous accueillir, nous et nos enfants. Il a été moins heureux d'apprendre que je comptais la ramener dans le Montana, mais n'a pas changé d'avis pour autant. Le mariage devait avoir lieu au printemps suivant.

Jane finit par se tourner vers lui.

— Tu as dû beaucoup l'aimer, dit-elle d'une voix douce.

— Je suppose que oui. Je l'ai cru, en tout cas. Aujourd'hui, je ne sais plus.

— Et elle t'aimait.

— Non ! s'écria-t-il. Consuela n'a jamais aimé personne, hormis elle-même. Je ne sais pourquoi elle a accepté de m'épouser. Sans doute devait-elle penser qu'elle pourrait me contrôler : j'étais loin de chez moi, de ma famille… Elle croyait aussi que nous resterions à la Casa de Oro, qu'elle serait toujours la préférée de tous…

Chase se tut, embarrassé. Il se sentait épuisé. Il aurait pu s'en tenir là, mais voulait tout dire à Jane, tout lui expliquer.

— J'étais impatient de rentrer aux Quatre-Vents, mais pas sans ma femme, et j'ai donc écrit à Frank et à Enid pour les prévenir que je ne revenais pas tout de suite. C'était ma seconde lettre.

— Nous ne l'avons jamais reçue.

— Le mariage était prévu en mars. Cinq jours auparavant, la mère de Consuela est tombée malade, puis est morte. Tout le ranch a pris le deuil et, bien entendu, la cérémonie a été retardée de six mois. Nous avons été unis en septembre. Je pensais partir aussitôt, mais Consuela m'a supplié de ne pas prendre la route si tôt. Julio a dit que le temps serait bien meilleur au printemps, qu'il valait mieux attendre. Le *señor* Valdez a ajouté que, venant de perdre son épouse, il lui était pénible de voir s'en aller sa fille. Nous sommes donc restés.

Chase s'abstint de raconter à Jane qu'il avait soupçonné Consuela de ne pas être la vierge innocente qu'il était censé épouser. Il ne lui dit pas que, dès le début, elle lui avait accordé ou refusé ses faveurs selon son caprice. Il s'était vite rendu compte que l'amour né du désir mourait très vite, dès lors qu'il ne s'appuyait pas sur des espoirs et des rêves partagés, des rires…

— J'avais prévu de quitter le Texas en mars, et rien ne m'en empêcherait. C'est alors que Consuela m'a dit qu'elle était enceinte, que le médecin redoutait que la grossesse se déroule mal si je l'emmenais pour un tel voyage. Que pouvais-je faire, sinon rester sur place ?

Un bébé. Un fils. Comme il le désirait ! Un être qui serait à lui, qui l'aimerait, qui ramènerait un peu de soleil dans sa vie. Il lui apprendrait à monter à cheval, à manier le lasso…

Jane lui toucha l'épaule.

— Que s'est-il passé, Chase ? demanda-t-elle d'une voix tremblante.

— Consuela ne comptait aucunement quitter la Casa de Oro. Je crois qu'elle pensait pouvoir me faire changer d'avis. Le bébé n'était qu'un moyen de retarder l'échéance. Quand elle a vu que je restais bien décidé à partir, elle a… changé ses plans.

Il déglutit, pinça les lèvres, puis se contraignit à parler.

— Elle était enceinte de sept mois quand elle s'est enfuie avec… un de ses amants.

— Oh non !

— Bien entendu, nous n'étions au courant de rien. Le buggy s'est pris dans une ornière et s'est renversé... L'homme est mort, le cou brisé, elle a été projetée à terre... Nous l'avons retrouvée et ramenée à la maison. Elle y a donné le jour à un enfant mort-né.

Jane fondit en larmes, mais Chase resta impassible : il s'était endurci depuis trop longtemps pour vouloir révéler la profondeur de son chagrin.

— Je l'ai appelé John, comme mon père, reprit-il d'une voix dure. John Valdez Dupré. Nous l'avons enterré, et pendant un moment nous avons bien cru que sa mère le suivrait. Le médecin a dit qu'il ne comprenait pas qu'elle ait pu en réchapper, et qu'elle ne pourrait plus avoir d'enfants.

«Il s'est passé des semaines avant que je lui dise qu'il fallait partir, que ce serait mieux pour nous deux. Nous recommencerions de zéro, nous pourrions nous aimer comme avant... Elle m'a ri au nez, en déclarant que jamais elle ne m'avait aimé, ni ne m'aimerait. Elle m'a parlé de ses amants, en se demandant si l'enfant était bien de moi... Si elle s'était enfuie, c'était pour échapper au Montana. Elle m'a dit beaucoup de choses hideuses – ce qu'elle a regretté en découvrant que son père, resté dehors pour lui parler, avait tout entendu.

Il a attendu une semaine avant de la convoquer. Il lui a annoncé que la Casa de Oro n'était plus son foyer, qu'il n'était plus son père. Il l'a bannie du ranch et l'a contrainte à revenir au Montana avec moi. Nous sommes partis, mais la traversée du Texas a pris bien du temps... Le voyage a été très long.

Jane et lui, pour ne pas se regarder, tournèrent les yeux vers les montagnes qui bordaient la vallée et restèrent immobiles, sans mot dire, pendant que les minutes s'écoulaient.

14

Powell éclata de rire en plongeant son visage dans l'opulente poitrine, puis se laissa retomber sur le lit.

— Tu n'es vraiment qu'une sorcière !

Sans répondre, Consuela s'empara de son corsage. Elle s'ennuyait. Disparaître furtivement pour s'en aller retrouver Powell avait perdu tout attrait. Personne ne semblait y prendre garde : tous au ranch étaient bien trop préoccupés par Chase.

Powell se serra contre elle, pressant le torse contre son dos, tout en lui embrassant la nuque.

— Je te retrouve ici demain à la même heure !

— Je ne pourrai pas, je serai occupée, répondit-elle en le repoussant avant de continuer à se rhabiller.

Une main lui fit faire volte-face, des yeux noisette la contemplèrent avec fureur.

— Tu feras ce que je te dis !

— *Señor* Daniels, pour qui vous prenez-vous ? Vous croyez pouvoir me donner des ordres ?

— Et vous, *señora* Dupré, qui croyez-vous duper ? dit Powell d'un ton venimeux.

Ses doigts se refermèrent sur la nuque de la jeune femme :

— Tu me prends pour un imbécile, comme ton mari ? Je sais parfaitement qui tu es, Consuela.

Elle sentit un frisson glacé lui parcourir l'échine, en dépit de la chaleur accablante.

— Je n'ai jamais eu l'intention de te duper.

— Pff !

Il eut un rire, et se détourna pour chercher ses vêtements.

Les doigts de Consuela tremblaient tandis qu'elle se rhabillait. De quoi avait-elle peur ? Que pouvait-il tenter ? La famille de son mari était l'une des plus importantes de la vallée. Powell Daniels n'oserait pas lui faire de mal. Pourtant, levant les yeux, elle se rendit compte qu'il l'observait et, de nouveau, sentit la peur lui glacer les veines.

Il roula une cigarette et l'alluma, en tenant l'allumette devant lui, comme elle l'avait vu faire si souvent, jusqu'à ce qu'elle lui brûle les doigts. Il la laissa tomber et l'écrasa du pied.

— Tu sais ce que je ferais si je te trouvais avec un autre homme ? demanda-t-il d'une voix douce. Je t'aplatirais, comme cette allumette ! Et il ne servirait à rien de te cacher, aux Quatre-Vents, au Montana, où que ce soit. Tu m'entends, Consuela ? Tu es à moi.

— Powell Daniels, tu es vraiment un sot, lança-t-elle en passant à sa hauteur.

Le cheval de la jeune femme était attaché à l'ombre d'un cotonnier, tout près du lit asséché de la rivière. Elle monta en selle et prit les rênes.

— Je serai là demain, Consuela.

— Attendez tant que vous voudrez, *señor*.

Il se précipita vers elle avant qu'elle ait le temps de réagir, la fit tomber et la serra à l'écraser tout en l'embrassant brutalement. Ses doigts se refermèrent lentement sur la gorge de la jeune femme.

— Ne joue pas avec moi, Consuela Dupré. Je t'attends demain.

Puis il la repoussa et se dirigea vers son propre cheval.

Consuela resta immobile, hors d'haleine, envahie par un mélange de crainte et de fureur. Ce n'était plus un jeu. Elle ne le dominait plus, les règles avaient changé. Elle savait qu'il parlait sérieusement. Touchant sa gorge, elle comprit que demain elle serait là. À moins que...

— Tu as l'air de guérir comme il faut, mon garçon. Tu pourrais te lever et te promener un peu. À condition de garder ton poignet en écharpe, bien sûr! Ne va pas risquer de l'abîmer! Il se pourrait qu'il finisse par mieux s'arranger que je ne l'aurais cru.

— Doc, je promets de faire attention chaque fois que je serai hors de cette chambre.

Le docteur Bailey sourit en contemplant Jane par-dessus ses lunettes :

— En tout cas, tu as une jolie infirmière!

Elle rougit – et davantage encore quand les deux hommes éclatèrent de rire.

Tante Enid entra dans la pièce en portant un plateau chargé de verres de limonade, qu'elle posa sur la table à côté de la fenêtre.

— Doc, buvez donc un peu, il fait si chaud!

— Ah, ma pauvre Enid, je n'ai jamais vu un été pareil! Il n'est pas tombé une goutte de pluie depuis cette nuit où je suis venu m'occuper de Chase. L'herbe est toute brune, les cours d'eau sont à sec!

Ils bavardèrent encore quelques instants, puis Enid demanda à Jane de raccompagner le médecin. Chase comprit aussitôt que sa tante avait quelque chose en tête.

Elle referma la porte puis se tourna vers son neveu, l'air préoccupé.

— Chase, je t'ai toujours parlé franchement. Je vais te dire ce que je pense, et ensuite il n'en sera plus question. Je l'aurais fait plus tôt si tu n'avais pas été aussi gravement blessé.

Il attendit.

— Chase Dupré, tu es un homme marié et ta femme est ici, aux Quatre-Vents. Un aveugle se rendrait compte que tu as beaucoup de problèmes avec elle, mais elle reste ton épouse, et tu n'as pas le droit de croire le contraire. Jane est une bonne fille. Je lui ai enseigné la différence entre le bien et le mal, je n'ai pas l'intention que tu t'en mêles. Pour toi, elle a toujours été ta cousine, tu ferais bien de t'en rappeler. Voilà. Je n'en dirai pas davantage.

Elle sortit en toute hâte, laissant Chase réfléchir à ses paroles.

— Jane, ce serait bien si tu pouvais me donner un coup de main pour la lessive. Je crois que Chase va assez bien pour se débrouiller seul.

— Bien sûr, tante Enid.

Jane éprouva comme un remords ; depuis le retour de Chase en si piteux état, elle n'avait pas fait grand-chose dans la maison, trop heureuse d'être avec lui dans sa chambre.

Elle était à l'ombre du grand sureau, penchée sur la bassine, un tablier noué autour de la taille, quand elle entendit un bruit de sabots ; levant les yeux, elle vit Consuela entrer à cheval dans la cour. La femme de Chase était tête nue, ses cheveux lui tombaient dans le dos. C'était bien la première fois.

L'apercevant, Consuela lui jeta un regard méprisant qui en disait long sur ce qu'elle pensait. Jane sentit la colère monter en elle, mais préféra se remettre à la tâche – elle faillit bien trouer une des chemises de l'oncle Frank tant elle était furieuse.

Consuela se lava avec soin avec l'eau tiède de la cruche déposée dans sa chambre. Puis elle s'aspergea les poignets, la gorge et la poitrine de son eau de toilette préférée avant de revêtir une magnifique robe de lin jaune vif, se recoiffa, mit le médaillon

152

que son mari lui avait offert le jour de leurs noces.

Sortant, elle se dirigea vers la chambre de Chase, s'arrêta devant la porte, hésita un instant en posant la main sur la poignée, puis frappa et entra sans attendre la réponse.

Chase était assis près de la fenêtre. Il tourna la tête en l'entendant, manifestement surpris de la voir.

Consuela l'était tout autant. Elle ne l'avait pas revu depuis qu'ils l'avaient ramené sur le brancard. Il semblait alors n'avoir aucune chance de survivre. Et pourtant il était là, manifestement en bonne forme. Son hâle avait pâli, son corps s'était amaigri, mais il paraissait plus avenant que jamais.

Elle s'était beaucoup amusée à jouer avec lui, autrefois : il était si sincère, si passionné ! Elle avait bien cru qu'il ferait tout ce qu'elle voudrait. Mais c'était une erreur. Doté d'une volonté de fer, il l'avait de surcroît vite percée à jour. Toutefois, c'était un homme d'honneur – seule chose sur laquelle elle pût encore compter.

— Chase, je peux entrer ?

Il fronça les sourcils, puis acquiesça d'un signe de tête.

Elle s'approcha et croisa les bras.

— Mon mari, j'ai beaucoup réfléchi ces dernières semaines.

— Ah bon ?

— Je sais que tu ne vas pas me croire, mais j'ai eu très peur que tu meures. Chase, j'ai fait tant d'erreurs... J'ai été cruelle et féroce avec toi, mais c'était parce que... parce que je me comportais en enfant gâtée, et que je ne savais pas comment être vraiment ton épouse.

Semblant prête à fondre en larmes, elle leva la tête et rencontra son regard.

— Pendant que tu luttais pour ta vie, je cherchais les mots qui nous sauveraient tous les deux.

Il soupira, tourna la tête vers la fenêtre :

— Consuela, ne te donne pas tant de peine.

— Chase, je jure sur la tombe de ma mère que je t'aime ! Je t'ai toujours aimé !

Elle se jeta à genoux et prit sa main, qu'elle posa sur sa poitrine.

— Donne-moi une chance de le prouver ! ¡ *Por favor* !

Elle sentit qu'il hésitait, qu'il était tenté. Et si elle regagnait son amour, elle serait à l'abri des menaces de Powell...

— Consuela, tu gaspilles tes larmes.

Surprise, elle le regarda.

— Peut-être craignais-tu que je te renvoie au Texas ? N'aie pas peur : nous sommes mariés et nous le resterons, dit-il d'une voix sans timbre. Mais tu n'as pas besoin de me mentir de nouveau.

Toujours à genoux, elle se rapprocha, posa les mains sur sa poitrine.

— Mon époux, je ne mens pas. Je vais te le prouver.

Consuela se redressa, glissa les mains contre la nuque de Chase, se pencha pour lui donner un long baiser langoureux. Comme il semblait ne pas réagir, elle contint son irritation et se serra contre lui.

— Chase, je...

Tous deux tournèrent la tête vers la porte : Jane était là, bouche bée, rougissante.

— Je... je suis désolée... Je ne voulais pas...

Elle fit volte-face en toute hâte et quitta la pièce.

Consuela sentit Chase se crisper. Elle s'attendait à bien des choses : qu'il la repousse, voire qu'il la frappe, qu'il parte en courant retrouver Jane. Mais elle n'aurait jamais imaginé qu'il dise :

— Je me réinstallerai dans notre chambre dès ce soir.

Prise au dépourvu, elle ne put que chuchoter :

— *Gracias*, Chase.

Il se leva.

— J'ai besoin de prendre l'air, dit-il sans la regarder.

154

Julio était dans la grange, à soigner un cheval blessé. Ruisselant de sueur, il s'épongea d'un revers de main et interrompit sa tâche. ¡ *Maldito !* il n'y avait donc rien d'autre que le chaud et le froid, au Montana ?

Il se dirigea vers la porte et s'y appuya, contemplant le paysage desséché. Comme d'habitude : un printemps humide, puis un été brûlant… La vallée tout entière était devenue une vraie poudrière : un éclair lors d'un orage, un cow-boy imprudent laissant tomber une allumette ou une cigarette, et elle serait ravagée par les flammes. Un véritable enfer…

— Julio !

Arraché à ses sombres pensées, il eut un sourire.

— ¡ *Amigo !*

Chase entrait dans la grange par l'autre porte. Il marchait avec difficulté, son bras était en écharpe, mais quel plaisir de le revoir !

— Je n'aurais pas cru que le médecin t'aurait laissé filer si tôt !

— Tant que je prends garde à mon poignet, je peux faire tout ce dont je me sens capable. Et j'ai besoin de prendre l'air. Si nous allions voir le bétail ?

— Mais ton infirmière te le permettra-t-elle ?

— Je n'ai pas cru bon de poser la question.

— Oh, tu as eu des mots avec Jane !

— Non, pas avec elle.

Julio sentit quelque chose d'accablé dans sa voix, tout en remarquant à quel point Chase paraissait las.

— *Amigo*, qu'est-ce qui ne va pas ?

Chase s'assit sur un banc, s'appuya contre la paroi de la grange et ferma les paupières.

— Julio, es-tu toujours amoureux de Jane ?

— *Amigo* ?

— Tu m'as parfaitement entendu. Alors ?

— Comment ne pas l'être ? demanda Julio d'une voix douce.

— Alors, j'espère que tu feras tout ce qui est en ton pouvoir pour la rendre heureuse.

— Mais elle…

Chase rouvrit les yeux :

— Je n'ai pas le droit de vouloir faire son bonheur, Julio. J'ai déjà une épouse, au cas tu l'aurais oublié ! Et même si je n'étais pas marié, je ne pourrais pas l'aimer. Il n'y a plus d'amour en moi, je suis à sec.

Il eut un silence et ajouta :

— Prends bien soin d'elle.

— *Amigo*, nous en avons déjà parlé. Cela ne dépend pas de moi, mais de Jane.

— Bon sang, Julio, c'est toi qui dois faire en sorte que ça arrive ! Tu m'as compris ! Essaie !

Il se leva pour se rapprocher de Julio.

— Pour moi, chuchota-t-il d'une voix rauque… Fais-le pour moi… Pour toi… et pour elle.

Jane resta contre le mur de la grange jusqu'à ce qu'elle l'entende dire : « Je n'ai pas le droit de vouloir faire son bonheur. » Alors elle s'enfuit en courant, pleurant à chaudes larmes. Le petit monde imaginaire dans lequel elle vivait avait été détruit d'un seul coup quand elle l'avait vu embrasser Consuela. L'entendre contraindre un ami à la courtiser, c'était vraiment le coup de grâce.

Elle sella Kansas en toute hâte et, toujours en tablier, manches relevées, pieds nus, grimpa d'un bond sur le dos de la jument et partit au galop vers les montagnes et la clairière où elle s'exerçait au tir.

Arrivée là, elle sauta à terre et se laissa tomber sur le sol, qu'elle frappa du poing :

— J'espère que tu mourras, Consuela Dupré ! J'espère que tu mourras !

Cela faisait trois jours que Powell revenait à l'endroit convenu, trois jours qu'il attendait – en vain. La rage bouillonnait en lui.

Le quatrième jour, lorsqu'il arriva, il aperçut son cheval à un arbre. Courant dans la cabane, il la découvrit allongée sur le lit, déjà dévêtue, enveloppée dans la couverture.

— Tu es en retard, dit-elle en faisant la moue. Je commençais à croire que tu ne viendrais pas.

Ôtant sa chemise, il se dirigea vers elle.

— Consuela, ce n'est pas un jeu.

— Crois-tu, *hombracho* ? dit-elle en laissant tomber la couverture. Je trouve que c'est un jeu merveilleux.

Une lueur espiègle passa dans ses yeux noirs.

— T'ai-je dit que mon mari allait mieux ? Il s'est réinstallé dans notre chambre.

La colère faillit aveugler Powell ; tremblant, il la saisit par les épaules et la souleva.

— Tu es à moi, Consuela, et je ne le laisserai pas faire !

— Et comment comptes-tu l'en empêcher ?

— J'y arriverai, Consuela.

Jane faisait de son mieux pour éviter la compagnie de Chase. Ses sentiments passaient sans arrêt de la plus profonde tristesse à une colère telle qu'elle se sentait capable de meurtre. Consuela n'était pas la seule visée. Jane en voulait aussi à Chase. Comment osait-il disposer d'elle ? Sa pauvre cousine, folle d'amour, à qui il fallait de toute urgence trouver un soupirant… Pfff !

Julio la trouva sous le grand sureau, occupée à savonner une bride dont elle pétrissait le cuir, tandis que de sombres pensées tournoyaient dans sa tête. Elle avait noué ses cheveux en une natte et tentait de se protéger de la chaleur, tâche impossible : en ce beau matin d'été, le vent soufflant du sud était déjà brûlant.

— *Buenos dias, amiga*, dit-il.

— Bonjour ! répondit-elle d'un ton très sec.

Il s'accroupit à côté d'elle, souriant toujours.

— C'est à cause de la chaleur que vous rabrouez votre ami ?

Levant les yeux, elle faillit bien l'éconduire – mais, à ce moment, elle aperçut Chase sur la véranda. Ah, il voulait que son meilleur ami prenne soin de la malheureuse gamine ? Il serait satisfait ! Se redressant, elle posa la main sur l'épaule de Julio et se pencha vers lui.

— Je suis désolée. C'est la chaleur, en effet. Allons à cheval vers la rivière, histoire de nous rafraîchir un peu.

— J'ai du travail…

— Julio, voyons, il fait trop chaud. Vous pouvez bien vous absenter une heure ou deux.

— Peut-être Chase aimerait-il se joindre à nous, dit-il en se tournant vers la véranda.

Jane se rapprocha encore.

— Julio, rien que vous et moi ! Venez !

Elle prit sa main en se relevant, l'entraînant derrière elle. Elle eut un regard de triomphe vers la maison, mais Chase avait disparu. Elle lâcha les doigts de Julio. Sa colère s'était envolée, son chagrin lui revenait

Chase, Chase, je t'aime tant.

15

L'air semblait crépiter tandis que le vent brûlant venu du sud faisait rouler de gros nuages noirs. Chase entendit gronder le tonnerre bien avant que l'orage ne survienne. Sortant sur la véranda, il vit le ciel s'assombrir en quelques minutes.

Dans les corrals, les chevaux s'agitaient, couraient en tous sens. Des tourbillons de poussière traversaient les champs desséchés.

— J'avais prié pour que cela n'arrive pas, dit doucement Enid, venue rejoindre son neveu.

— Ce serait une bénédiction qu'il pleuve, répondit-il.

Tous deux savaient toutefois que les nuages de ce genre étaient plus chargés d'éclairs que de pluie. Les pâturages du ranch n'avaient jamais été aussi desséchés depuis le temps lointain où les Quatre-Vents se réduisaient encore à deux cabanes en bois et deux familles riches de rêves d'avenir. Une seule étincelle venue du ciel, et tout ce qu'ils avaient édifié depuis leur serait arraché.

Une aveuglante lueur argentée fendit le ciel de haut en bas ; presque aussitôt, la terre parut trembler pendant que le tonnerre grondait, résonnant avec fracas dans toute la vallée, tandis que les montagnes en renvoyaient l'écho. Un vent brûlant se mit à souffler.

— Julio et Jane sont partis à cheval vers la rivière. C'est dangereux pour eux.

— Comme pour ta femme, répondit Enid sans le regarder.

Il avait totalement oublié Consuela. Elle lui avait dit aimer les chevauchées solitaires, qui l'apaisaient. À l'en croire, elle avait commencé pendant les semaines où il était en convalescence, partant le matin pendant que la chaleur n'était pas trop forte. Elle était d'ailleurs partie dès l'aube.

— Je ferais mieux d'aller à leur recherche, dit-il en descendant les marches de la véranda.

— C'est dangereux d'être à cheval pendant un tel orage, dit Enid. Julio a sans doute eu le bon sens de mettre pied à terre et de rester à découvert.

Chase regarda sa tante. Elle avait raison, bien entendu.

— Je ne serai rassuré que quand je les aurai retrouvés, dit-il pourtant.

Il sella en hâte sa monture et partit au galop. S'il se dirigeait vers la rivière, c'est parce qu'il ignorait où Consuela avait pu aller. C'est du moins ce qu'il se disait : car en fait ses pensées allaient d'abord à Jane. Comme il lui avait été pénible de la voir flirter avec Julio ! Aurait-il mal compris ? Était-ce simple amitié entre eux, ou bien était-elle aussi volage que toutes les femmes ?

L'orage éclata bientôt. Les lourds nuages plongèrent la vallée dans les ténèbres, puis parurent exploser à grand renfort d'éclairs. Les cieux résonnaient du fracas du tonnerre.

Julio et Jane se réfugièrent sous un rocher en surplomb et assistèrent, sans mot dire, au spectacle terrifiant de la nature en fureur. Vint un éclair si aveuglant qu'ils n'y virent plus rien pendant quelques secondes ; le sol trembla sous leurs pieds. Leurs chevaux se mirent à hennir de terreur en tirant sur les rênes.

De l'autre côté de la rivière, le cotonnier était brisé en deux, et de son tronc calciné s'élevaient déjà des flammes.

Julio confia Diablo à Jane puis, traversant la rivière presque asséchée, ôta sa chemise et s'en servit pour éteindre le début d'incendie que le vent menaçait de répandre.

Jane s'efforça de calmer leurs montures par des paroles apaisantes, bien qu'elle fût loin de se sentir rassurée : à dire vrai, elle avait aussi peur qu'elles. L'odeur acide de l'éclair, de l'arbre consumé, lui remplissait les narines et, malgré la chaleur, elle frissonna.

Consuela était retournée à la cabane en se sentant de nouveau maîtresse de la situation. Elle pensait ne plus avoir à craindre Powell, puisque Chase lui était revenu. Elle fut pourtant surprise de la passion de son amant et, à mesure que le temps passait, perdit de son assurance, au point d'avoir peur.

— Powell, il faut que je rentre avant que la pluie se mette à tomber, dit-elle tandis que le tonnerre grondait.

— Et pourquoi diable ? Tu n'auras qu'à revenir aux Grands Pins avec moi !

— *Señor*, me prenez-vous pour une sotte ? Je ne peux quitter mon mari, cela ferait un scandale. Jamais mon père ne me le pardonnerait !

S'arrachant à son étreinte, elle s'empara de ses vêtements, s'habilla en hâte, non sans jeter des regards inquiets au plafond à chaque coup de tonnerre.

— Je ne veux pas que tu t'en ailles, Consuela, dit Powell d'une voix sourde et menaçante.

Elle le regarda d'un air dédaigneux.

— Peu m'importe ce que tu veux ; je fais ce qui me plaît.

161

Lui tournant le dos, elle acheva de boutonner son corsage, l'entendit sortir et sourit. Quel imbécile! Pour qui se prenait-il? Elle était la fille de Manuel Valdez, non une servante à qui on donnait des ordres. Elle irait et viendrait à sa fantaisie, lui dirait quand elle voulait le voir, faire l'amour. Et aussi quand elle en aurait assez.

Un brutal coup de tonnerre fit trembler la cabane. Consuela eut un cri de terreur et sortit en courant, ses chaussures à la main, puis s'arrêta net en voyant leurs chevaux s'enfuir. Powell était à côté du cotonnier où ils étaient attachés : de toute évidence, il les avait libérés. Mais il paraissait regarder ailleurs.

Elle fut envahie par un frisson glacé. Au loin apparaissait ce qui semblait être une fumée noire rampant sur le sol. Il en sortit des flammes orange qui dévoraient l'herbe desséchée.

L'incendie!

Jane fit traverser la rivière aux chevaux pour retrouver Julio, dont la peau brune était trempée de sueur. Il avait réussi à éteindre les flammes avant qu'elles ne se propagent. Ses yeux las se tournèrent vers elle.

— Jane, il faut rentrer au ranch. D'autres incendies doivent commencer en ce moment même.

— Et comment les combattrons-nous?

— Comme nous pourrons.

— Julio... j'ai peur.

Il posa le bras sur ses épaules et la serra contre lui, en souhaitant pouvoir en faire davantage. Jane recula, comme si elle avait lu dans ses pensées.

— Ce n'est pas bien de ma part de vous avoir amené ici en vous laissant croire... qu'il pourrait y avoir quelque chose entre nous.

— Inutile de me le dire, *amiga*. Je sais à qui va votre cœur.

Jane en eut les larmes aux yeux. Se dressant sur la pointe des pieds, elle déposa un baiser sur sa joue.

— Merci, Julio. Vous êtes le meilleur ami que j'aie jamais eu.

Chase arriva juste à temps pour la voir embrasser Julio. Celui-ci avait posé le bras sur ses épaules, il était torse nu… Chase en fut accablé, mais repoussa ce sentiment : il n'avait pas le temps d'y faire face.

— Julio! hurla-t-il.

Éperonnant son cheval, il descendit à toute allure la rive et galopa vers eux.

— Julio! Jane!

Se retournant, elle l'aperçut et lui fit signe de la main.

— Ça va? leur demanda-t-il en arrivant à leur hauteur, pour découvrir les restes du cotonnier.

— *Sí, amigo*, dit Julio. Mais je crois qu'il vaudrait mieux rentrer et rassembler les hommes. Nous allons avoir d'autres ennuis!

— Tu as raison. J'ai cru voir de la fumée au sud.

Chase leva les yeux vers le ciel, toujours chargé de nuages noirs, mais il n'y avait plus d'éclairs.

— Espérons qu'il tombera un peu de pluie!

Sans répondre, Jane et Julio montèrent en selle, et tous trois galopèrent en direction du ranch.

Au sud, les flammes qui consumaient les herbages desséchés des Quatre-Vents gagnaient en intensité.

16

L'incendie courait, poussé par le vent, comme sur des pieds orange et rouges. Powell le vit venir, mais resta sur place, fasciné. Il se mit à respirer plus vite, envahi par une étrange excitation proche du désir.

— Il faut partir ! s'écria Consuela en tirant sur sa manche.

Sa main se referma sur le poignet de la jeune femme :

— Regarde, Consuela ! regarde comme c'est beau !

— Tu es fou ! hurla-t-elle en s'efforçant en vain de se libérer. Lâche-moi ! Il faut nous enfuir !

— Nous avons tout le temps. Regarde, regarde ! C'est superbe ! Presque autant que toi !

La sueur lui coulait sur le front : Jane balaya les mèches qui lui tombaient sur le visage et leva des yeux rougis vers l'incendie qui, à une allure terrifiante, s'avançait vers les Quatre-Vents. L'air brûlant l'étouffait, la fumée lui piquait les narines.

— Jane ! s'écria Chase en courant vers elle. L'oncle Frank est dans le chariot, Wichita est sellée !

— Je ne pars pas, répondit-elle en tirant de nouveau la corde du puits pour en remonter le seau.

— Ne discute pas, Jane !

— Je ne discute pas. Je ne viens pas, c'est tout.

— Jane…

Il posa sur son épaule une main qu'elle repoussa.

— C'est chez moi, ici, et si tu crois que je vais m'enfuir, tu te trompes. Dis à tante Enid d'emmener l'oncle Frank, mais moi je reste !

Elle souleva en grognant le seau rempli d'eau et se dirigea vers la maison.

— S'il le faut, j'arroserai chaque planche de cette maison moi-même !

Chase courut et vint se placer devant elle, la contraignant à s'arrêter.

— Jane, je ne peux rester ici. Je dois retrouver Consuela, et je ne sais pas où elle est !

— Alors, ne perds pas ton temps ! Je m'occuperai de la maison avec Julio et les autres.

Elle avança d'un pas pour le contourner.

— Jane… j'aimerais être certain que tu es en sécurité.

Elle plongea les yeux dans les siens. Pourquoi devrait-elle s'inquiéter de ce qu'il voulait ? Elle s'était occupée de lui pendant des semaines, puis il était retourné dans la chambre de Consuela. Il avait l'air triste et abattu – et alors ?

— Tout ira bien, Chase, dit-elle d'un ton un peu radouci. Où qu'elle soit, Consuela doit être morte de peur. Julio prendra soin de moi si les choses tournent mal.

— Oui, Julio.

Elle l'entendit à peine ; il était déjà parti.

— Jane, par ici !

Elle s'empressa d'aller porter le seau à Teddy, puis repartit en remplir un autre au puits.

Mouchoir sur le nez, Chase traversa la fumée, suivant ce qu'il croyait être les traces du cheval de Consuela, jusqu'à ce qu'il ne puisse plus les reconnaître. Les yeux lui piquaient, sa gorge le brûlait. Il s'arrêta un instant pour boire à sa gourde, tandis que son cheval s'agitait nerveusement.

Se dirigeant vers la montagne, il galopa à travers les pâturages, s'éloignant des flammes. Où chercher ? Il n'en avait aucune idée : elle avait pu aller n'importe où. Était-elle en sécurité, loin de cet enfer – ou, au contraire, en plein milieu ? Il réprima un frisson ; Consuela elle-même ne méritait pas un tel destin.

Plantant ses éperons dans les flancs de sa monture, il poursuivit sa quête.

Le feu paraissait ramper – comment pouvait-il avancer si vite ?

Jane tira un nouveau seau du puits avant de l'emporter vers la demeure, épuisée. Les hommes hurlaient par-dessus le vacarme du vent et des flammes. Le bétail avait été lâché voilà longtemps, à l'exception de leurs chevaux, déjà sellés – seul moyen d'évasion. Enid était partie en compagnie de Frank dans la direction de Virginia City, où ils seraient en sécurité.

Jane passa le seau à quelqu'un – qui ? Elle était trop fatiguée pour lever les yeux –, en ramassa un vide par terre et repartit vers le puits. Elle aperçut la grange ; allaient-ils la perdre aussi, à peine reconstruite ? Tous leurs efforts paraissaient inutiles. Si seulement le vent changeait de direction ! Si seulement les nuages laissaient tomber un peu de pluie…

Pike Matthews lui fit signe.

— Jane, il est temps de vider les lieux ! Monte sur ta jument et va-t'en !

— Mais Pike, on ne peut pas…

— Matthews a raison, intervint Rodney. Faut qu'on s'en aille. On ne peut rien faire de plus ici.

Elle fit volte-face et contempla la maison, la seule qu'elle ait jamais eue… Si elle brûlait… Si elle la perdait…

— Il faut la sauver! s'exclama-t-elle, paniquée. Je ne pars pas!

Tous les hommes étaient rassemblés. Julio survint, amenant Wichita.

— Julio, je ne peux pas partir! Je ne peux pas laisser l'incendie la détruire! Et Chase? Je veux être là quand il reviendra.

— Silence, *niña del ojo*, répondit-il doucement. On peut rebâtir la maison, mais vous êtes irremplaçable!

Et il la souleva pour la mettre en selle.

Les hommes montèrent à cheval et s'enfuirent en galopant devant l'incendie.

Chase commençait à penser que, dépassant les limites du monde, il était tombé en enfer. Enfant, quand ils allaient à l'église le dimanche, il avait entendu le révérend Sharply, vieux prédicateur aux cheveux blancs, en donner une description qui correspondait tout à fait...

Il s'arrêta non loin des flammes, se contraignant à guetter le moindre signe de Consuela. Rien. L'incendie devait être proche des Quatre-Vents, désormais; il fut tenté de repartir au galop vers le ranch, pour sauver ce qui pouvait l'être, et s'assurer que Jane était en sécurité. Mais il se résolut finalement à poursuivre ses recherches, lançant le nom de son épouse d'une gorge desséchée.

Le vent tourna, puis tomba d'un coup. C'est alors que vint la pluie, à torrents, comme si les portes des cieux s'étaient ouvertes d'un seul coup. Elle tomba avec une telle force que le petit groupe qui fuyait les Quatre-Vents fut aussitôt trempé; mais tous poussèrent des cris de joie. Faisant demi-tour, ils repartirent au galop vers le ranch qu'ils venaient d'abandonner: leurs prières étaient exaucées.

Dans le ciel nettoyé apparut un arc-en-ciel. La vallée dévastée était jonchée de ruines fumantes ; les carcasses de bétail s'étendaient sur toute l'étendue du ranch.

Chase avança dans ce spectacle de désolation, les narines envahies par une odeur âcre. L'air sombre, il examina les lieux. Chaque fois qu'il apercevait un animal mort, il redoutait le pire, et ses craintes furent confirmées quand il retrouva dans un ravin le cheval de Consuela.

Il mit pied à terre et s'accroupit avec lassitude près des restes carbonisés. Il n'avait pas voulu cela. Il désirait être libéré d'elle, certes, mais pas ainsi…

Se redressant, il posa la tête sur le cou de sa monture, envahi de remords. L'avait-il vraiment cherchée comme il aurait dû ? N'avait-il pas négligé un indice ? S'il était allé dans telle ou telle direction, ne l'aurait-il pas retrouvée à temps ?

Il ne le saurait jamais.

Chase monta en selle avec difficulté : son épaule et son flanc lui faisaient mal, de minuscules aiguilles semblaient lui transpercer le poignet. Mais il n'avait d'autre choix que de repartir à la recherche de Consuela : il ne connaîtrait pas le repos tant qu'il ne l'aurait pas retrouvée. Il fit donc avancer son cheval.

Une demi-heure plus tard, il aperçut un mouvement au loin. S'arrêtant, il tenta de percer la fumée qui montait du sol. Quelqu'un marchait vers lui, trébuchant parfois, mais sans jamais tomber. C'était un homme, qui portait un corps dans ses bras.

Powell avait attendu trop longtemps. Tout à sa fascination des flammes, il les avait contemplées jusqu'à ce qu'elles l'entourent. Quand Consuela lui avait-elle échappé ? Elle avait dû courir… Il fallait qu'il la retrouve.

Chase arrêta son cheval et sauta à terre. Puis il fut pris de nausées. L'homme n'était autre que Powell Daniels, qu'on reconnaissait à peine, tant le côté gauche de son visage était couvert de brûlures et de cloques, et sa chevelure presque entièrement consumée.

Il portait une femme que Chase n'eut aucun mal à reconnaître. Les longs cheveux noirs de Consuela tombaient jusqu'à terre, sa tête ballottait, son visage était noirci de fumée.

— Consuela ! s'écria Chase en s'avançant.

Powell parut ne pas le voir et continua d'avancer.

— Daniels !

Mais l'autre, les yeux perdus dans le vague, sembla ne rien entendre.

Chase le rattrapa, le saisit par le bras.

— Elle est vivante ?

Powell sursauta, mais sans répondre ni tourner la tête.

— Elle est vivante ?

Cette fois, Powell le regarda, et eut un geste las, comme pour l'écarter.

Chase tendit les bras.

— Powell, donne-la moi. Il faut que je la ramène aux Quatre-Vents. J'enverrai quelqu'un s'occuper de toi.

De nouveau Daniels le contourna et se remit en marche. L'incendie et la souffrance devaient l'avoir rendu fou : il n'y avait pas d'autre explication.

Ne sachant trop que faire, Chase le suivit. Si Consuela vivait encore, elle aurait besoin d'un médecin. Comme Powell, d'ailleurs. Chase allait parler quand il entendit crier son nom : des hommes arrivaient vers eux à cheval, suivis d'un chariot.

Julio fut le premier à les rejoindre.

— Elle doit être vivante, dit Chase ; mais il ne répond pas. Je viens juste de les trouver. Il ne veut pas que je la prenne, je ne suis pas sûr qu'il comprenne ce que je lui dis.

— Consuela? demanda Julio en mettant pied à terre.

Powell regarda autour de lui d'un air hagard.

— *Señor* Daniels, dit Julio en lui touchant l'épaule, il faut que vous nous la laissiez. Je vous en prie, déposez-la dans le chariot. Nous vous conduirons chez un médecin.

Powell secoua la tête, mais laissa quand même Julio soulever le corps de Consuela.

— Rod, lança Julio, occupe-toi de ton frère.

Chase était déjà remonté à cheval :

— Je vais la prendre, Julio. Nous irons plus vite qu'avec le chariot.

— Plus rien ne presse, *amigo*. Elle est morte.

Pour une fois, Jane avait obéi. Elle était donc restée aux Quatre-Vents tandis que Julio, Rod, Zeke et Teddy partaient à cheval à la recherche de Chase et de Consuela, suivis de Pike dans le chariot. Elle attendrait le retour d'Enid et de Frank. Corky McGinnie resta avec elle tandis que les autres cow-boys entreprenaient de rassembler les bêtes ayant survécu à l'incendie.

Elle alla à d'innombrables reprises jusqu'au coin de la grange pour regarder la vallée, en quête d'un signe annonçant le retour des hommes. En vain. Pour finir, elle les vit approcher et, retenant son souffle, s'efforça de distinguer leurs visages. Chase était-il parmi eux?

Cinq cavaliers étaient partis, quatre revenaient. Sans le chariot. Jane s'efforça de contenir sa panique.

S'appuyant contre le mur de la grange, elle ferma les yeux, respira profondément. Ils étaient presque à sa hauteur quand elle reconnut Chase. Il tenait dans ses bras quelque chose… non, quelqu'un…

Il avait retrouvé Consuela.

L'espace d'un instant, elle se sentit accablée. Il lui fallait admettre la vérité. Quelques jours plus tôt, furieuse et blessée, elle avait chuchoté ces horribles souhaits… je voudrais que tu meures, Consuela Dupré… Ils avaient été exaucés et elle en serait hantée toute sa vie.

Horrifiée de sa propre cruauté, Jane courut vers la maison. Ce n'était pas vrai! Elle était heureuse qu'il l'ait retrouvée! Si Consuela était blessée, Jane aiderait à la soigner, comme pour Chase.

Arrivée sur la véranda, elle fit volte-face et attendit.

Chase entra dans la cour à cheval. Jane lut dans ses yeux la souffrance qu'il éprouvait, et ses remords crûrent encore. Comme il mettait pied à terre, elle contempla Consuela. Ses vêtements étaient gris de fumée, comme son visage.

Chase passa à côté d'elle sans mot dire, portant le corps.

La main de Julio se posa sur l'épaule de Jane :

— *Amiga*, il va avoir besoin de notre aide.

— Est-ce qu'elle est… encore en vie ?

— Non.

— Je suis navrée, Julio.

— Venez.

Chase déposa Consuela sur le lit, lui lava le visage, remit ses vêtements en place de son mieux, comme s'il refusait d'admettre qu'il était trop tard pour que cela eût de l'importance.

Le souvenir de leur première rencontre lui revint en mémoire. De grands yeux noirs derrière de longs cils… Un visage à l'ovale parfait… Une peau mate et lisse, de hautes pommettes sculptées… une bouche divine qu'on mourait d'envie d'embrasser… une poitrine opulente, une taille de guêpe, de tout petits pieds…

L'avait-il aimée ? Oui, sans doute – autrefois. Son amour avait disparu, leur union s'était dégradée, mais elle ne méritait pas cela. Elle était morte loin de chez elle, loin de son père. Car si Consuela avait aimé quelqu'un d'autre qu'elle-même, c'était bien Manuel Valdez. Chase avait-il eu raison de l'arracher à *padre*, à la Casa de Oro ? Était-il le responsable de cette tragédie ?

La porte s'ouvrit : Jane et Julio entrèrent. Julio s'agenouilla à côté du lit, prit la main de sa sœur et contempla longuement son visage avant de chuchoter une prière. Puis il leva les yeux :

— *Amigo*, qu'est-ce que je peux…

— Laisse-moi seul avec elle, Julio. Je t'en prie.

— Comme tu voudras, répondit Julio en se levant.

Il prit Jane par la main.

— Venez, *niña*.

La porte se referma sur eux.

Chase la contempla à n'en plus finir. Des scènes du passé s'animèrent jusqu'à ce qu'il en revienne au moment où il avait aperçu Powell, le regard torturé, qui la portait. Il comprit aussitôt que tous deux étaient ensemble au moment de l'incendie, qu'ils étaient amants.

— Pourquoi, Consuela ? demanda-t-il à voix haute. Pourquoi ?

Il ferma les yeux comme pour chasser ce souvenir. Mais il la vit encore plus nettement, comme si elle était encore vivante, plus belle que jamais.

Mon époux, tu as toujours été si sot. C'était un jeu, rien de plus. Tu n'aurais pas pu rendre heureuse une femme telle que moi. Tant d'honneur ! Toujours l'honneur ! Pourquoi ne pas m'avoir laissée au Texas, où j'aurais pu être heureuse ? Pourquoi m'avoir amenée ici ?

— Mais pourquoi Powell ? chuchota-t-il en posant son front sur le rebord du lit.

Parce qu'il était ton ennemi, Chase. Rien de plus.

Bien sûr. Rien de plus.

La voix de Consuela résonna dans sa tête en un écho lointain, s'affaiblissant à chaque mot :

Il ne faut jamais faire confiance aux femmes, mon époux. Pour nous, l'amour n'est qu'un jeu. Regarde mon frère et Jane, ils sont amants... Amants, Chase... Jane et Julio. Ne va pas croire à l'amour d'une femme. Ce n'est qu'un jeu.

La voix s'éteignit, la pièce redevint silencieuse. Même dans la mort, Consuela triomphait encore.

Le jeu était terminé.

17

Ils l'enterrèrent le lendemain à l'aube, en présence de la famille et des cow-boys du ranch. L'oncle Frank prononça quelques mots de réconfort et de bénédiction tandis que Chase restait immobile devant la tombe, le visage fermé.

Jane le regardait sans arrêt. Elle redoutait le pire depuis qu'il s'était enfermé dans sa chambre avec le corps de son épouse. Il ne la pleurait pas comme on le fait d'ordinaire. Elle le lisait dans ses épaules voûtées, son regard vitreux, sa voix monocorde. Cette froideur dépourvue d'émotion avait quelque chose d'épouvantable.

Julio posa le bras sur les épaules de Jane : il devinait ses craintes, sans pouvoir faire grand-chose pour elle – comme d'ailleurs pour son ami. Il contempla le cercueil : *Niña*, pensa-t-il, *qu'as-tu fait à ces gens ?*

Ils l'avaient trop gâtée. Toute petite déjà, les hommes de la maison Valdez l'accablaient de compliments, satisfaisaient tous ses caprices. Qu'elle verse la moindre larme, et Pedro l'emmenait faire du cheval, Juan et Iago acceptaient de jouer à cache-cache, Fidel allait lui voler une pâtisserie à la cuisine. Julio, bien entendu, avait agi de même, lui faisant la lecture ou lui racontant des histoires.

Il avait peine à croire que l'enfant soit devenue la femme qui avait tant fait souffrir ceux qu'il aimait.

À qui la faute ? Son père, ses frères ? Ou elle ? Serait-elle devenue la même, éduquée autrement ?

Les yeux de Julio s'attardèrent sur Chase. Consuela avait tant pris à cet homme, sans rien donner en retour. Retrouverait-il son sourire, la flamme qu'on discernait autrefois dans son regard ?

Puis Julio songea à Jane. Si menue, si douce… Il aurait tant voulu qu'elle soit à lui. Mais c'était impossible et il le savait. Elle aimerait Chase jusqu'à la mort, payée de retour ou non.

Du coin de l'œil, Chase aperçut Julio, qui avait passé le bras autour des épaules de Jane, et un lointain écho s'en vint lui remplir l'esprit… *Jane et Julio… ils sont amants… Jane et Julio… amants… Jane et Julio… amants.* Il serra les poings, sans prendre garde à la douleur qui lui dévorait le poignet gauche : elle était presque la bienvenue.

Quand tout fut terminé, Chase fit demi-tour, quitta à grands pas le petit cimetière familial, se dirigea vers le corral, en sortit Dodge, un fils de Kansas, âgé de quatre ans, le sella et partit avant que quiconque puisse lui demander où il allait – au demeurant, lui-même n'en savait rien.

Il se dirigea vers le nord, évitant les pâturages calcinés des Quatre-Vents. Demain ou après-demain, il parcourrait leurs terres, se livrerait à une estimation des pertes, puis dresserait des plans d'avenir. Le bétail ayant échappé à l'incendie était désormais dispersé sur des kilomètres. Rassembler les bêtes représenterait un travail épuisant, mais c'était précisément ce dont il avait besoin. Cela lui permettrait de ne plus penser à Consuela – ni à Jane.

Dodge semblait galoper sans effort. Ce n'est qu'en apercevant les Grands Pins que Chase comprit qu'en fait c'était là qu'il voulait se rendre. La haine l'envahit, au point de lui brouiller la vue. Powell Daniels… Elle était avec lui…

Chase fit ralentir son cheval, entra dans la cour déserte et s'arrêta devant la maison sans mettre pied à terre. Il resta immobile, attendant, nourrissant son désir de vengeance.

Depuis combien de temps était-il là quand la porte s'ouvrit enfin ? Des minutes ? Des heures ? Le temps ne comptait plus pour lui.

Consuela avait raison, bien entendu : il s'était vraiment comporté comme un imbécile. Mais Powell aussi. Elle les avait manipulés tous les deux, les dressant l'un contre l'autre. Alors, pourquoi venir ici ? Parce que Powell l'avait cocufié pour porter atteinte aux Dupré.

Josh s'avança sur la véranda.

— Bonjour, Chase, dit-il d'un ton las.

— Powell a survécu ?

— Oui. Je te remercie de me l'avoir renvoyé dans ton chariot.

— Dis-lui que Consuela est morte.

— Je suis navré, je l'ignorais… C'est l'incendie ?

— Le médecin dit que la fumée l'a asphyxiée. Powell et elle étaient ensemble.

Il y eut un silence interminable et pesant que Chase finit par rompre.

— Dis à Powell que j'attendrai qu'il soit remis, et qu'alors je viendrai régler mes comptes avec lui.

— Chase…

— Dis-lui que j'attendrai.

Il fit faire demi-tour à son cheval et s'éloigna.

Le soir, les errances de Chase le menèrent à Virginia City. Il s'arrêta devant un saloon et sauta à terre. Un verre lui ferait du bien. Et même plusieurs.

L'aube survint, rosissant les nuages qui parsemaient le ciel bleu. Assise sur la barrière du corral, Jane vit avec mélancolie le jour se lever.

Deux jours s'étaient écoulés depuis les funérailles, et personne n'avait revu Chase. Où était-il allé ? Et si, de nouveau, il ne revenait qu'au bout de cinq ans ?

Jane siffla pour appeler Wichita, qui arriva à pas lents avant de poser son museau humide contre ses paumes.

Elle lui gratouilla les oreilles et soupira. Posant la tête contre le cou de la jument, elle murmura :

— Où crois-tu qu'il soit ?

La jument agita la tête et hennit doucement.

— Si tu me posais la question, je te dirais qu'il s'est enfermé quelque part pour oublier !

Jane sursauta.

— Tante Enid ! s'exclama-t-elle en découvrant la présence de sa tante.

— Désolée : je ne voulais pas te surprendre. Reviens donc ! lança Enid à l'adresse de Wichita, qui s'était éloignée.

La jument baissa les oreilles et parut la regarder avec méfiance.

— Jane, je crois que je t'ai déjà trop dit ce que je pensais ; je devrais sans doute garder mes opinions pour moi. Il veut t'aimer, je pense qu'il t'aime déjà, mais il se passera du temps avant qu'il se décide de nouveau à aimer une femme, quelle qu'elle soit – toi comprise. Attends, et je suis prête à parier qu'il te reviendra.

Jane sentit son cœur battre. Comme elle aurait voulu croire qu'il l'aimait ! Elle était amoureuse de lui depuis cette soirée dans la grange, quand il lui avait donné Wichita qui venait de naître. Bien sûr, c'était un amour de gamine, mais qui n'avait cessé de croître. Elle l'aimait en femme, désormais, et voulait qu'il l'aimât en homme. Si seulement il n'était pas parti, si seulement il n'avait pas épousé Consuela…

De nouveau le remords vint l'envahir. Jane détourna les yeux et dit d'une toute petite voix :

— Tante Enid...

— Quoi donc ?

— Je... j'ai souhaité sa mort. Il y a quelques jours, j'étais dans la prairie, et j'ai demandé à Dieu qu'elle meure.

La main ridée d'Enid se posa sur celle de Jane.

— Et tu te crois assez intime avec le Tout-Puissant pour croire qu'il l'a frappée rien que pour te faire plaisir ? Consuela est morte de n'avoir pu échapper à l'incendie. Tes souhaits n'avaient rien à voir. Peut-être devrais-tu te mettre à genoux et implorer le Seigneur de te pardonner tes mauvaises pensées. Mais ne va pas te charger d'un remords qui n'est pas le tien.

Elle repartit vers la maison.

— Tu pourrais aller jusqu'à Virginia City. Il y a des chances qu'il y soit.

Jane sauta de la barrière, courut pour la rattraper, se jeta dans ses bras.

— Merci, tante Enid, merci pour tout !

Sa tante lui caressa le visage.

— Je vous aime tous les deux comme si vous étiez mes enfants, et je voudrais que vous soyez heureux.

Coiffée d'un chapeau à large bord qui lui couvrait les yeux, vêtue de sa jupe de cuir et bottée, Jane, montée sur Wichita, descendit lentement Wallace Street tout en cherchant des yeux le cheval de Chase. Rien. Elle passa dans Jackson Street et arrêta la jument devant le saloon de Con Orem :

— Silva ! lança-t-elle au vieux mineur appuyé contre le mur, je cherche Chase ! Tu l'as vu ?

Il se gratta la barbe et fronça les sourcils.

— Disons que je l'ai aperçu une fois ou deux...

— Tu sais où je peux le trouver ?

— Eh bien…

— Silva, c'est important, il faut vraiment que je le retrouve.

Le vieillard la regarda en plissant les yeux. Jane lisait sans peine dans ses pensées : il se souvenait du jour où il l'avait vue sortir du saloon, hurlant et jurant, jetée sur l'épaule de Chase. Il sourit.

— La dernière fois que je l'ai vu, il était avec deux des filles de Mme O'Grady.

— Merci, répondit Jane d'un ton morose.

Elle fit demi-tour et se dirigea vers les faubourgs de la ville.

Jane n'avait vu Mary O'Grady qu'une fois, mais ne risquait pas de l'oublier. C'était ce que tante Enid appelait une femme « robuste » : poitrine opulente, taille mince, hanches généreuses. Elle dressait en chignon son épaisse chevelure rousse, se fardait les joues, ornait ses paupières d'un fard vert sombre et ses lèvres d'un rouge cerise.

Jane se souvint des réactions horrifiées des femmes de la ville en voyant Mme O'Grady descendre la rue, alors qu'elle-même et tante Enid sortaient du restaurant de Mme Culverson. Enid avait aimablement salué la nouvelle venue, échangeant même quelques mots.

— Peu m'importe comment elle gagne sa vie, avait-elle expliqué plus tard. Après tout, chacun ici a quelque chose à se reprocher, les belles dames de Virginia City comprises. C'est du faux orgueil, non de la charité chrétienne. Un peu d'affabilité ne peut engendrer que le bien.

Jane arrêta Wichita devant la « pension » de Mme O'Grady. Deux chevaux étaient déjà attachés à la balustrade, mais pas celui de Chase. On était en début de matinée, tout paraissait tranquille.

Jane respira profondément, sauta à terre, attacha sa monture puis se dirigea vers la porte et, ne sachant trop que faire, frappa à plusieurs reprises.

Mary O'Grady vint lui ouvrir, vêtue d'un vaste peignoir de la même couleur que son fard à paupières.

— Madame O'Grady? Je suis Jane McBride et je… je cherche Chase Dupré… On m'a dit que… qu'il était peut-être… ici.

Mary s'appuya contre la porte et eut un petit sourire.

— C'est vous Jane! J'ai entendu parler de vous.

Elle jeta un coup d'œil rapide des deux côtés de la rue.

— À cette heure-ci, vous êtes à l'abri des regards indiscrets. Entrez donc!

— Il est là?

— En effet, en effet, et pas en très grande forme! Il est temps que vous vous en chargiez à ma place.

La suivant, Jane entra dans un salon comme elle n'en avait jamais vu. Les murs et les sofas étaient tendus de satin rouge, les lampes et les abat-jour étaient de la même couleur, comme les tentures et les tapis – et comme, près de la fenêtre, un vase rempli de roses posé sur une table.

— Alors vous êtes venue pour Chase! dit Mary O'Grady en fermant la porte. Il n'est pas en très grande forme, répéta-t-elle en souriant.

— Madame O'Grady, dit Jane d'un ton un peu raide, je vous remercie d'avoir pris soin de lui, et…

— Allons, allons, ma fille, pas de chichis entre nous. Il a tout simplement trop bu ces derniers temps. Deux de mes filles l'ont amené ici avant qu'il n'ait des histoires. Vous le trouverez dans la première chambre à l'étage.

Jane se sentit virer à l'écarlate.

— Au cas où vous vous inquiéteriez, sachez qu'il n'y a pas de quoi. Il est seul là-haut, reprit Mme O'Grady avec douceur.

Elle désigna du doigt l'escalier menant au premier étage.

— Allez le retrouver, et bon courage! C'est un excellent garçon que je suis fière d'appeler mon ami.

Jane eut un grand sourire : la tenancière des lieux lui paraissait d'un coup extrêmement sympathique.

Mary O'Grady regarda ce petit bout de femme monter les marches et secoua la tête, sans cesser de sourire. En voilà une qui avait bien de la chance! Que n'aurait-elle pas donné pour avoir un homme comme Chase! Et celui-ci aimait la nouvelle venue, pas de doute là-dessus, même s'il était encore trop blessé pour s'en rendre compte. Depuis son arrivée ici, entre Ruth et Laura, il n'avait fait que parler de Jane McBride – sans faire honneur aux filles de la maison, et pas seulement parce qu'il était ivre. Mary O'Grady était donc heureuse de voir, de ses propres yeux, celle qui avait réussi à le charmer.

Elle se souvint de la première visite de Chase à l'établissement : un gamin, qui à l'époque se rasait à peine. S'il avait été un peu plus âgé, si elle-même avait été un peu plus jeune, il aurait pu y avoir quelque chose entre eux. Il avait un côté intrigant, qui provoqua la naissance d'une amitié inattendue. Maintenant qu'il était devenu un homme – et quel homme! – elle regrettait un peu qu'ils en soient restés là.

Puis elle se dit, amusée, que Jane McBride saurait s'occuper de lui. À son retour du Texas, quand il était passé chez elle, Mary O'Grady avait constaté à quel point il était malheureux. Maintenant que sa femme était décédée – que Dieu ait pitié de son âme, il ne faut pas dire de mal des morts –, il allait redevenir comme autrefois. En un clin d'œil, lui et la gamine auraient des fils et hériteraient des Quatre-Vents.

Mais l'heure n'était pas aux rêvasseries. Mary s'étira en bâillant et se dirigea vers l'arrière de la demeure. Il était temps de s'habiller, puis de réveiller les filles. Chez Mary O'Grady, la journée commençait tard, mais se prolongeait très avant dans la nuit.

18

Jane poussa la porte, qui fit entendre un crissement. Les rideaux étaient fermés, plongeant la pièce dans l'obscurité, mais elle discerna Chase, allongé sur le lit. Fort heureusement, Mary O'Grady avait dit la vérité : il était seul.

— Chase ! chuchota-t-elle en entrant avec précaution.

Pas de réponse.

— Chase ! répéta-t-elle avant de s'approcher.

Il eut un grognement et roula sur un côté.

Elle se pencha. Une barbe de deux jours, une haleine empestant le whisky… Le drap était enroulé autour de son torse nu. Il semblait extrêmement vulnérable. Jane se sentit prise entre sa fureur à le voir se comporter ainsi, et la pitié à l'idée qu'il devait souffrir.

— Mary, c'est toi ? demanda-t-il d'une voix pâteuse, sans ouvrir les yeux. Où étais-tu ?

La fureur l'emporta sur la pitié.

— Non, ce n'est pas Mary O'Grady ! s'écria-t-elle en allant ouvrir les rideaux. Tu devrais avoir honte de toi, Chase Dupré !

Elle s'était fait tant de souci pour lui depuis deux jours, et il était là, ivre mort, à réclamer Mary !

Il se redressa d'un bond sur le lit, posa une main sur sa tête, où des milliers de marteaux semblaient cogner en cadence sur des milliers d'enclumes :

— Jane ? dit-il, incrédule. Qu'est-ce que tu fais là ?

— Je pourrais te poser la même question !

Il secoua la tête et ouvrit des yeux rougis.

— Ce n'est pas un endroit pour toi. Rentre !

— Pas sans toi, Chase Dupré. Tu devrais avoir honte !

Chase s'efforça de la regarder d'un air mauvais :

— Ce ne sont pas tes affaires !

— Ah bon ? Les Quatre-Vents, en tout cas, c'est mon affaire. C'est ma maison, il y a du travail qui attend ! Et ça n'est pas toi qui vas t'en charger si tu restes dans ce… dans ce…

Elle chercha en vain un mot convenable parmi des dizaines d'autres qui ne l'étaient pas.

Il eut un petit rire, puis de nouveau porta la main à sa tête.

— Tu t'es bien débrouillée sans moi pendant que j'étais au Texas…

— Tu es révoltant ! C'est le pire prétexte que j'aie jamais entendu ! Maintenant, rhabille-toi et reviens aux Quatre-Vents avec moi.

Chase fut pris d'une fureur presque égale à celle de Jane :

— Si tu crois que je vais laisser une petite morveuse me dire ce que je dois faire, tu te trompes, Jane McBride !

Il se leva, toujours enveloppé dans le drap.

— Quand j'aurai besoin de tes conseils, je te le dirai !

Elle se dirigea vers la porte :

— Je peux me débrouiller aussi bien que toi, et sans doute mieux ! Reste donc ici, tu pourras boire tout ton soûl et même… enfin, faire tout ce que tu veux !

Elle sortit en claquant la porte, descendit l'escalier en courant, et ne s'arrêta qu'en apercevant Mary O'Grady, qui cligna de l'œil.

— Ça devrait marcher, ma fille ! dit-elle en hochant la tête.

Jane, trop furieuse pour comprendre que c'était un compliment, sortit sans mot dire et se précipita vers Wichita.

Empêtré dans le drap, Chase s'y prit les pieds et tomba alors qu'il s'apprêtait à saisir Jane par le bras. Allongé de tout son long, il prit sa tête entre ses mains et geignit. Qu'avait-il donc pu faire pour se retrouver ici ?

La porte s'ouvrit et Mary passa la tête.

— Tu as survécu, cow-boy ?

— Va-t'en ! grommela-t-il.

— Quel accueil ! répondit-elle en riant. Tu ferais mieux de rentrer dans ton ranch, garçon, et de prendre cette fille en main.

Elle eut un geste en direction d'une chaise.

— Tes habits sont là ! Passe un de ces jours, je serai ravie d'apprendre comment les choses évoluent.

Elle fit un clin d'œil salace et referma la porte.

Chase se leva et tenta de mettre un peu d'ordre dans ses idées tout en enfilant ses vêtements. Les deux derniers jours se perdaient dans une brume dont il ne pouvait extraire que des fragments – jusqu'au moment où il avait été réveillé par une lumière aveuglante, et la voix furieuse de Jane lui cornant aux oreilles. Comment avait-elle bien pu le retrouver ? Et de quel droit débarquait-elle pour lui dire ce qu'il avait à faire ? Il était assez grand – et de surcroît libre, désormais. S'il voulait passer une nuit avec Mary ou une de ses filles, il n'avait pas d'explications à donner. Julio ne lui suffisait donc plus ? Elle voulait jouer à de petits jeux avec lui, comme Consuela ? Elle serait déçue ! Et pas question qu'elle lui donne des ordres !

Il enfila son pantalon, chaussa ses bottes et mit sa chemise tout en se dirigeant vers la porte. Il se passa la main dans les cheveux et regarda autour de lui, au cas où il oublierait quelque chose. Ce qui d'ailleurs était sans grande importance, car Mary veillerait à le lui rendre. Elle avait beau diriger un établissement de médiocre réputation, c'était une femme honnête. Haussant les épaules, il sortit.

Comme il arrivait en bas des marches, il entendit la voix de Mary :

— Ton cheval est dans l'écurie derrière la maison !

— Merci !

Toujours furieux, en dépit de son mal de crâne, il entra dans la grange et sella son cheval.

— Dodge, mon vieux, dit-il doucement, je crois que je vais renoncer au whisky un moment. C'est bon d'oublier, mais ça provoque trop de migraines.

Le retour aux Quatre-Vents lui parut durer des heures.

— Vous ne l'avez pas retrouvé, *amiga* ?

— Si, répondit Jane en mettant pied à terre.

Elle emmena la jument dans la grange ; Julio la suivit.

— Je ne sais pas s'il va rentrer, dit-elle. Et d'ailleurs je m'en moque !

C'était donc ça ! pensa Julio. Ils se sont querellés – ce qui semblait avoir fait du bien à Jane.

— Je pourrais peut-être aller le voir et parler avec lui, suggéra-t-il.

— Julio, je vous interdis d'aller dans un endroit pareil ! Je me fiche de ce qui peut arriver à Chase ! Et j'ai du travail !

« Un endroit pareil » ? Cela devenait de plus en plus intéressant.

— Mais quel endroit ? demanda-t-il – tout en le sachant parfaitement.

Jane pinça les lèvres, lui tourna le dos, et se mit à brosser si fort le dos de Wichita que la jument se mit à hennir.

— Je crois que je vois, *amiga*.

Il sortit avec un sourire jusqu'aux oreilles. Elle avait dû le trouver chez Mary O'Grady ! Julio pensait bien que Chase y était allé, mais n'avait rien dit à Jane : un homme bien élevé ne parle pas de cela à une dame. Elle avait mal pris la chose !

Julio eut un petit rire : le spectacle avait dû en valoir la peine. Toutefois, ces deux-là étaient faits l'un pour l'autre, et tout s'arrangerait une fois que le temps aurait guéri les vieilles blessures.

Le temps qu'il parvienne aux Quatre-Vents, Chase était convaincu de s'être comporté comme un imbécile.

Pourquoi devrait-il s'offusquer que Jane et Julio soient amants ? N'avait-il pas dit plus d'une fois à son ami de prendre soin de la jeune femme ? Et quel droit avait-il sur elle ? Aucun. Il avait repoussé son amour. Pourquoi l'aurait-il accepté, d'ailleurs, quand il n'avait rien à lui donner en échange ? Même maintenant, après la mort de Consuela, alors qu'il était enfin libre. Il n'y avait plus d'amour en lui.

Il se dirigeait lentement vers la grange quand Julio sortit du dortoir et lui fit signe de la main.

— Tu as l'air fatigué, *amigo*.

Chase acquiesça de la tête.

— Jane est rentrée ?

— Oui, et furieuse ! Elle est toujours dans la grange. Elle t'a trouvé chez Mary ? Notre Jane est très jalouse ! dit Julio en souriant.

— Oui. Je ferais mieux de lui parler.

Il s'éloigna, ne mettant pied à terre que devant la grange, où il entra, clignant des yeux dans l'obscurité.

— Jane ?

Wichita était dans l'une des stalles, à manger du foin, mais pas de Jane en vue.

— Jane ? répéta-t-il, un peu plus fort.

Un petit bruissement trahit sa présence, mais elle ne répondit pas. Il installa donc sa monture dans un box et la dessella. Puis il se dirigea vers l'échelle menant au grenier à foin.

Elle était assise dans un coin, les genoux sous le menton. S'approchant, il constata qu'elle lui jetait un regard furieux.

— Ça t'ennuie que je sois là ? demanda-t-il avant de s'accroupir près d'elle.

Elle haussa les épaules et baissa les yeux.

— Jane, je suis navré de ce que j'ai dit. Tu avais raison. Il y a trop de travail ici pour que j'aille me soûler. Je suis sûr que tu pourrais diriger ce ranch aussi bien que moi, voire mieux. Tu me pardonnes ?

Elle eut un petit sourire timide.

— Je ne saurai jamais t'en vouloir très longtemps, Chase.

L'espace d'un instant, il savoura son pardon.

— Chase ?

— Oui ?

— Moi aussi, je regrette. Je crois que… que si j'avais pensé combien tu as souffert ces derniers temps, je me serais mise à boire aussi. Je suis heureuse que tu sois de retour.

Il se souvint brusquement du matin où il était arrivé, de retour du Texas. Elle avait couru vers lui, en chemise de nuit, pour se jeter dans ses bras et l'embrasser. La regardant, il eut envie d'un nouveau baiser. Il se leva.

— Merci, gamine ! dit-il d'une voix rauque. J'en suis heureux aussi. Je crois que je ferais mieux d'apprendre à la tante et à l'oncle que je suis rentré.

Tout cela était absurde. Il n'avait rien à offrir à Jane, il ne pouvait l'aimer. Il ne pouvait plus aimer personne. Et pourtant, il la désirait plus qu'il n'avait désiré une femme de toute sa vie.

Ils tinrent conseil dans la chambre de Frank, désormais installé dans un fauteuil roulant. Enid était assise près de la fenêtre, et ne quittait pas des yeux son mari, qui savourait sa relative liberté de mouvement. Jane était blottie sur le lit, Chase, Julio et Rodney, restés debout, s'appuyaient contre le mur.

— Nous avons perdu dans les deux cents bêtes lors de l'incendie, dit Rodney. Je ne sais pas combien d'autres sont dispersées dans les collines. Il faudra une ou deux semaines pour les retrouver toutes. Nous sommes un peu à court, mais tout le monde dans la vallée aussi : le ranch n'a pas été le seul à souffrir.

— Je ne vois qu'une chose à faire, garçons, intervint Frank. Mieux vaut aller vendre le bétail à Cheyenne avec un peu d'avance. Il n'y a plus d'herbe, et pas beaucoup d'eau ! Nous vendrons aussi quelques-uns des veaux. Ça permettra de faire passer l'hiver aux autres.

Il regarda son neveu.

— Veille à trouver des gars pour prendre la route, demande aux autres ranchs s'ils veulent se joindre à nous. Il faudrait partir dans deux semaines.

— Ici, nous n'aurons besoin que de quelques ouvriers, dit Enid. Les autres pourront prendre la route.

— Nous pourrions laisser Zeke s'occuper de tout, lança Jane. Il sait y faire.

— Tu ne penses quand même pas nous accompagner ? s'exclama Chase.

— Bien sûr que si ! Je l'ai déjà fait, et je ne vois pas pourquoi ça changerait.

— Jane, cette année c'est différent. Nous aurons du mal à nourrir et à faire boire le bétail. La marche ne sera pas facile.

Elle se sentit furieuse. Elle pouvait diriger le ranch aussi bien que lui, il le lui avait dit : et voilà qu'il essayait déjà de la tenir à l'écart ! Plutôt que de se quereller – tout le monde était là –, elle se tourna vers Frank.

— Je viens ! Tu sais que j'en suis capable, et on a besoin de moi !

— Elle a raison, Chase. Elle sait y faire, et sera plus utile qu'ici.

Jane jeta un regard triomphant à Chase, dont les yeux clairs s'assombrirent. Elle ne put retenir un petit sourire qui ne fit que l'exaspérer davantage.

— Merci, oncle Frank, dit-elle en se levant pour l'embrasser. Je savais que tu serais de mon avis.

Frank gloussa et lui tapa sur l'épaule.

— Le problème étant réglé, dit Chase brusquement, pouvons-nous passer à des choses plus importantes ?

Jane alla se rasseoir tandis que les hommes discutaient des problèmes pratiques. Regardant Chase, elle ressentit au creux de l'estomac la même angoisse que dans la grange, un peu plus tôt. Pas question de laisser l'expédition vers Cheyenne les séparer de nouveau. Plus maintenant. Elle l'accompagnerait, qu'il le veuille ou non.

— Demain, j'irai voir les voisins, puis j'irai en ville, dit Chase, la main posée sur la poignée de la porte. J'ai par ailleurs une chose à régler avant notre départ.

Enid se leva et vint poser la main sur son bras.

— Chase, si c'est ce à quoi je pense, n'en fais rien. Cela n'en vaut pas la peine.

— Il y a des choses qu'un homme se doit de faire, tante Enid.

Il l'embrassa sur le front, puis sortit, suivi de Julio et de Rodney.

Jane vint rejoindre la tante.

— Que veut-il faire ?

— Je crois qu'il veut régler ses comptes avec Powell Daniels.

Chase passa la nuit sans dormir. Il comptait affronter Powell dès le lendemain. Il le fallait, il fallait en finir. Cela avait commencé dès l'enfance. Powell haïssait les Dupré depuis toujours, il voulait s'emparer de ce qui leur appartenait. Il était temps d'y mettre un terme définitif. Mais le tuer suffirait-il à apaiser l'amertume qui dévorait Chase? Il l'ignorait. Il lui suffisait de savoir qu'il devait prendre sa revanche sur quelqu'un qui avait détruit sa vie. Powell était un candidat tout trouvé.

Il se retourna dans le lit, arrangea son oreiller, y posa la tête, mais le sommeil le fuyait toujours. Se levant, il alla jusqu'à la fenêtre. Il y avait de la lumière dans la chambre d'à côté. Jane devait veiller.

Il eut un sursaut de colère en se souvenant comment elle l'avait manœuvré avec la complicité de Frank. Après ce qui s'était passé dans la grange, il ne voulait pas qu'elle vienne avec eux. Il ne pouvait être sûr de ce qu'il ferait, pendant les longues semaines du trajet. En cet instant précis, penser à elle suffisait pour qu'il ait envie de frapper à la porte de sa chambre, et...

Quel gâchis! Bon Dieu, quel gâchis!

Josh Daniels était assis sur la véranda, à attendre: il avait su, dès son réveil, que Chase passerait ce matin.

Il l'aperçut de loin. Se levant, il s'avança, clignant des yeux sous le soleil. Chase entra dans la cour. Josh se sentit tout d'un coup très vieux.

— Daniels!

— Bonjour, Chase.

— Je suis venu voir Powell.

— Il n'est plus ici.

— Et où est-il?

— Enterré à côté de sa mère, hier, répondit le vieillard en allant se rasseoir, épuisé d'âme et de corps.

Chase resta longtemps à le regarder, la main posée sur la cuisse, tout près de son arme. Puis il fit faire demi-tour à sa monture.

— Chase ! dit Josh. La haine entre nos familles a pris fin.

— Elle a pris fin, Daniels, répondit Chase sans se retourner.

Il s'éloigna et disparut.

Peut-être que si Enid m'avait épousé, nous aurions eu un fils comme lui, pensa Josh.

Il ferma les yeux et, pour la première fois depuis plusieurs jours, réussit à dormir.

19

Après deux semaines de chevauchées d'un bout de la vallée à l'autre, de jours et de nuits passés à scruter les flancs des montagnes ou le fond des vallons, ce qui restait du troupeau des Quatre-Vents fut rassemblé, avant qu'on y prélève les bêtes qui partiraient pour Cheyenne. Les hommes voulaient tous se mettre en route; Corky McGinnis lui-même était prêt.

Il serait le cuisinier de l'expédition, et avait donc rempli son chariot de tout ce qui lui serait indispensable : café, farine, haricots, sucre, sel, pommes séchées, oignons, pommes de terre, porc salé; il y avait même du grain pour ses chevaux. Couvertures, armes et munitions venaient s'y ajouter, avec des lampes, du pétrole et des outils. À l'arrière, des tiroirs étaient remplis de toutes sortes d'ingrédients – sans compter des couverts, des bandages, des fils et des aiguilles, du tabac à fumer et à chiquer. Il s'y ajoutait également une cafetière, des marmites, et bien entendu quelques gouttes de whisky.

Dès l'aube, Jane sauta en selle après avoir dit au revoir à Enid et Frank.

— Nous irons aussi lentement que possible, pour que les bêtes ne perdent pas trop de poids, dit Chase en serrant la main de son oncle. Grogan nous les achètera au meilleur prix!

Il se tourna vers sa tante :

— Si le temps se maintient, nous serons de retour avant novembre, mais même s'il se met à neiger, ce sera avant Thanksgiving.

— Prends bien soin de toi, dit Enid en lui caressant la joue, comme de la fille qui t'accompagne !

Il acquiesça d'un signe de tête et descendit les marches de la véranda.

— Ça vaut aussi pour toi ! lança Enid à Jane. Veille bien sur mon garçon !

— C'est promis, tante Enid, mais il ne va pas aimer ça !

Jane sourit, sachant que la remarque allait agacer Chase.

— Allons-y ! grogna-t-il.

Il lui avait à peine adressé la parole ces deux dernières semaines, mais elle ne semblait pas découragée pour autant ! Elle paraissait même plus gaie que jamais. Dieu sait pourquoi, elle devait croire que son refus de l'emmener était un signe encourageant. Jane l'avait, plus d'une fois, surpris à la suivre du regard pendant qu'ils rassemblaient le bétail égaré – un regard intense qui la faisait frissonner. Et voilà qu'elle serait avec lui chaque jour, deux mois durant.

Elle le suivit en direction du troupeau. Les cowboys les attendaient et, dès qu'ils les aperçurent, mirent les bêtes en mouvement, à grand renfort de « Ho ho ho ! ».

— Dis à Rodney de venir à l'avant, lança Chase à Jane. Tu restes à l'arrière.

Puis il éperonna sa monture et s'éloigna au galop.

Jane le regarda disparaître, furieuse. Elle comprenait parfaitement où il voulait en venir : si elle restait à l'arrière dès le premier jour, peut-être se lasserait-elle et, faisant demi-tour, rentrerait au ranch. Pas question ! Elle avalerait de la poussière, harcèlerait les traînards du troupeau pendant tout le voyage s'il le fallait ! Mais elle était là et resterait avec eux !

Faisant tourner Wichita, elle se dirigea vers deux traînards. Comme elle approchait, un bœuf sortit du troupeau : elle se lança aussitôt à sa poursuite.

La jument bloqua le passage de l'animal. Jane lança son lasso mais, avec une agilité surprenante, l'animal fit volte-face pour rentrer dans le troupeau. Elle le suivit lentement puis, apercevant Rodney, se dirigea vers lui.

— Chase veut que tu ailles à l'avant, dit-elle. Je vais prendre ta place.

Rodney comprit sans peine.

— Il veut te rendre la vie difficile, hé ?

— Il y a de ça.

— Je pourrais peut-être lui expliquer à quel point tu as fait du bon boulot ces dernières années.

— Ce n'est pas la peine, Rod. Il n'est pas d'humeur à écouter qui que ce soit. Vas-y avant qu'il croie que je t'empêche de travailler.

Rodney éclata de rire.

— On se revoit à midi !

Jane le suivit des yeux, puis se couvrit la bouche d'un mouchoir et fit volte-face.

— Ho ho ho ! s'écria-t-elle à l'adresse de quelques traînards, en agitant son lasso.

Quand ils se retrouvèrent, ils étaient encore à l'extrémité nord des Quatre-Vents. Corky leur avait préparé un mélange de haricots, de porc salé et d'oignons. Pike et un nouveau venu, Sam Rivers, se chargèrent de surveiller le bétail tandis que les autres mangeaient.

Chase s'était assis à l'ombre du wagon pour déjeuner. Il contempla longuement les deux mille cinq cents bêtes du troupeau, tout en restant aux aguets. À raison d'une quinzaine de kilomètres par jour, ils seraient à Cheyenne dans moins de deux mois – à condition bien entendu qu'ils n'aient pas d'ennuis avec les bêtes, le temps ou les Indiens.

Il fut arraché à son inspection par le rire de Jane. Elle était assise par terre, entourée de Julio et de Teddy, ainsi que de plusieurs des cow-boys. Son chapeau lui pendait sur la nuque, révélant sur son front une large marque de poussière. Et ce serait encore pire ce soir.

Chase se sentit coupable. Il aurait quand même pu lui rendre les choses un peu plus faciles ; rien de pire que d'avoir à suivre le troupeau. Quand même, si elle avait compris que mieux valait rester au ranch...

Elle rit de nouveau : ses yeux aigue-marine étaient pleins d'étincelles. Elle taquinait Pecos Pete, un jeune gars, qui devint tout rouge, ce qui provoqua de nouveaux rires chez ses compagnons. Chase se sentit exclu. S'il avait voulu être franc avec lui-même, il aurait dû reconnaître qu'il la voulait toute à lui ; c'est bien ce qui le perturbait. Il se leva et dit d'un ton bourru :

— Allez, les gars, on repart ! Une longue journée nous attend.

Ils se dirigèrent vers le nord quatre jours durant, en suivant la rivière Madison, près de laquelle Chase, parti en avant, avait découvert un endroit où abriter le bétail. Corky arrêta son chariot, fit du feu et prépara le souper. Quand vint la nuit, les hommes de garde se mirent à tourner autour du troupeau, en se rapprochant toujours plus près, de façon à contraindre les bêtes à se rassembler. Cela fait, ils repartirent en sens inverse, poursuivant leur patrouille.

Jane dessella Wichita, puis se dirigea à pas lents vers le feu de camp. Elle s'arrêta net en voyant Chase arriver à cheval. Depuis quatre jours, il n'avait cessé de garder ses distances, au point de feindre de ne pas la voir. Jane commençait à se demander si elle avait eu raison de venir ; peut-être aurait-elle dû rester aux Quatre-Vents… Et si tante Enid avait eu tort ? Et si Chase ne voulait pas l'aimer ?

— *Amiga* ? Vous êtes préoccupée ?

Elle fit demi-tour :

— Non, Julio. Je réfléchissais…

— Il viendra un jour, *señorita*.

Jane garda le silence, puis finit par demander :

— Est-ce que… cela vous choque ? Je l'aimais déjà quand il était marié à Consuela, et…

— Non. Je suis simplement inquiet de vous voir si triste, répondit Julio avant de s'éloigner.

Jane n'avait pas faim ; lasse, crasseuse, malheureuse, elle préféra ne pas rejoindre les autres, et se dirigea vers la rivière.

Demain ils quitteraient la Madison pour franchir à l'est un col montagneux qui les mènerait vers Fort Ellis et Livingston.

Elle s'assit sur un rocher en bordure de la rive et ôta ses bottes. La pleine lune jetait sur les eaux des reflets argentés. Pieds nus, elle se pencha et s'aspergea le visage avant d'ôter son foulard pour se sécher.

Elle soupira, s'assit sur ses talons – et fut brusquement saisie d'angoisse : quelque chose, ou quelqu'un, l'observait. Elle regarda autour d'elle. Rien. Mais Jane était certaine de n'être pas seule. Elle remit ses bottes puis repartit vers le camp, non sans regarder plusieurs fois par-dessus son épaule.

Une silhouette se dressa devant elle : Jane laissa échapper un cri qu'une main robuste étouffa aussitôt.

— Jane, qu'est-ce que tu fabriques ici, toute seule ?

Elle posa la tête sur la poitrine de Chase.

— J'ai cru avoir vu quelque chose.

— Et quoi donc ? dit-il en posant la main sur sa nuque.

— Je… je ne sais pas.

— Je vais te ramener au camp, et ensuite je viendrai jeter un coup d'œil.

Elle hocha la tête en silence, sentant toujours les bras de Chase autour d'elle. Elle aurait aimé que cela dure encore un petit moment, mais il s'éloignait déjà.

— Viens, dit-il en se mettant en marche.

Elle le suivit sans mot dire.

20

Les jours succédèrent aux jours sans grands changements : toujours la poussière, la chaleur, les mouches… Des heures en selle, suivies de brefs moments de sommeil à même le sol. La nourriture restait la même – lard, haricots, biscuits pour le petit déjeuner, le soir ragoût préparé avec Dieu sait quoi. Le tout servi avec du café noir, et de féroces plaisanteries du cuisinier.

Cette nuit-là, ils avaient installé le troupeau sur un terrain élevé. Jane se glissa entre ses deux couvertures, en dessous du chariot, et sombra aussitôt dans un profond sommeil. Pourtant, elle avait l'impression d'avoir à peine fermé les yeux quand une voix dit :

— Jane, à ton tour de monter la garde.

— D'accord, Pike, marmonna-t-elle avant d'enfiler ses bottes et de se lever en toute hâte, luttant contre l'envie de se rendormir.

Elle et Teddy Hubbs devaient se partager la garde. Un regard à la Grande Ourse lui apprit qu'il était environ deux heures du matin. Se dirigeant vers son cheval, elle sauta en selle. Teddy la rejoignit après avoir avalé une tasse de mauvais café.

— Julio m'a dit que tout était tranquille, chuchota-t-il.

Ils devaient tourner autour du troupeau, chacun en sens inverse. Jane partit de son côté, tout en fredonnant des airs qu'elle inventait au fur et à mesure – les vaches sont peu sensibles aux paroles.

La lune brillait à peine, mais Flap Jack, le cheval qu'elle montait cette nuit-là, avançait sans embûches dans l'obscurité. C'était une grosse bête à la tête hideuse, avec une large traînée blanche allant des yeux au museau ; il était aussi calme qu'on peut l'être, et ne bronchait jamais. Il pouvait même galoper en pleine nuit sans faire un seul faux pas.

Jane songeait à Chase. Quelque chose s'était passé lors de cette nuit au bord de la rivière. Invisible, intangible, et pourtant réel. Un lien s'était formé entre eux, encore fragile, mais...

Elle n'avait pourtant aucune raison de se réjouir. Il lui parlait toujours aussi peu, ne cherchait pas à la voir. Tout au plus Jane avait-elle cèssé d'être toujours à l'arrière. Mais elle prenait son tour de garde comme les autres : elle ne réclamait aucune faveur, que d'ailleurs Chase ne lui aurait pas accordée. Ce qui ne les empêchait pas d'être un peu plus proches qu'auparavant.

Flap Jack leva sa grosse tête en baissant les oreilles vers l'avant. Jane fut aussitôt sur ses gardes. Quelque chose était là. Comme l'autre nuit.

Chase ne pouvait dormir : il était las, mais ses pensées ne cessaient de s'agiter. Jane était de garde et il aurait voulu être en sa compagnie. Rejetant sa couverture, il se leva, jeta un coup d'œil au troupeau, amas d'ombres étendues sur le sol, puis se dirigea vers la cafetière, restée au-dessus du feu de la veille. Le breuvage serait froid et amer, mais il se versa une tasse quand même.

— Tu ne peux pas dormir, *amigo* ?

Julio était appuyé contre le chariot, fumant paisiblement un cigare.

— Non. Et toi ?

— Je viens de finir ma garde.

— Tu devrais te reposer un peu !

— La nuit est étrange, *amigo*.

— Je devrais peut-être jeter un coup d'œil, répondit Chase en tournant la tête vers les bêtes – mais en fait il songeait à Jane.

— Tu ferais bien d'aimer une femme comme elle, dit Julio, comme s'il lisait dans ses pensées.

— Où veux-tu en venir, Julio ? lança Chase. Tu veux me la rendre ?

— *Amigo*, je ne peux te donner une femme qui n'a jamais été à moi. C'est toi qu'elle a toujours aimé.

Alors pourquoi elle et toi...

De nouveau Julio parut comprendre ce qu'il pensait.

— Nous ne sommes qu'amis, Chase, et je ne te mens pas. J'aurais aimé que les choses soient différentes. Mais c'est toi qu'elle aime.

— Il est trop tard, maugréa Chase.

— Non, *amigo*, c'est juste le moment ! Je ne veux pas que ma sœur, par-delà sa mort, dessèche ton cœur.

Chase allait répondre quand il entendit ce bruit que tous les cow-boys redoutent.

Cela pouvait survenir avec une rapidité stupéfiante. Le bétail endormi semblait se lever d'un seul élan et se mettait à courir, tandis que le sol tremblait sous le martèlement des sabots.

— Debout tout le monde ! hurla-t-il en se précipitant vers son cheval.

Des deux côtés, ils étaient entourés de hautes montagnes qui formaient une sorte de barrière naturelle empêchant les bêtes de se disperser trop loin.

Julio et lui galopèrent devant les bœufs qui ouvraient la marche et les contraignirent à tourner, de façon que le troupeau revienne à son point de départ. En pleine nuit, c'était une manœuvre risquée : ils ne pouvaient que se fier à leurs montures et espérer qu'ils ne se retrouveraient pas sous les sabots.

Les bêtes tournèrent, ralentirent l'allure, puis s'arrêtèrent. Les hommes, pourtant, restèrent aux aguets. Le troupeau pouvait repartir à tout instant; c'était en fait le moment le plus dangereux.

Chase chuchota à Julio :

— Tu as vu Jane?

— Non.

— Alors, il faut que je la trouve, répondit-il en lançant son cheval au galop.

Elle arrêta Flap Jack en bordure du troupeau. Près d'un pin solitaire dont elle fit d'abord le tour, tout en scrutant la nuit.

— Eh bien, mon garçon? dit-elle à son cheval. Qu'as-tu vu?

Elle prit son fusil, mit pied à terre et s'avança avec prudence, regardant partout et guettant le moindre bruit. Puis elle s'assit sur ses talons tout en tâtant le sol du bout des doigts, comme pour y trouver quelque chose d'invisible.

C'est à cet instant précis qu'elle sentit la terre trembler, et se redressa aussitôt, mais trop tard : les bêtes terrifiées arrivaient sur elle. Elle s'aplatit derrière l'arbre, bras tendus au-dessus de sa tête pour sauter et saisir une maigre branche couverte de mousse, et ferma les yeux. Le troupeau se divisa pour contourner le pin, passant si près, toutefois, que les cornes s'en vinrent érafler l'écorce.

Des heures parurent s'écouler avant que les bêtes ne soient toutes passées. Elle lâcha lentement la branche et tomba à terre. Paupières toujours closes, elle serra ses bras autour de sa poitrine, tentant de contenir un tremblement qui lui faisait claquer des dents.

C'est ainsi que Chase la retrouva.

— Jane !

Elle aurait voulu ouvrir les yeux – mais c'était impossible.

Il la prit dans ses bras et la souleva du sol.

— Jane, tu es blessée ?

Pour toute réponse, elle se serra contre lui.

— Jane, Jane, tout va bien.

Il lui chuchota des paroles apaisantes et, peu à peu, elle cessa de trembler. Mais pas question de lui dire qu'elle se sentait mieux – pas encore. Elle voulait rester là, nichée au creux de ses bras.

Il lui prit le menton.

— Je ferais mieux de te ramener au camp, dit-il – mais sans bouger.

— Je... je ne sais pas où est Flap Jack.

— Il est trop malin pour s'être laissé surprendre ! On le retrouvera à l'aube.

— Chase ?

— Mmmm ? marmonna-t-il en la prenant par la taille.

Incapable de se souvenir de ce qu'elle voulait dire, elle resta contre lui, immobile, pétrifiée, folle d'envie de recevoir ses caresses, ses baisers. Son cœur battait, ses jambes paraissaient sur le point de se dérober sous elle.

La voix de Julio leur parvint :

— Tout va bien, *amigo* ?

Chase la lâcha aussitôt.

— Ici ! Je l'ai retrouvée !

Le fragile instant n'était plus.

Julio s'approcha et sauta à terre.

— Elle est blessée ?

— Je vais bien ! répondit Jane.

— Julio, son cheval s'est enfui. Ramène-la au camp, veux-tu ? Je veux jeter un coup d'œil au troupeau et parler avec les hommes.

— Bien sûr, *amigo* !

— Chase, demanda-t-elle, pourquoi les bêtes se sont-elles affolées ?

— Je ne sais pas. Tout était tranquille...

— Je crois qu'il y avait quelqu'un ici. Un inconnu.

Les deux hommes contemplèrent le paysage baigné par la lune.

— J'étais de garde, Flap Jack a donné l'impression d'avoir entendu quelque chose, alors je me suis approchée pour voir. Je n'ai rien vu, mais... j'ai eu le même sentiment que l'autre nuit. Comme si on m'observait... J'examinais les lieux quand les bêtes se sont affolées. Je n'ai pas eu le temps de remonter en selle.

— S'il y avait quelqu'un, nous ne risquons guère de retrouver ses traces, après cette panique. Va avec Julio, et dors un peu.

C'était la congédier, mais il y avait dans la voix de Chase une tendresse bourrue qui la réconforta.

Dès avant l'aube, les hommes partirent à cheval pour retrouver les bêtes égarées. Pecos Pete en avait déjà rassemblées quelques-unes dans un corral improvisé ; et il avait récupéré Flap Jack. Ce matin-là, le petit déjeuner se limita à une tasse de café vite avalée, une tranche de lard et quelques biscuits trempés dans la graisse. Puis tous levèrent le camp et se remirent en route.

Chase se rendit au pied du pin, mais en vain : si l'inconnu avait laissé des traces, la folle ruée du troupeau les avait effacées. Il partit en informer Jane.

— J'espère que tu t'es trompée, dit-il d'un air soucieux en contemplant les montagnes. Si jamais des Indiens nous poursuivent, ce ne sera pas facile de nous défendre.

— Je ne crois pas que c'étaient des Indiens.

Il sourit :

— Tu as peut-être vu un fantôme ?

— Pas du tout, protesta-t-elle avant de sourire à son tour.

— Je vais partir en avant pour nous trouver un endroit où nous arrêter à midi. On dirait que la journée va être chaude! ajouta Chase en levant les yeux vers le ciel.

— Il y a de l'eau à quelques kilomètres.

Il la regarda. Elle n'avait pas l'air trop épuisée par sa peur de la veille. À dire vrai, elle se distinguait à peine des autres : veste et chemise, pantalon de jean, bottes munies d'éperons.

— Tu connais bien la piste!

— Je l'ai déjà parcourue. Je te revois au dîner! lança-t-elle avant de se diriger vers un bœuf qui semblait vouloir quitter le troupeau.

Chase la suivit des yeux, se souvenant de ce qu'il avait éprouvé, la nuit dernière, à la tenir dans ses bras. Un cow-boy dur à cuire, une enfant vulnérable… le tout en même temps.

Chase avait environ deux heures d'avance sur le troupeau quand il aperçut le chariot, à l'ombre d'un bosquet de cotonniers, tout près d'une rivière. Deux chevaux étaient attachés sur le côté, les yeux mi-clos : ils somnolaient. Un mince ruban de fumée montait d'un feu de camp presque éteint. La cafetière était par terre, une assiette en étain gardait encore des reliefs de petit déjeuner.

— Holà! lança Chase, en regardant tout autour de lui, la main posée sur son colt.

Mettant pied à terre, il s'avança prudemment. Il régnait un silence complet, interrompu seulement par le murmure des eaux du ruisseau.

— Holà! répéta-t-il.

Soulevant la toile, il jeta un coup d'œil à l'intérieur du chariot. Un coffre était ouvert dans un coin, des vêtements gisaient sur le plancher. Les petits casiers laissaient échapper de la farine, du sucre, toutes sortes d'ingrédients. Un bizarre désordre.

Chase fit demi-tour et examina les lieux, en vain. Quelqu'un était là ce matin même. Il avait dû avoir des ennuis.

Il avança lentement le long de la rive, sans faire aucun bruit, et s'apprêtait à retourner près de son cheval quand un grand chien jaune fit brusquement son apparition devant lui, grognant et montrant les crocs.

Surpris, Chase recula et pointa son arme vers l'animal. Puis il vit la blessure au flanc. On aurait dit un impact de balle.

— Doucement, doucement, chuchota-t-il.

La bête n'en fut guère impressionnée et gronda de nouveau.

— Gretchen !

La voix – celle d'un homme – était faible, mais la chienne l'entendit et fit volte-face. Chase attendit un instant et, comme personne ne se montrait, avança de nouveau.

— Elle vous sautera à la gorge si vous vous approchez encore, dit la voix.

Chase s'arrêta :

— Je ne vous veux pas de mal ! Je vous aiderai si je peux.

— Qui êtes-vous ?

— Chase Dupré. Je conduis un troupeau vers Cheyenne.

Il y eut un long silence, puis l'homme dit :

— Avancez. Tranquille, Gretchen.

Le vieillard était appuyé contre un arbre, ses doigts crispés sur sa poitrine ensanglantée. Une de ses jambes paraissait brisée, son fusil était posé sur sa cuisse. La pâleur de son visage en soulignait tous les reliefs. Des yeux bleus délavés dévisagèrent Chase, tandis que l'homme caressait la tête de la chienne.

Chase remit son arme dans son étui, puis s'approcha du blessé et s'accroupit à côté de lui.

— Ça ne servirait à rien de m'aider, dit le vieillard. Je vais mourir.

Le simple aspect de sa blessure montrait assez qu'il avait raison. Chase tenta pourtant de le convaincre du contraire :

— Notre chariot n'est pas loin derrière, et Corky sait soigner les gens. On va vous arranger ça. Et votre chienne aussi.

— Pauvre Gretchen ! dit l'homme. Je crains qu'elle n'y passe aussi.

Là encore, Chase dut bien en convenir. Il préféra changer de sujet.

— Qui êtes-vous ? Que s'est-il passé ?

— Je m'appelle Chester Brine. J'allais vers le nord, j'ai un frère à Spokane, dans l'État de Washington.

Chase voulut lui toucher l'épaule : la chienne se mit aussitôt à gronder. Il préféra ne pas insister.

Le blessé rouvrit les yeux.

— Un homme est venu ce matin... très tôt. Il portait une cagoule... sur le visage... Il s'est mis... à tirer, sans dire un mot... Sans raison... J'ai voulu m'enfuir, mais... Gretchen lui a sauté à la gorge... Il a tiré sur elle... et puis sur moi...

Chester Brine n'en n'avait plus pour très longtemps, et Chase ne pouvait qu'assister à son agonie.

— Jeune homme...

— Oui ?

— Je ne veux pas que... Gretchen me quitte... Ne la... laissez pas... souffrir... Enterrez-nous... ensemble.

— D'accord.

— Et puis...

— Oui ?

— Son chiot... prenez soin... de lui.

Levant la main, le blessé la glissa sous son genou et en sortit une minuscule boule de poils.

— Elle s'appelle... Sunny... Il faut... s'en occuper.

Gretchen gémit en voyant son maître donner le chiot à Chase, mais ne dit rien.

— Merci, soupira le vieillard.

Jane avait mal partout. Elle n'avait guère eu l'occasion de dormir, et la journée promettait d'être chaude. La poussière semblait s'être incrustée dans chaque pore de sa peau, ses paupières lui faisaient l'effet d'être en papier de verre. Elle ne désirait rien tant qu'un bon bain et une nuit de sommeil dans un lit douillet. L'apparition du chariot la ravit : elle mourait de faim et ce serait l'occasion de se reposer un peu.

Avec les autres, elle fit arrêter le troupeau, puis se dirigea vers le camp improvisé. Mettant pied à terre, elle s'étira péniblement.

— Jane! lança Teddy. Chase veut te voir.

Elle hocha la tête, se demandant ce qu'elle avait bien pu faire de mal. Rien, espérons-le! Elle avait toute la matinée gardé le souvenir de son sourire. Remontant en selle, elle se dirigea vers la rivière.

Chase l'attendait près d'un grand cotonnier, les mains dans le dos, le visage sombre.

— Chase, tu voulais me voir?

— Oui. Nous allons rester ici ce soir. Il faudra faire un long trajet demain pour trouver de nouveau de l'eau. L'herbe est bonne, ici. Les bêtes pourront se remplir la panse, et demain nous les pousserons un peu plus fort.

— Oui, c'est un bon endroit, répondit-elle, sans comprendre où il voulait en venir.

Chase détourna les yeux :

— Je viens d'enterrer un homme qu'on a assassiné.

— Les Indiens?

— Non. Avant de mourir, il m'a demandé de prendre soin de quelque chose. Je vais avoir besoin d'aide.

— Bien sûr ! Qu'est-ce que c'est ?

Il fit apparaître le petit chiot qu'il dissimulait dans son dos :

— Elle s'appelle Sunny. Sa mère a été tuée aussi. Tu pourras t'en occuper ?

— Bien sûr, Chase ! s'exclama Jane en tendant les mains.

Elle posa la petite bête contre sa joue.

— Tu as faim ? On va te trouver quelque chose à manger.

Elle revint en hâte vers le chariot.

— Corky, qu'est-ce qu'il y a à manger ?

— Ce que j'ai sous la main ! répondit l'homme sans se retourner. Pourquoi demandes-tu ça ?

— Il y a un nouveau dans le groupe, et il est plutôt difficile !

— Comment ? Je voudrais bien voir ça !

Il fit volte-face et s'arrêta net en voyant le chiot.

— Ah, ben ça alors ! Où l'as-tu trouvé ?

— C'est Chase. Il dit que sa mère et son maître ont été tués à la rivière. On peut lui trouver quelque chose à manger ?

— Je crois que oui.

Avant la fin du dîner, tout le monde voulait s'occuper du chiot. Sunny n'avait que quelques semaines, peut-être n'avait-elle pas été sevrée. En tout cas, elle attaqua avec enthousiasme les patates rôties et la viande de porc.

— On pourrait traire une vache, suggéra Pike. Johnny Blue serait ravi de s'en charger, Jane !

— Je n'y connais rien ! répondit l'autre en riant. Junior, tu ne disais pas que ton père avait des vaches ? Tu es l'homme qu'il nous faut !

— Pas du tout ! dit Stewart Junior. Y a jamais eu de vaches laitières chez nous ! De toute façon, ce chiot a l'âge de se passer de lait !

Sunny avait achevé son repas et poussait l'assiette du nez, tout en agitant farouchement la queue. Jane la prit et la serra contre elle.

— Ne les écoute pas, Sunny, ils n'y connaissent rien.

Elle se leva.

— Merci pour le repas, Corky! Sunny et moi l'avons apprécié!

— Jane? demanda Chase, qui avait suivi toute la conversation.

Elle s'arrêta et le regarda. S'avançant, il dit à voix basse :

— Il y a un étang juste à côté de la rivière. Si tu veux prendre un bain, je tiendrai les hommes à l'écart.

— Un bain! s'écria-t-elle, aux anges. Ce serait le paradis!

— Je garderai le chiot pour toi.

Elle le lui confia :

— Merci, Chase.

Puis elle se précipita vers le chariot pour y prendre des vêtements propres.

Des nuages blancs flottaient à travers le ciel bleu, une brise tiède faisait bruire les feuilles des cotonniers entourant l'étang. Les grands pins escaladant les collines oscillaient doucement; au loin un corbeau croassait bruyamment.

Jane plongea dans l'eau et parcourut toute la distance de l'étang. Parvenant à l'autre rive, elle reprit haleine, et s'assit sur un rocher à demi submergé avant de laisser flotter autour d'elle sa chevelure blond doré. S'emparant du savon, elle se décrassa le visage, les bras, la gorge, frotta vigoureusement son cuir chevelu du bout des doigts, puis plongea de nouveau.

C'était si bon qu'elle n'avait aucune envie de sortir de là, mais il le fallait, car après tout les autres voudraient eux aussi bénéficier de la mare : elle ne pouvait s'y attarder.

Soupirant, elle s'empara des vêtements qu'elle venait d'ôter, les jeta dans l'eau et les récura avec le savon. Certes, dès le lendemain soir, tout serait à recommencer, mais au moins ce soir elle dormirait en se sentant propre.

Elle étendit la chemise et le pantalon sur un buisson, pour qu'ils sèchent, avant de prendre la couverture qu'elle avait apportée. Elle l'enroula autour d'elle et sortit de l'eau, puis s'assit à l'ombre et entreprit de se repeigner.

Toujours cagoulé, il l'observa depuis le bosquet de pins où il se dissimulait. La couverture avait glissé, révélant un joli mollet et une cuisse fuselée. Sa chevelure lui tombait dans le dos. Et la poitrine paraissait ferme sous l'épais tissu.

Il eut un sourire. Un jour, il ôterait lui-même cette couverture. Mais ce n'était pas encore le moment.

21

Ce soir-là, Jane n'eut pas à monter la garde; tout le monde semblait désormais la croire chargée de veiller sur Sunny. Cela ne durerait sans doute pas, et elle aurait préféré ne pas se voir accorder cette faveur.

Teddy jouait un air plaintif sur son harmonica, trois hommes étaient lancés dans une partie de poker. Invitée à y prendre part, elle avait refusé, préférant rester près du chariot, sa nouvelle amie sur les genoux.

Elle entendit Chase revenir au camp. Il dit quelques mots à Pecos Pete, puis s'approcha du feu, se roula une cigarette qu'il alluma avec une brindille plongée dans les flammes, dont la lueur vint jouer sur ses traits bronzés.

Se retournant, il vit qu'elle l'observait et vint vers elle.

— Ça t'ennuie d'avoir de la compagnie?

Elle l'avait attendu. Tout l'après-midi. Toute la soirée – en fait, depuis qu'il l'avait tenue dans ses bras, la nuit précédente, sous les Grands Pins.

— Bien sûr que non, chuchota-t-elle.

Il s'assit à son côté, ôta son chapeau, passa les doigts dans sa chevelure ébouriffée, puis s'appuya contre le chariot.

— Comment va Sunny? demanda-t-il.

— Fatiguée. La journée a été longue pour elle.

— Tu t'entends bien avec les animaux : on voit qu'ils t'aiment.

— Je les aime aussi, ils le sentent, répondit-elle tandis que son cœur battait à tout rompre.

Il y eut un silence.

— Je me souviens du jour où tu m'as offert un poulain.

— Wichita !

— Elle m'est chère parce qu'elle vient de toi.

— C'est un bon cheval, mais tu as vraiment su la dresser.

— J'avais un bon professeur ! L'oncle Frank m'a aidée du début à la fin.

Il se décida enfin à la regarder :

— C'est dommage que je n'aie pas pu être là aussi.

— J'ai beaucoup pensé à toi.

Je t'aime, grand crétin, pensa-t-elle. *Pourquoi ne peux-tu pas me prendre dans tes bras et m'embrasser ?*

Mais il tourna la tête vers le troupeau.

— Julio est quelqu'un de bien. Il devrait faire un bon époux.

Elle ressentit un mélange de colère et de chagrin, comprenant parfaitement ce qu'il voulait dire.

— C'est vrai. Un de ces jours il trouvera la femme qu'il lui faut et saura la rendre heureuse. J'espère être là pour assister au mariage !

— Oui, moi aussi, dit-il en se levant. Peut-être serons-nous là tous les deux.

— J'y compte bien.

— Bonne nuit, Jane.

— Bonne nuit, Chase.

Elle rampa sous le chariot et se glissa dans sa couverture, en serrant toujours Sunny contre elle. Elle ne pouvait croire qu'il ait enfin compris ! Rayonnante, elle s'endormit aussitôt.

Chase était allongé, un bras sous la nuque, en écoutant les bruits venus du troupeau. Il contempla le ciel immense. Une étoile filante y fit son apparition, puis disparut presque aussitôt.

Cela faisait des heures qu'il essayait de dormir, en vain. Chaque fois qu'il fermait les yeux, il la voyait. Il la désirait à en avoir mal. Il voulait la serrer dans ses bras, l'embrasser, goûter la douceur de ses lèvres, entendre son rire, sécher ses larmes. Il voulait la voir peigner ses longs cheveux. Il voulait...

Il serra les poings en grommelant. Jamais il n'avait été à ce point tourmenté par le désir. Jamais aucune femme... mais il ne pouvait lui dire qu'il l'aimait alors que ce n'était pas vrai. Il ne fallait pas lui mentir, se jouer d'elle. Et s'il ne pouvait l'aimer, qu'avait-il donc à lui offrir ?

Elle ne voulait pas de Julio et le lui avait fait clairement comprendre. Le frère de Consuela lui-même avait dit que c'était lui qu'elle aimait.

Mais Consuela aussi avait prétendu l'aimer.

Jane n'était pas Consuela. On n'aurait pas pu trouver deux femmes plus dissemblables.

Mais après tout Consuela lui avait paru différente lors de leur première rencontre.

Il est vrai qu'il connaissait Jane depuis qu'elle était enfant. Elle s'était occupée de lui pendant sa convalescence. Ils avaient partagé bien des moments paisibles.

Mais...

Mais jamais il ne pourrait l'aimer. Il n'y avait plus d'amour en lui : Consuela y avait veillé.

Ce qui pourtant ne changeait rien au fait qu'il désirait passionnément Jane McBride. Dès que l'oncle Frank avait accepté qu'elle les accompagne à Cheyenne, Chase avait su que les choses seraient difficiles. Il n'imaginait pas à quel point.

Le lendemain, quand le convoi s'ébranla, tous savaient déjà que la journée serait pénible. Il leur faudrait parcourir un long chemin pour trouver de l'eau avant le crépuscule. Une fois sorties des montagnes, les bêtes seraient davantage tentées de divaguer, ils devraient sans arrêt rattraper les traînards et les bêtes qui sortaient du troupeau.

Julio aida Jane à installer sur sa selle une fonte où Sunny pourrait voyager en sa compagnie quelques heures par jour ; le reste du temps, elle partagerait le chariot avec Corky.

La journée fut d'une monotonie accablante. La poussière formait d'épais nuages, la prairie ondulait devant eux, desséchée par le brûlant soleil d'août. Quelle région ! fournaise le jour, glacière la nuit ! On n'entendait que le sourd martèlement des sabots, le cliquetis des cornes qui se heurtaient, parfois un cri ou un rire poussé par l'un des cow-boys. Le soir, ils parvinrent sur les rives de la Stillwater.

Les jours suivants, leur rythme se ralentit de nouveau, sans que rien distingue vraiment une journée d'une autre. Ils avançaient pourtant plus vite que Chase ne l'avait espéré. Le bétail ne semblait pas perdre de poids, il n'avait plus paniqué après la première nuit, le temps restait au beau. Pourtant quelque chose le préoccupait, sans qu'il pût dire quoi.

Il chevauchait très en avant, pour chercher des aires de repos, des endroits où déjeuner, des points d'eau, sans jamais cesser de penser qu'un désastre se préparait. Mais il avait beau regarder en tous sens, il ne voyait jamais rien d'inquiétant. Peut-être était-ce le manque de sommeil.

Chaque soir, il se sentait fourbu, et pourtant il ne pouvait dormir. Il se glissait sous la couverture, fermait les yeux – et aussitôt voyait Jane. C'était à devenir fou. Si seulement il avait pu rester loin d'elle ! Mais chaque fois il allait la retrouver et l'écoutait parler de tout et de rien. Il se faisait l'effet d'un ours attiré par le miel.

Après quoi, plus moyen de dormir. Pas étonnant

qu'il pense que quelque chose se préparait : bientôt il aurait des hallucinations !

En fin d'après-midi, un groupe d'une dizaine d'Indiens fit son apparition. Chase se dirigea vers eux. Le troupeau traversait un territoire géré par le Bureau des affaires indiennes et peuplé de Crows. Ceux-ci se montraient généralement pacifiques, mais on ne pouvait jamais être sûr de rien. La guerre contre les Sioux venait à peine de se terminer, il était toujours risqué d'entrer en territoire indien. Conversant par signes avec les nouveaux venus, il comprit qu'ils réclamaient deux vaches pour les laisser passer. C'était fort peu de chose, aussi accepta-t-il aussitôt.

Chase eut un soupir de soulagement en les voyant s'éloigner. Sans doute était-ce cela qu'il avait tant redouté ? Les Indiens auraient pu leur voler nombre de bêtes lors de leurs raids nocturnes. Désormais, il pourrait se détendre, et même dormir un peu.

Jane s'agita sous sa couverture. Elle rêvait, et se sentait terrifiée. Elle voulut s'éveiller, échapper à la crainte invisible qui la poursuivait. Reprenant enfin conscience, elle se dressa d'un bond et se cogna la tête au chariot, non sans jurer à voix basse. Son cœur battait, la terreur était encore là. Elle se toucha le front et sentit qu'une bosse se formait déjà.

Sunny se blottit contre sa cuisse, sans s'être rendu compte de rien. Jane l'entoura de la couverture puis s'empara de sa veste et de ses bottes et se leva en frissonnant : le vent soufflait, le ciel était couvert de nuages, il y avait comme une odeur de pluie.

Jane entendit les chevaux s'agiter dans leur corral improvisé. Elle s'avança vers eux, puis s'arrêta net, avec le sentiment que quelqu'un était tout proche.

Tu es folle, se dit-elle. C'est à cause de ton cauchemar.

Elle se remit en marche, s'arrêta de nouveau.

Oui. Un bruit. Des pas – elle en était sûre. Quelqu'un était là, qui se déplaçait furtivement. Qui n'était pas des leurs.

Elle fit demi-tour – et se heurta à quelqu'un. Elle étouffa un cri.

— Jane ? Qu'est-ce que tu fabriques là, à te promener sans bruit ? Tu voulais te faire tirer dessus ?

— Chase ! Je… je ne pouvais pas dormir. Je marchais un peu.

Il posa la main sur son visage, toucha légèrement sa pommette, sa mâchoire. Attirée comme par un aimant, elle se serra contre lui.

— Ah, Jane… chuchota-t-il.

Puis sa bouche couvrit la sienne, ses mains se glissèrent derrière sa nuque. Jane s'abandonna aux folles sensations qui l'envahissaient. Les lèvres de Chase embrassèrent ses paupières, son front, son oreille. Elle eut un gémissement étouffé.

Puis il l'embrassa de nouveau sur la bouche, cette fois sans tendresse ; c'était un baiser qui réclamait davantage, bien davantage. Elle sentit la chaleur, le désir qui émanaient de lui mais, avant même qu'elle ait pu réagir, il se dégagea brutalement. Elle chancela et faillit perdre l'équilibre.

— Bon Dieu ! s'écria-t-il. Retourne dormir !

— Chase, je…

— Tu m'entends ? Laisse-moi tranquille ! Retourne dormir ! lança-t-il d'une voix chargée de colère.

Qu'avait-elle pu faire ? Jane fondit en larmes.

— Chase !

— Tu n'as pas compris ? Je n'ai rien à t'offrir !

Elle réprima un sanglot et, faisant demi-tour, s'éloigna d'un pas incertain.

Jamais de sa vie il n'avait été aussi près de prendre une femme séance tenante. Chase était en sueur, furieux de n'avoir pas su se contrôler, furieux contre

220

Jane, qui avait bien failli le convaincre de faire ce qu'il ne pourrait que regretter ensuite.

— Bon Dieu ! répéta-t-il.

Il planta ses poings dans ses poches et disparut dans la nuit.

22

Le ciel se couvrit : l'orage approchait. Les hommes, craignant d'être frappés par la foudre, se débarrassèrent de leurs éperons, de leurs couteaux et de leurs six-coups, qu'ils déposèrent dans le chariot. On apercevait déjà au loin la lueur aveuglante des premiers éclairs. La tension était presque palpable parmi le bétail, qui s'agitait nerveusement.

Montant le cheval pie qu'elle avait choisi ce matin-là, Jane alla trouver Corky pour lui confier Sunny.

— Mieux vaut qu'elle ne soit pas avec moi aujourd'hui ! Prends-en soin !

— Pas de problème ! répondit le cuisinier, qui contempla le ciel d'un air sombre. Mais prends soin de toi !

Elle s'éloigna sans répondre. À quoi bon ? Elle n'avait pas dormi de la nuit, ses yeux étaient rouges et gonflés à force d'avoir pleuré. Pourquoi penser à elle-même, quand Chase, de toute évidence, n'y pensait nullement ?

Elle ne l'avait même pas vu ce matin. Il était parti avant que quiconque se soit levé. Sans doute resterait-il invisible toute la journée.

La foudre tomba à quelque distance, suivie d'un roulement de tonnerre effrayant. Presque aussitôt, le troupeau devint une masse de cornes et de sabots courant à toute allure.

Sans réfléchir, Jane éperonna sa monture, galopant à hauteur des bêtes terrorisées, qui soudain obliquèrent dans sa direction. Elle n'eut que le temps de s'écarter. Bien entendu, les autres s'efforceraient de maîtriser le bétail, mais où étaient-ils exactement ? Il était très difficile de voir quoi que ce soit.

Le ciel était noir, chargé de lourds nuages, le vent sifflait avec violence, la poussière lui brûlait les yeux. Un nouvel éclair provoqua un soudain changement de direction du troupeau, qui s'éloigna d'elle. Elle le suivit, galopant toujours.

Chaque minute qui passait semblait une éternité. Jane n'ignorait pas que les Quatre-Vents ne pouvaient se permettre de nouvelles pertes. Quelques kilomètres de course éperdue, et une vache pouvait perdre jusqu'à cinquante livres ! Et souvent les bêtes se saignaient mutuellement à grands coups de cornes, ou mouraient piétinées sous les sabots.

Elle atteignit l'avant du troupeau et tenta de ralentir la charge. En de telles circonstances, il faut pouvoir compter sur sa monture, si l'on ne veut pas chuter et connaître une mort certaine. C'est à ce moment que le cheval pie trébucha sur un sol inégal.

Tout se passa si vite qu'elle n'eut pas le temps de réagir. Elle fut projetée en l'air, puis retomba dans une crevasse qui traversait la prairie, où elle se reçut douloureusement. Au-dessus d'elle, on ne voyait déjà plus qu'une masse de sabots : les bêtes sautèrent par-dessus la dépression. Jane se couvrit la tête de ses bras et se serra contre le sol qui tremblait.

Dès qu'il vit l'éclair, Chase tourna son cheval vers le troupeau, en se reprochant d'être si en avant : perdu dans ses pensées, il n'avait pas remarqué que le temps se gâtait.

Il entendit le vacarme des sabots avant même de voir les bêtes. Le sol tremblait. Il poussa Dodge au galop, escaladant une crête au moment où trois cow-boys parvenaient à l'avant du troupeau, cravachant les bœufs courant en tête, qui commençaient déjà à ralentir. Chase se joignit aux hommes qui agissaient de même à l'arrière.

Il fallut plusieurs kilomètres avant que le bétail ne s'arrête. On le faisait tourner en rond jusqu'à ce qu'il ralentisse. C'était d'ailleurs le moment le plus dangereux de l'opération : il était facile de se retrouver prisonnier des bêtes serrées les unes contre les autres, et de tomber de cheval. On avait peu de chances d'en réchapper.

Alors qu'un semblant d'ordre paraissait s'établir, la pluie se mit à tomber à verse. Comme la première fois, Chase songea à peine aux pertes. Il ne pensait qu'à retrouver Jane. Il fit le tour du troupeau, en regardant partout. Il lui fallut un moment avant de retrouver Julio.

— *Amigo* ! s'écria celui-ci. La journée va être longue !

— Tu as vu Jane ?

— Non, pas depuis le petit déjeuner.

— Quel cheval avait-elle pris ?

— Le pie. Ne t'inquiète pas, elle sait y faire. Elle est sans doute occupée à te chercher de son côté.

Chase hocha la tête et poursuivit sa route. Quelques minutes plus tard, il croisa Rodney Daniels.

— Tu as vu Jane ?

— Non.

Il reçut la même réponse de Teddy, puis de Junior.

Pike lui donna enfin quelques vagues informations.

— Je l'ai vue donner la chienne à Corky, juste avant que le troupeau panique. Elle est partie vers l'avant. Je ne l'ai pas aperçue depuis.

Chase le remercia et emprunta la piste en sens inverse, se dirigeant vers le camp du matin. Il lui fallut une bonne demi-heure sous une pluie battante avant de croiser Corky et son chariot.

— Elle a galopé après le troupeau, comme les autres, dit le cuisinier d'un air inquiet. J'avais tellement de boulot... Tu ne penses quand même pas que...

Chase fit faire demi-tour à son cheval.

— Rejoins les bêtes, nous passerons la nuit sur place. Dis aux hommes que je suis à la recherche de Jane.

Il plut jusque dans l'après-midi, ce qui ne facilitait pas les recherches. Rodney, Julio et Prike y prirent part, non sans redouter le pire, mais se gardant bien d'évoquer leurs craintes.

C'est Julio qui découvrit le cheval pie, qui se tenait péniblement sur trois pattes ; la quatrième était brisée. Sa tête touchait presque le sol, ses flancs étaient ensanglantés en raison de coups de cornes. Il manquait un étrier à la selle. Julio examina les environs, puis partit prévenir Chase.

La fuite des animaux affolés, au-dessus de sa tête, parut durer une éternité. Même quand tout fut terminé, quand le sol eut cessé de trembler, Jane ne chercha pas à se lever. Une terrible nausée la secouait.

La pluie lui tombait sur le visage, des ruisselets d'eau boueuse l'entouraient à mesure que la pluie tombait à torrents. Elle réussit à se redresser, non sans ressentir de vives douleurs dans l'épaule et dans le flanc. Le monde semblait tournoyer follement : il lui fallut s'arrêter, respirer à fond, et attendre que tout s'arrête.

Jane se demanda combien de temps elle avait pu rester là. Tentant de se redresser, elle sentit aussitôt une violente douleur lui traverser la jambe à partir du talon. Au bord des larmes, elle serra les dents et eut un geignement étouffé. Se mordant les lèvres, elle tâta prudemment sa cheville. Sans doute pas brisée, mais impossible de marcher. Il lui faudrait attendre que quelqu'un la retrouve. Ce qui pouvait demander du temps, s'ils n'avaient réussi à arrêter le bétail. D'ici là, il lui faudrait aussi échapper à la pluie.

Elle se traîna sur le sol jusqu'à ce qu'elle trouve un rocher en dessous duquel s'abriter. Épuisée, elle se laissa tomber à terre et attendit que l'orage s'apaise, plongeant dans un demi-sommeil agité.

Chase refusa d'interrompre ses recherches, même quand le crépuscule approcha. La pluie n'était plus qu'une simple bruine.

— *Amigo*, dit Julio, reviens au camp avec moi. Nous recommencerons demain matin.

— Non ! Si elle est là, il faut la retrouver. Elle doit être blessée. Rentre et veille à ce que tout se passe bien.

— Je reste avec toi.

— Je préfère être seul, répondit Chase.

Tous deux savaient ce à quoi il s'attendait.

Chase fit avancer lentement son cheval dans la pénombre.

— Jane ! lança-t-il. Jane !

Qu'elle soit morte piétinée par le bétail lui était une pensée insupportable. Ne plus jamais la voir, ne plus jamais l'entendre... *Mon Dieu, pas ça, je vous en prie*, implora-t-il en silence.

— Jane ! s'écria-t-il une fois de plus.

Soudain, Dodge s'arrêta net, pointa les oreilles vers l'avant, puis vers l'arrière, et poussa un hennissement.

— Qu'est-ce qui se passe, mon gars ? demanda Chase, qui scruta l'obscurité sans rien voir. Il voulut donc pousser son cheval, mais celui-ci ne fit que deux pas et refusa d'aller plus loin.

Chase sauta à terre, se demandant ce que Dodge avait bien pu remarquer, et pas lui. Il avança et faillit bien tomber dans la crevasse qui, constata-t-il, faisait un peu plus d'un mètre de large. Plutôt que de franchir l'obstacle, il préféra le longer, en tenant son cheval par la bride. La faille était très sinueuse ; il la suivit en lançant périodiquement le nom de Jane.

Comme il n'avait pas grand espoir, il ne put en croire ses oreilles lorsqu'il entendit une voix lointaine dire :

— Ici ! Ici !

— Jane ! Où es-tu ?

— Ici ! Ici !

— Mais où ?

— Dans la crevasse !

Il s'y précipita, mains tendues.

— Jane ?

— Je suis là, Chase.

Et c'était vrai. À genoux dans la boue, il prit dans ses bras son petit corps frissonnant et le serra contre lui, sans même prendre garde au gémissement de douleur de Jane.

— Bon sang ! chuchota-t-il. Tu n'es pas fichue de rester à cheval quand le troupeau panique ?

— Je suis navrée, Chase.

— Tu te rends compte à quel point j'étais inquiet ? Tu sais depuis combien de temps on te cherche ? dit-il d'un ton âpre, tant il avait eu peur.

— Je suis navrée, répéta-t-elle.

Il la berça comme on berce un enfant, appuyant sa joue contre les cheveux trempés. Il sentait battre le cœur de la jeune femme, qui semblait tout d'un coup si fragile, et n'avait plus rien de celle qui jouait au poker avec les hommes.

— Tu es blessée ? demanda-t-il doucement.

— J'ai surtout des bleus, mais aussi une cheville abîmée. Je ne peux pas marcher, c'est pour ça que je n'ai pas essayé de vous retrouver. Tout va bien, maintenant que tu es là.

Sans pouvoir s'en empêcher, il l'embrassa. Jane réagit avec une fureur inattendue et se serra contre lui avec passion.

— Oh, Jane, Jane... dit-il à voix basse. Pourquoi me fais-tu une chose pareille ?

— J'ai bien cru ne jamais m'en sortir. Les bêtes sautaient au-dessus de la crevasse, la terre tremblait, je savais que j'allais mourir et que plus jamais je ne te reverrais. Chase...

Ils s'embrassèrent de nouveau, avec tendresse, avec violence. Il avait envie de la protéger, de la défendre – et de la prendre. Ici même. À l'instant.

— Jane, tu es comme un feu dans mes veines... Je te veux.

— Moi aussi, Chase. J'ai toujours voulu être à toi. Je t'aime.

Ces deux mots furent comme un seau d'eau glacée sur l'ardeur du désir de Chase.

— Rien ne dure jamais, répondit-il d'un ton crispé.

Il sentit à quel point elle était surprise et restait sans comprendre.

— Tu ne saisis donc pas, Jane ? Je veux te faire l'amour. Je veux partager ton lit. Rien de plus. Je n'ai plus rien d'autre à t'offrir.

Il y eut un long silence, puis elle se dégagea et s'assit à même le sol.

— Je vois, finit-elle par dire.

— Tu ne vois rien du tout ! Je te veux, Jane, au point d'en devenir fou. Mais je ne peux t'aimer. Je ne peux plus aimer personne.

Elle garda un silence stoïque.

Il la prit par les épaules et la secoua.

— Tu m'entends, Jane McBride ? Je ne peux pas t'aimer ! Mais c'est ce que tu veux ! Tu veux que je t'épouse ! Mais je ne veux plus dire « je t'aime », plus jamais. Je veux te conduire au lit, rien de plus. Mais tu veux le mariage, n'est-ce pas ?

— Ne crie pas, Chase, dit-elle d'une voix douce. Ramène-moi au camp, c'est tout.

Il parut n'avoir pas entendu :

— C'est cela, n'est-ce pas ? C'est le mariage que tu veux ?

Elle eut un sanglot.

— Oui ! lança-t-elle d'une voix où montait la colère. Oui ! Je voulais épouser l'homme que j'aime ! Sais-tu depuis combien de temps je t'aime ? Combien de temps j'ai attendu que tu reviennes ? Même quand tu es arrivé avec ta femme, j'ai continué à t'aimer. J'ai toujours voulu t'épouser !

— Bon ! Bon ! C'est ce que tu veux ? Alors je t'épouserai.

La soulevant de terre, il la fit sortir de la crevasse :

— Et si tu n'es pas heureuse, ce sera de ta faute ! Je t'aurai prévenue : je n'ai rien à offrir.

Il la déposa sur la selle, puis monta derrière elle.

— Nous nous marierons dès notre arrivée à Cheyenne.

Il planta ses éperons dans les flancs de sa monture, qui partit au galop vers le camp.

Bon ! Bon ! Alors je t'épouserai !

Jane était allongée à l'arrière du chariot, retenant un cri de souffrance chaque fois que le véhicule oscillait. Son corps était en bien mauvais état, mais son cœur souffrait davantage encore. La cruelle réponse de Chase lui résonnait en tête.

Il allait donc l'épouser – sans amour. Elle devrait lui dire qu'elle préférait renoncer, qu'il pouvait aller se faire pendre ailleurs, qu'elle avait sa fierté, et ne cherchait pas un époux dans le seul but de se caser.

Mais précisément, elle n'avait plus aucune fierté, car elle comptait bien l'épouser, qu'il l'aime ou non. Jane ne pouvait supporter l'idée de rentrer aux Quatre-Vents avec lui, de devoir y vivre en sa compagnie, sans pouvoir l'aimer. À l'issue d'une longue nuit sans sommeil, elle avait compris qu'il ne vaudrait plus la peine de vivre si elle cessait de le voir.

À l'avant du chariot, l'auvent de toile s'agita.

— Comment vous sentez-vous, *mi amiga* ? demanda Julio.

Jane se redressa en s'appuyant sur un coude.

— Je vais à peu près bien.

Se glissant derrière Corky, Julio entra dans le chariot et rabattit l'auvent pour qu'ils soient un peu tranquilles.

— On dirait que la pluie ne cessera jamais ! ¡ *Valgame Dios* ! Quelle allure vous avez !

— Merci ! D'autres bonnes nouvelles ?

— Nous allons franchir la Little Big Horn River, et demain nous arriverons au Wyoming.

S'asseyant sur un sac de farine, il se pencha et dit :

— Vous pourriez me raconter ce qui s'est passé entre vous et *mi amigo* ?

Elle fit non de la tête.

— Je ne l'ai jamais vu dans un état pareil ! Ce matin, il a dit vouloir se rendre à Sheridan pour acheter des provisions, en ajoutant qu'il serait de retour à la fin de la semaine. Cela ne lui ressemble pas.

Jane préféra détourner les yeux.

— Jane, dit-il en lui touchant l'épaule, ne renoncez pas. Il tient à vous plus qu'il ne le croit. Hier, quand il était persuadé de vous avoir perdue…

Il n'acheva pas sa phrase.

— Je n'ai pas renoncé, répondit Jane.

Elle regarda son compagnon bien en face.

— Nous allons nous marier à Cheyenne. Il me l'a dit hier soir.

Julio parut surpris, mais eut un grand sourire.

— C'est une bonne nouvelle, *amiga*. J'en suis heureux pour vous deux.

— Oui, dit-elle en fermant les yeux. Une bonne nouvelle. Excellente !

23

Après une semaine de repos forcé, Jane se sentit mieux d'âme et de corps. Ne pouvant toujours pas monter à cheval, à cause de sa cheville, elle voyageait en compagnie de Corky, assise sur le siège du chariot. Le troupeau avançait lentement vers Cheyenne, en soulevant d'épais nuages de poussière, car la pluie avait pris fin.

En l'absence de Chase, Jane avait beaucoup réfléchi. Sans changer d'avis : elle voulait toujours l'épouser. Elle n'était pas du genre à renoncer. Chase pensait ne pouvoir l'aimer, ne pouvoir aimer personne. Elle était d'un autre avis. Le temps, la patience en viendraient à bout, et elle comptait bien y veiller.

Il devait revenir bientôt, peut-être le jour même. Cela faisait une semaine entière qu'il était parti pour Sheridan. Ils avaient passé un jour de plus à Fort McKinney, pour que le bétail puisse brouter et se reposer, mais ce matin ils étaient partis dès l'aube. Jane avait même l'impression qu'ils allaient trop vite pour que Chase puisse les rattraper, bien qu'un cheval puisse évidemment parcourir cinq fois plus de chemin qu'un troupeau.

Quand ils s'arrêtèrent vers midi, elle entra dans le chariot, s'y lava sommairement, puis revêtit un corsage et une jupe propres, voulant paraître à son avantage au cas où il arriverait. Elle peigna ses longs cheveux, les nouant en natte avec un joli ruban jaune.

Sortant du chariot, elle se dirigea vers l'arrière du véhicule. Corky jeta des haricots et de la viande de porc dans une assiette qu'il lui tendit. Bien qu'ayant faim, elle contempla le mélange sans grand enthousiasme. Corky était bon cuisinier, du moins quand il voulait s'y mettre, mais au bout de plusieurs semaines, tout finissait par avoir le même goût. À quand un bon steak, et une part de la célèbre tarte aux pommes de tante Enid ? Elle s'assit et commença à manger.

Ce qui lui restait d'appétit disparut d'un seul coup : elle venait d'apercevoir un cavalier qui s'approchait. C'était Chase, c'était forcément Chase ! Elle posa son assiette et se leva.

Il entra dans le camp et arrêta son cheval. Ses yeux passèrent sur Jane sans s'arrêter. Il avait une barbe d'une semaine, et ses yeux rougis semblaient indiquer qu'il n'avait pas dormi. Elle voulut courir vers lui, le prendre dans ses bras, lui redire qu'elle l'aimait, que tout irait bien. Mais quelque chose la convainquit de n'en rien faire.

Chase s'avança vers le chariot.

— Qu'est-ce qu'on mange, Corky ? Je meurs de faim.

— Et alors ? Prends ce qu'on te donne et estime-toi heureux ! répliqua le cuisinier, qui lui tendit une assiette pleine.

Chase la posa sur son genou après s'être accroupi, et se mit à manger. Puis il eut un regard pour les hommes rassemblés :

— Vous avez pris votre temps !

— C'est vrai, dit Rodney. On s'est arrêté près de Fort McKinney, l'herbe était bonne.

— On ne dirait pas que les bêtes ont souffert de la dernière panique. Combien en avons-nous perdues ?

— Une vingtaine, intervint Julio, qui venait d'arriver. Quelles sont les nouvelles de Sheridan, *amigo* ?

— Rien de spécial. On dirait bien que nous sommes les premiers à traverser la région. Ça sera très utile quand nous traiterons avec Grogan. Les ranchs vont vendre plus de bêtes que d'habitude cette année. On a manqué d'eau partout.

Jane s'était rassise, sans jamais quitter Chase des yeux. Elle était à la fois soulagée de le voir rentrer, et déçue qu'il n'ait pas semblé heureux de la voir. Par ailleurs, cela l'agaçait qu'il feigne de l'ignorer. Autant prendre le taureau par les cornes :

— Chase ?

— Mmmh ?

— Ils savent que nous allons nous marier à Cheyenne ; je le leur ai dit.

Il leva les yeux, croisant ceux de Jane. Il y avait dans leurs profondeurs bleues quelque chose d'inquiet qu'elle décela sans peine.

— Toutes mes félicitations, Chase ! dit Julio. Tu es un homme heureux !

Chase aurait bien voulu que ce soit vrai. Il aurait dû se sentir heureux. Non qu'il refusât Jane, ou doutât de son amour pour lui. Mais combien de temps cela durerait-il, alors qu'il ne pouvait l'aimer ?

Il la regarda. Son visage était très pâle, à l'exception d'un bleu près de la tempe, souvenir de cette nuit où le troupeau avait paniqué. Elle avait de grands yeux lumineux, remplis d'un mélange de désir et d'appréhension. Et elle était en jupe et en corsage ! Ses cheveux blond doré luisaient sous le soleil. Comme elle était belle !

Julio esquissa un signe de tête enjoignant aux autres de se retirer – sans que Chase y prenne garde. Il eut donc, tout d'un coup, l'impression d'être seul avec Jane. Il alla la rejoindre, prit sa main.

— Tu es sûre ? demanda-t-il sans trop savoir ce qu'il voulait dire.

— Tout à fait.

— Je ne voulais pas… me montrer si brutal l'autre nuit.

— Je sais.

— Jane, je ne veux pas te faire de peine… C'est simplement que… que je ne sais pas si je pourrai te rendre heureuse.

— Je t'aime, Chase, répondit-elle si doucement qu'il entendit à peine. Je sais à quel point tu as souffert. Mais je ne suis pas Consuela, je suis Jane McBride. Donne-moi une chance, donne-nous une chance !

L'entendre parler ainsi le bouleversa ; il n'aurait pas cru que quelqu'un put le connaître aussi bien. De nouveau sa voix se durcit :

— Jane, ne va pas croire que tu peux y changer quelque chose. Nous serons mariés parce que je te veux dans mon lit. Je t'aime bien, mais ne va pas demander plus que je ne peux offrir.

Il s'attendait à des larmes qui ne vinrent pas ; elle se contenta de hocher la tête :

— Si c'est ce que tu peux me proposer de mieux, je m'en contenterai.

La voir aussi patiente, aussi compréhensive, l'exaspéra. Quelle femme insupportable ! Ne pouvait-elle pas admettre que l'épouser serait une terrible erreur ?

Chase avait passé le plus clair de la semaine à jouer au poker, à dormir peu et à manger moins encore. Il avait même pensé à recourir aux services d'une fille du cru, mais cela ne lui avait fait aucun bien ; il l'avait renvoyée. Ce n'était pas Jane, et c'est Jane qu'il voulait.

Il avait pensé à elle constamment, se demandant ce qu'elle faisait, ce qu'elle ressentait, s'il lui manquait vraiment. Il avait rejoint le troupeau au grand galop, redoutant qu'elle n'ait changé d'avis.

Mais elle était là, toujours aussi menue, toujours aussi résolue. Elle voulait l'épouser, disait l'aimer toujours. Mais comment lui faire confiance ? Jane n'avait

rien de Consuela, donc pourquoi ne pas la croire ?
Mais lui-même, en dépit de tous ses efforts, ne pourrait lui rendre son amour.

— Je n'ai pas trop le temps de discuter, Jane, dit-il.
Il faut repartir.

Il fit volte-face, en quête d'un cheval frais.

24

Aux Quatre-Vents, les cotonniers et les trembles devaient passer du vert à l'or et à l'orangé. Chaque matin, quand ils levaient le camp, il y avait dans l'air comme une odeur d'automne.

Sunny le sentait. Elle se réveillait très tôt et se mettait aussitôt à mordiller les cheveux de Jane pour attirer son attention.

Et Jane le sentait aussi. Avec la fin des chaleurs estivales, son humeur s'améliorait. Elle remontait à cheval, bien que chaque fois il lui fallût se bander la cheville avant d'enfiler ses bottes. Sa douleur avait disparu avec le souvenir cauchemardesque de la panique du troupeau. Chaque jour la rapprochait de Cheyenne, donc du mariage et, si le promis restait un peu trop taciturne, elle se sentait pleine d'excitation, et plus résolue que jamais : elle saurait lui prouver son amour.

Pourtant, Chase semblait toujours se lever plus tôt qu'elle : c'est à peine si elle avait le temps de l'apercevoir partant à cheval pour trouver une aire de pâture ou de repos, un point d'eau… Il lui manquait tout au long de la journée ; Jane était heureuse de se perdre dans le travail jusqu'à ce qu'ils se revoient dans la soirée. Elle n'ignorait pas que c'est à dessein qu'il gardait ses distances. Chaque fois, certes, il venait s'asseoir près d'elle, mais sans jamais tenter de l'embrasser, ni même de tenir sa main. Elle demeurait pourtant confiante : il y avait entre eux quelque chose de fort, même s'il ne voulait pas l'admettre. Il lui faudrait simplement du temps pour s'en rendre compte.

Cela faisait cinq semaines qu'ils s'étaient mis en route. Hormis les deux paniques, le troupeau n'avait pas posé de gros problèmes, la traversée des cours d'eau s'était déroulée sans encombres. Les bêtes avaient même gagné du poids. Dans deux semaines, ils seraient à Cheyenne ! Les hommes étaient aussi impatients d'y arriver que Jane, mais bien sûr pour des raisons toutes différentes. Ils auraient enfin l'occasion de souffler un peu, de boire, de jouer aux cartes, de danser avec de jolies filles – et peut-être plus !

On était en milieu de matinée, le soleil brillait, quand Rodney s'arrêta à hauteur de Jane :

— Ça te dirait, un peu de viande fraîche à dîner !

— Certainement !

— J'ai repéré une biche, expliqua-t-il. Je vais aller la chercher. Si tu vois Chase à midi, dis-lui où je suis parti. Je vous rattraperai à temps pour que Corky nous serve autre chose que son fichu ragoût !

— Je le lui dirai. Bonne chance !

Il eut un geste de la main et s'éloigna.

De la viande fraîche ! pensa-t-elle. Quelle fête ! Vivement ce soir !

Rodney attacha son cheval à un arbre et s'avança à pied, sans faire de bruit. Arrivé au sommet d'une crête, il mit un genou en terre et visa avec soin, prêt à appuyer sur la détente de son fusil.

Un brusque mouvement sur sa gauche le fit sursauter. La biche disparut dans les fourrés. Rod tourna la tête, furieux, vers l'intrus :

— Qu'est-ce que...

L'homme était vêtu de noir et cagoulé. Sans dire mot, il abattit la crosse de son fusil sur le crâne de Rod. Celui-ci était déjà mort quand il tomba à terre.

Encore du ragoût, et tout le monde semblait furieux contre elle ! Ce n'était pourtant pas de sa faute : Rodney n'était pas revenu, elle était aussi déçue que les autres. Jamais elle n'aurait dû les prévenir qu'un festin les attendait.

Elle préféra s'éloigner avec son assiette : vu leur humeur, mieux valait dîner avec les vaches et les chevaux. S'asseyant à l'ombre d'un grand buisson, elle mangea sans grand enthousiasme, tout en contemplant le paysage. L'herbe était d'un brun pâle, on ne voyait guère de sauge ou d'arbres, qui ne se dressaient qu'aux abords de la rivière sinueuse. Le vent soufflait sans arrêt. Les journées étaient brûlantes, les nuits glaciales, la poussière implacable.

Elle songea avec nostalgie aux montagnes majestueuses qui entouraient les Quatre-Vents, regretta de ne pas entendre la voix de tante Enid l'appelant pour le souper, ou l'oncle Frank lui expliquer comment venir à bout d'un poulain rétif.

Elle eut soudain le sentiment que quelque chose n'allait pas. Posant son assiette à terre, elle se leva pour apercevoir Chase, qui ce soir-là prenait la première garde. Le voir sur son cheval la rassura un peu, sans pour autant dissiper son inquiétude. Ou bien se faisait-elle simplement des idées ?

La nuit tomba avant la fin de la première garde. Assise près du chariot, Jane reprisait une de ses chemises quand Chase survint. On entendait le chant plaintif d'un harmonica, et le bavardage des cowboys.

Chase remplit son assiette et se dirigea vers le feu de camp. Elle fut tentée d'aller le rejoindre, de lui faire part de ses craintes. Mais elle redouta de l'agacer, et ils avaient si peu de temps à eux.

Levant les yeux, il croisa son regard et, bien qu'il s'abstînt de sourire, elle sentit sa tendresse, en oublia tous ses sombres pressentiments. Ils n'étaient plus qu'eux deux : elle était seule avec l'homme qu'elle aimait, plus personne n'existait.

— Patron ? lança Pecos Pete.

Chase tourna la tête, mettant fin à cet instant magique :

— Oui ?

— Junior voudrait que vous veniez voir quelque chose.

Jane sut aussitôt que c'était ce qu'elle avait redouté toute la soirée.

— J'arrive ! dit Chase en se levant.

Elle se précipita derrière lui. Ils se dirigèrent en bordure du troupeau. À la lueur de la lune, elle aperçut deux chevaux, dont un cow-boy tenait les rênes. Ce n'est qu'en s'approchant qu'ils virent un corps étendu aux pieds de l'homme.

Chase se pencha, puis se tourna vers elle !

— Rentre au camp, Jane.

Mais il était trop tard.

— Rodney !

Du sang couvrait le front du mort, dont le crâne était brisé.

— Où l'as-tu trouvé ? demanda Chase à Junior.

— Il était affaissé sur sa selle, par là-bas, répondit l'autre avec un signe de tête. Il a dû tomber en chassant, s'est blessé, puis s'est remis en selle pour nous rejoindre. Mais il est mort avant d'y arriver.

Jane tomba à genoux et prit la main du mort tout en éclatant en sanglots.

— Pauvre Katie ! gémit-elle. Qu'allons-nous lui dire ?

Katie, toujours si gaie, et si amoureuse de son époux. Et la petite Maggie, qui n'avait que deux ans et ne reverrait plus jamais son père...

Chase posa un bras sur ses épaules.

— Occupe-toi de lui, dit-il à Junior en la contraignant à se relever. Rentre au camp, Jane.

— Chase, ce n'est pas juste ! Pourquoi Rodney ? Que vont devenir Katie et Maggie ?

Elle fondit de nouveau en larmes et se serra contre lui.

— Je sais, répondit-il, je sais.

— J'étais sûre que quelque chose n'allait pas, que quelque chose de terrible allait arriver !

— Chut !

— C'est vrai ! Je le savais ! Et ce n'est pas terminé, Chase. Il va se passer d'autres choses !

— Jane ! dit-il en la secouant. C'était un accident, rien de plus !

— Non ! Non ! s'écria-t-elle, proche de l'hystérie.

Chase la souleva de terre et l'emporta, non sans lancer aux hommes :

— Ramenez-le au camp. Nous l'enterrerons à l'aube.

Elle pleurait à chaudes larmes, les bras passés autour du cou de Chase. Il allait arriver autre chose, mais à lui, cette fois, et il ne voulait pas l'écouter ! On le retrouverait mort, lui aussi... Jamais elle ne connaîtrait son amour, jamais elle ne le reverrait... Elle serait comme Katie, seule en ce monde sans l'homme qu'elle aimait.

— Chase, ne me quitte pas ! Ne me laisse pas seule !

— Je te le promets.

Elle ne remarqua même pas le silence des autres, au camp, ne les vit pas s'éloigner. Elle s'accrochait désespérément à Chase, comme quelqu'un qui va se noyer. Même quand il s'agenouilla pour l'installer dans ses couvertures, sous le chariot, elle refusa de relâcher son étreinte.

— Ne me quitte pas ! répéta-t-elle, sanglotant toujours.

Il s'étendit à côté d'elle et la berça jusqu'à ce qu'elle eût cessé de pleurer, la caressant doucement, embrassant ses cheveux.

Combien de temps faudrait-il avant que sa terreur disparaisse, avant qu'elle oublie la vision du visage ensanglanté de Rod ?

La lune éclairait le paysage, mais sous le chariot tous deux étaient dans l'obscurité. On n'entendait guère qu'un meuglement de temps à autre. Le feu de camp allait s'éteindre, il ne jetait plus que les faibles lueurs rouges de ses dernières braises.

Bien qu'ils fussent dans l'ombre, Jane savait que Chase l'observait. Il l'embrassa, d'abord tout doucement, puis de plus en plus passionnément, tandis qu'elle le serrait dans ses bras et passait les doigts dans ses cheveux.

Les lèvres de Chase effleurèrent sa joue, mordillèrent son oreille, revinrent sur son front, sur son nez, avant de se poser une fois de plus sur sa bouche. Elle frémit en se pressant contre lui.

Un étrange désir brûlait en elle, que lui seul pourrait apaiser. Elle respirait de plus en plus vite, en se sentant à la fois brûlante et glacée.

Elle tressaillit quand les mains de Chase caressèrent sa poitrine. Un soupir lui échappa. L'instinct et l'amour se mêlèrent en lui pour devenir un désir brûlant.

Il chuchota son nom.

— Chase ! répondit-elle, le souffle court.

— Pas ici. Pas comme ça, murmura-t-il.

— Chase !

— Nous attendrons d'être à Cheyenne, dit-il en reculant. Comme tu le voulais.

Elle ne sut que répondre, ne sachant même pas ce qu'elle éprouvait.

— Ne me quitte pas !

— Non, Jane, dit-il en posant la tête de la jeune femme sur sa poitrine.

Elle ferma les yeux.

— Chase ?

— Hmmm ?

— Je t'aime.

Il marqua un long silence :

— Je le sais.

Cela suffirait pour le moment.

Ils enterrèrent Rodney à l'aube. Les yeux secs, Jane écouta Chase prononcer quelques mots. Il faisait jour, désormais, ses pressentiments de la veille lui paraissaient sans fondement. La mort de Rodney était un accident, certes tragique, mais rien de plus. Aucune raison de croire que d'autres tragédies allaient suivre.

Ses yeux passèrent de la tombe à Chase. Comme il était étrange que la même nuit puisse évoquer des souvenirs de joie aussi bien que de tristesse ! Les moments passés dans les bras de Chase n'apaisaient en rien le chagrin que lui inspirait la mort de Rod. Elle avait d'abord cherché auprès de Chase un réconfort qui s'était transformé en passion ; s'il avait insisté, elle se serait donnée à lui, mariage ou pas. Ils le savaient tous les deux. Le fait qu'il ait préféré attendre prouvait qu'il l'aimait, même s'il refusait de l'admettre.

Chase prononça une ultime prière, puis se tut. Au bout d'un moment, les hommes s'éloignèrent, le laissant seul avec Jane.

— Il aimait le Montana, dit-il en contemplant la terre fraîchement remuée. Il aurait aimé y être enterré.

Jane hocha la tête sans pouvoir répondre quoi que ce soit.

— Nous attendrons d'être de retour aux Quatre-Vents pour prévenir Katie. Je ne veux pas qu'elle apprenne la nouvelle par une lettre. C'était un de mes meilleurs amis, Jane. Le seul homme décent jamais sorti des Grands Pins.

Chase remit son chapeau et tourna le dos à la tombe :

— Partons. Il faut amener le troupeau à Cheyenne.

25

Treize ans plus tôt, Cheyenne n'était encore qu'une vaste prairie herbeuse. Mais il s'agissait désormais d'une ville de plusieurs milliers d'âmes, grand centre d'expédition pour les mines récemment ouvertes dans les Black Hills : tous les jours des diligences faisaient l'aller-retour avec Deadwood, et une gare affairée accueillait bétail et moutons en partance pour la côte Est.

Shane Grogan achetait et vendait des bêtes depuis une décennie, et cela faisait huit ans que Frank Dupré venait lui amener ses troupeaux. Les deux hommes s'étaient connus longtemps auparavant, en Californie. Il ne vendait qu'à Grogan, bien que les chemins de fer se soient développés en Idaho, c'est-à-dire presque à sa porte. Bientôt, ils feraient de même jusqu'à Miles City, et de là à Chicago. Mais Frank savait que Grogan lui offrirait le meilleur prix, aussi venait-il toujours à Cheyenne.

Tandis que les hommes guidaient les bêtes jusqu'aux enclos, Chase se dirigea vers le bureau du négociant, en bordure de la ville. L'enseigne accrochée au-dessus de la porte avait perdu de ses couleurs depuis la dernière fois. On y lisait simplement : « Chez Grogan, achat et vente de bétail. » Il y avait désormais des rideaux à la fenêtre, ce qui était nouveau. Pour le reste, rien n'avait changé.

Mettant pied à terre, Chase attacha son cheval à la balustrade, ouvrit la porte et pénétra dans la pièce, tandis qu'au-dessus de sa tête une minuscule clochette se mettait à résonner. Le bureau était vide, mais il entendit un murmure de voix venu de l'arrière.

— Bonjour ! lança-t-il.

— Une seconde, bon sang de bonsoir ! J'arrive tout de suite !

C'était la voix bourrue de Shane Grogan, peu connu pour le raffinement de ses manières.

Un homme d'une cinquantaine d'années, au torse aussi large que haut, repoussa un rideau et entra. L'épaisse moustache avait viré au gris, la chevelure se dégarnissait, mais on ne pouvait s'y tromper : c'était bien le Shane Grogan dont Chase gardait le souvenir.

— Alors ? dit l'homme. De quoi s'agit-il ?

Chase sourit et garda le silence.

Grogan plissa les yeux :

— Que je sois damné si...

Il donna à Chase une claque dans le dos.

— C'est toi Chase Dupré ! Comment vas-tu, garçon ? Je ne m'attendais pas à te revoir ici.

Tournant la tête, il hurla :

— Molly ! Viens donc faire la connaissance d'un vieil ami à moi !

Le rideau fut soulevé par une petite femme boulotte, aux cheveux gris, aux yeux vifs, qui essuya sur son tablier des mains couvertes de farine en se précipitant vers les deux hommes.

— Chase, voici Molly Grogan, mon épouse ! Molly, voici le neveu de Frank Dupré.

— Ta femme ? s'exclama Chase. Vieux filou ! Tu m'avais pourtant dit que tu ne te marierais jamais !

Grogan enlaça sa compagne :

— Et c'est bien ce que j'aurais fait si je ne l'avais pas rencontrée ! As-tu déjà vu un aussi joli minois ? poursuivit-il en embrassant bruyamment Molly.

— Allons, allons ! protesta-t-elle en plantant un doigt dans la panse rebondie de son époux.

Mais elle souriait, et son visage ridé paraissait radieux.

— Ravi de vous rencontrer, madame Grogan, dit Chase en ôtant son chapeau.

— Appelez-moi Molly, comme tout le monde ! répondit-elle en lui tendant la main. Alors, vous êtes le neveu de Frank ? J'ai beaucoup entendu parler de vous, et je suis ravie de vous rencontrer enfin ! J'étais en train de faire une tarte aux pommes, venez donc à la cuisine !

Les deux hommes la suivirent.

— Qu'est-ce qui t'amène à Cheyenne, mon garçon ? dit Grogan.

— On a amené du bétail des Quatre-Vents.

— Frank est là ?

Chase s'assit avant de répondre :

— Il n'est pas venu. Je crois que tu n'es pas au courant.

— Au courant de quoi ?

— L'oncle Frank a fait une chute de cheval au printemps dernier, il a perdu l'usage de ses jambes et se déplace dans un fauteuil roulant.

Grogan se passa la main dans les cheveux, l'air sombre :

— Navré de l'apprendre, Chase. Je n'ai jamais rencontré d'homme que j'aie plus aimé que Frank.

— Il pense la même chose de toi.

Grogan donna un grand coup de poing sur la table :

— Bon ! Tu disais que tu avais du bétail à me vendre ! Alors, faisons honneur à la tarte de Molly, et ensuite nous irons le voir !

Jane mit pied à terre et s'étira à plusieurs reprises. Un vent d'automne très froid faisait voltiger la poussière dans les enclos où le troupeau était parqué. Elle se sentait toute poussiéreuse. Johnny Blue et Junior, leur travail terminé, parlaient déjà d'aller prendre un verre et de s'offrir un bon steak ; mais Jane mourait d'envie de prendre un bain.

Elle se tourna vers le bureau de Shane Grogan. Chase et lui s'approchaient : elle leur fit signe.

Le négociant eut un grand sourire, la souleva de terre :

— Mais voilà notre petit têtard ! Tu es de plus en plus jolie ! J'aurais bien cru que tu avais laissé tomber toutes ces histoires de bétail pour épouser un heureux veinard !

— Heureuse de vous voir, monsieur Grogan, répondit Jane, qui regarda Chase d'un air hésitant : fallait-il apprendre la nouvelle au négociant ?

— À dire vrai, Shane, dit Chase, c'est précisément ce qu'elle s'apprête à faire.

— Jane ? Mariée ? C'est vrai, Jane ? Et qui est l'heureux élu ?

— C'est moi, intervint Chase.

Jane fut surprise de constater qu'il souriait, et la regardait tendrement.

— Quand Molly saura ça ! s'exclama Grogan. Un mariage !

Jane fut soulevée de terre une fois de plus.

— Et quand aura-t-il lieu ?

— Bientôt, j'espère ! répondit-elle.

Shane eut un gros rire :

— Chase, tu vas avoir du mal avec elle, mais ça en vaudra la peine ! Bon, finissons-en avec ces fichus bestiaux, après on pourra fêter l'événement.

— Jane, loue-nous des chambres à l'hôtel. Quand j'en aurai terminé avec Grogan, j'irai chercher à la banque de quoi payer les hommes, et je te rejoindrai là-bas. Nous dînerons ensemble.

Jane le vit s'éloigner en compagnie de Grogan, et eut envie de chanter, de hurler son bonheur dans toute la ville. Au cours de ces deux dernières semaines, quelque chose de merveilleux s'était produit entre eux deux. Il voulait l'épouser! Peut-être ne le savait-il pas encore, mais c'était vrai. Et elle l'aimait davantage chaque jour. La vie était merveilleuse!

Pleine de joie, elle se dirigea vers l'hôtel – non sans faire un arrêt en chemin.

Il lui avait fallu payer un supplément pour une chambre avec baignoire, mais cela en valait la peine! Elle entra dans l'eau chaude en soupirant, s'y plongea entièrement puis retint sa respiration jusqu'à ce que ses poumons semblent prêts à éclater, et refit surface en respirant à pleins poumons. Le tout en gardant les yeux fermés. On aurait dit qu'elle ne s'était pas baignée depuis une éternité.

Jane finit par s'arracher à sa paisible torpeur; s'emparant du savon, elle se récura des pieds à la tête, faisant disparaître la crasse du voyage, avec l'impression de peser plusieurs kilos en moins! Quand elle en eut terminé, elle plongea une fois de plus dans l'eau pour se rincer, puis s'empara d'une serviette qu'elle se noua autour de la tête.

Enfin ils arrivaient à bon port! Pourtant, à chaque fois, elle se sentait prête à recommencer. Et c'était chaque année pareil: jamais elle n'aurait voulu rester au ranch.

Il était temps de s'habiller. Jane contempla les vêtements posés sur le lit. Elle enfila un jupon et un corset puis, se sentant brusquement nerveuse, renonça à mettre sa robe neuve et se dirigea vers la coiffeuse.

Elle ôta la serviette qui retenait ses cheveux, les laissant tomber dans son dos. Puis, à coups de brosse rapides, elle les démêla. Combien de temps faudrait-il attendre avant que Chase s'en vienne frapper à sa porte? La trouverait-il jolie dans sa robe neuve?

Jane poursuivit sa tâche en laissant dériver ses pensées. Elle songea à Consuela, à sa beauté latine. Jamais un seul cheveu en désordre. Toujours vêtue de quelque chose de joli, très féminine. Une peau parfaite, des yeux pleins de mystère... Puis Jane se souvint de Mary O'Grady : un teint très pâle, une chevelure d'un roux éclatant et, comme elle, des yeux pleins d'étincelles...

En comparaison, Jane se sentait très quelconque. Une poitrine trop menue, un corps trop longtemps dissimulé sous des chemises, des jupes de cheval, des bottes, de grands chapeaux... Elle ne comptait nullement cesser de monter à cheval, ni même de s'occuper du bétail mais, pour la première fois de sa vie, voulait que Chase vît en elle une vraie femme.

Un peu hésitante, elle rassembla sa chevelure en chignon, puis revint vers le lit.

La robe était de batiste rose, ses lourds plis révélaient les bouillons délicats du jupon. Jamais elle n'aurait rêvé d'en porter une pareille; l'enfilant, elle eut une prière silencieuse pour que Chase la trouve jolie. Elle en ferma les petits boutons puis se regarda dans le miroir.

Très serrée à la taille, la robe lui donnait une allure tout à fait nouvelle, soulignant sa poitrine et l'arrondi de ses hanches. Jane eut peine à croire que c'était bien son propre reflet que lui renvoyait le miroir.

Pourvu que Chase arrive avant qu'elle perde tout courage!

Comme tous les autres, Chase ne ressemblait plus à ce cow-boy crasseux entré en ville à la tête de son troupeau. Il avait pris un bain, s'était fait raser chez le barbier, et avait acheté des vêtements neufs, ainsi qu'un nouveau chapeau! Il se dirigeait maintenant vers l'hôtel et un bon repas chaud.

Il se surprit à siffler tout en cheminant. L'oncle Frank serait ravi d'apprendre qu'il avait tiré un bon prix du bétail. Peut-être cela compenserait-il un peu les ennuis dont le ranch avait été accablé l'année dernière. Pour le moment, cependant, Chase comptait ne pas y penser. Jane l'attendait à l'hôtel, et dans quelques jours elle serait sa femme.

Il ne savait pas ce qui lui avait pris. Avait-il changé d'avis brusquement, ou peu à peu? Il n'était pas sûr, mais la pensée d'épouser Jane le rendait plus heureux qu'il n'avait pu l'être de toute sa vie.

Il demanda à la réception quelle était la chambre de Mlle McBride, puis monta les marches quatre à quatre. Faisant une pause devant la porte, il rajusta son col et sa cravate avant de frapper.

Chase n'était pas préparé à ce qu'il vit. Elle était là, en robe rose, les joues un peu rouges : ses yeux aiguemarine brillaient, un sourire flottait sur son adorable bouche. Était-ce vraiment celle qu'il avait toujours appelée « gamine »? Celle qui savait capturer le bétail au lasso et jouer au poker avec les cow-boys du ranch? Était-ce bien celle qui avait discuté avec lui pendant des heures quand il se remettait des blessures infligées par le grizzly?

— Ça te plaît? demanda-t-elle avec un petit sourire qui disparut quand elle se rendit compte qu'il la regardait fixement.

Il prit ses mains dans les siennes.

— Tu as l'air d'un ange sur un petit nuage rose, dit-il en embrassant ses paumes.

Il la sentait mal à l'aise; tout cela était nouveau pour Jane. Pour commencer, elle ne savait pas flirter. Elle était franche et directe, on pouvait lire dans ses yeux tout ce qu'elle éprouvait.

— Mlle McBride, reprit-il, auriez-vous l'amabilité de m'accompagner à dîner dans le grand salon?

— J'en serais ravie, monsieur Dupré, répondit-elle avec un petit rire avant de prendre le bras qu'il lui offrait.

Il la regarda furtivement pendant qu'ils descendaient au rez-de-chaussée. Elle était si menue, si fragile.

Il se sentit soudain désireux de la protéger. Puis elle leva vers lui des yeux remplis d'adoration, et il comprit qu'elle ne voudrait jamais être protégée des adversités de l'existence, mais les affronter avec lui.

Le désir envahit Chase, qui regretta de ne pas l'avoir emmenée devant le juge de paix dès leur arrivée en ville.

Jane s'étira, leva les bras au-dessus de sa tête, et eut un sourire épanoui. Il faisait assez frais dans sa chambre : elle eut tôt fait de se pelotonner sous les couvertures. Pas question d'ouvrir les yeux pour voir si le jour s'était levé! Mieux valait rester là, à savourer le souvenir de la soirée de la veille.

Ils s'étaient assis à une table au bout de la salle à manger. Chase avait passé commande et, tandis qu'ils attendaient d'être servis, il ne l'avait pas quittée des yeux. Elle ne se rappelait pas la moindre chose de ce qu'ils avaient pu se dire; des futilités, sans doute. Les mots perdaient tout leur sens, quand elle savait que désormais elle lui appartenait.

Il était particulièrement beau, surtout avec ses boucles brunes fraîchement coupées et son visage rasé de frais. Ses yeux saphir semblaient plus vifs que d'ordinaire. Peut-être un peu mal à l'aise dans son costume neuf, sous lequel on discernait sans peine ses larges épaules et sa taille mince. Elle avait ressenti un tel désir qu'elle en avait rougi. Bientôt... bientôt elle saurait ce que c'était d'être sa femme. Quand on vit à la ferme, on sait forcément ce que veut dire faire l'amour; et pourtant, Jane se sentait terriblement ignorante, voire un peu effrayée par l'impatience qui bouillonnait en elle.

Elle ouvrit enfin les yeux. Deux jours, il le lui avait dit hier soir. Deux jours et elle serait madame Chase Dupré.

Bon, bon, d'accord! Je t'épouserai!

Cette phrase n'était plus qu'un souvenir dont elle pouvait rire. Il l'avait prononcée sous le coup d'une colère qui avait disparu. Il l'aimait et, même si cela prenait toute la vie, un jour elle l'entendrait le lui dire.

Repoussant les couvertures, Jane s'assit au bord du lit, les pieds posés sur l'épais tapis. Elle avait trop de choses à faire ce jour-là pour perdre son temps. Et par où commencer? Si seulement elle était aux Quatre-Vents! Tante Enid saurait ce qu'il fallait faire, et dans quel ordre.

— Molly Grogan! s'exclama-t-elle. Elle m'aidera!

Elle procéda à ses ablutions matinales, noua sa chevelure en un long catogan, s'habilla et sortit. Pourvu qu'il ne soit pas trop tôt pour rendre visite!

Molly Grogan réagit avec enthousiasme et entreprit aussitôt de dresser une liste.

— Le révérend Snyder! Chase ira le voir. Je compte bien vous renvoyer à Frank et à Enid dûment mariés, ou pas du tout! Voyons… Mme Wilkens est la meilleure couturière de la ville. Deux coups d'aiguille et elle vous aura cousu la plus belle robe de mariée du monde, ou je ne m'appelle plus Molly Grogan!

Puis elle écarquilla les yeux.

— Mon Dieu! Oh mon Dieu!

— Qu'y a-t-il?

— Oh mon Dieu!

— Qu'y a-t-il? répéta Jane, soudain inquiète.

— Je viens d'avoir une idée merveilleuse! Vous n'avez pas besoin de quitter la ville juste après votre mariage! Oh mon Dieu, ce serait parfait?

— Mais quoi donc? demanda Jane, dévorée de curiosité.

— Je ne peux pas vous le dire, c'est une surprise! s'exclama Molly en se levant. Venez, nous allons voir Mme Wilkens, qu'elle commence à travailler à votre robe. Mon Dieu, il y a tant de choses à faire!

— Pete, mets le cheval pie là-bas, dans le second corral; il rentrera aux Quatre-Vents avec les autres. Nous vendrons ceux qui restent.

Chase sauta de la barrière et se tourna vers Julio!

— Et voilà! Ce que nous avions à faire à Cheyenne est terminé. On dirait bien que finalement les Quatre-Vents s'en sortiront cette année! Je n'ai plus qu'à épouser Jane, et nous rentrerons au Montana!

Julio fronça les sourcils et secoua la tête.

— Sans moi, *amigo*! J'ai décidé de retourner à la Casa de Oro.

Chase lui posa la main sur l'épaule.

— Mais pourquoi maintenant? J'ai besoin de ton aide.

— Pas aux Quatre-Vents, Chase. Tu auras ta femme, ta famille, ils t'aideront.

— Julio, je ne peux te contraindre à rester, mais je l'aurais préféré.

— Non, *amigo*. Mieux vaut que je m'en aille.

Leurs regards se croisèrent:

— C'est à cause de Jane, n'est-ce pas? demanda Chase. Tu es toujours amoureux d'elle?

— *Amigo*, dit Julio d'un ton grave, j'ai été encouragé à l'aimer. Elle a toujours été à toi. Mais désormais, il n'y a plus place dans vos vies pour quelqu'un d'autre. Il faut que tu ne penses qu'à elle, *amigo*, et que tu l'aimes.

Chase faillit répondre que c'est bien ce qu'il faisait, et se reprit juste à temps.

— Je serai bon avec elle, Julio. Elle ne manquera jamais de rien.

— Chase Dupré, tu es mon ami, je peux donc te donner un conseil. Oublie ce que Consuela t'a fait. Ma sœur ne pensait qu'à ses plaisirs et ses désirs. Tu m'as dit une fois que tu ne voulais plus aimer. Tu as tort. On ne peut rien faire de valable sans amour. Je vais d'ailleurs te dire une chose: je crois que tu l'aimes déjà, mais que tu as peur de l'admettre. Tu ferais mieux d'y penser, *amigo*.

Cela dit, il fit volte-face et s'éloigna.

Chase resta sur place, comme pétrifié, tandis que les paroles de Julio lui résonnaient dans la tête. Ne suffisait-il pas qu'il veuille être avec elle ? Qu'il la rende heureuse et la fasse rire ? Qu'il soit tendre ? Qu'il promette de lui être fidèle, de prendre soin d'elle ? Fallait-il vraiment que, de nouveau, il coure de tels risques ?

Tant pis pour Julio et ses judicieux conseils. Il ne pouvait aimer Jane. Il ferait tout ce qu'il pourrait pour qu'elle soit heureuse, il serait bon époux et bon père. À eux deux, ils feraient des Quatre-Vents le plus grand ranch de la vallée. Mais il ne pouvait l'aimer : il ne lui restait plus d'amour à offrir.

Les deux derniers jours, Jane ne vit guère que Molly Grogan et Mme Wilkens. Molly la traîna d'une boutique à l'autre, à acheter ceci, à acheter cela, avant de la ramener chez la couturière pour un nouvel essayage. Elle lui interdit même de voir Chase :

— Cela porte malheur au marié de voir son épouse avant la cérémonie.

— Mais madame Grogan, protesta Jane, ce n'est valable que pour le jour du mariage !

— Pas question de courir des risques ! Il n'aura qu'à manger avec les cow-boys, et vous prendrez vos repas dans votre chambre.

26

Juste avant l'aube, Jane alla à la fenêtre de sa chambre et contempla la ville endormie. Au bout de la rue, elle aperçut l'église, dont le clocher blanc se dressait vers le ciel. Aujourd'hui elle se mariait.

Elle avait l'estomac noué. La cérémonie aurait lieu dans quelques heures. Serait-il là, ou changerait-il d'avis au dernier moment ? Depuis leur dîner, le soir de leur arrivée en ville, elle se sentait sûre d'elle-même ; mais cela faisait deux jours qu'elle ne l'avait pas revu. Comment savoir ce qu'il pouvait penser ? Et s'il était retourné aux Quatre-Vents sans prendre la peine de la prévenir ?

Elle posa le front contre la vitre glacée et ferma les paupières. *Mon dieu,* pria-t-elle, *faites que je sois sa femme, que je puisse l'aimer, le rendre heureux. Je ne demande rien de plus.*

Rouvrant les yeux, elle vit le jour se lever. Le ciel passa de l'ardoise au bleu, les rues du gris au brun. La lumière dorée de l'aube s'en vint baigner les trottoirs de bois. C'était une journée qui annonçait comme un nouveau départ. Jane sourit : ses craintes se dissipaient. Tout irait bien.

La ville s'éveillait : un chariot descendit la rue, un cavalier survint du côté de l'église. Un boutiquier souleva ses rideaux pour présenter ses marchandises. Tout était si normal, si quotidien. Ne savaient-ils donc pas que c'était le jour de son mariage ? Le plus grand jour de l'histoire du monde ?

Quelques coups légers furent frappés à la porte et Jane comprit que ce devait être Molly Grogan avec le petit déjeuner.

— Mon dieu, mon dieu! s'exclama Molly en entrant. Jamais je n'ai vu d'aussi belle journée!

Posant le plateau sur une petite table ronde près du lit, elle se tourna vers Jane :

— Grands dieux! Vous n'avez même pas commencé à vous préparer!

— Mais, madame Grogan, il est encore si tôt!

— Jane McBride, vous semblez ignorer qu'il y a encore beaucoup de choses à faire! Asseyez-vous et mangez pendant que je prépare vos affaires. Que de travail!

Jane obéit, tout en ayant l'impression que jamais elle ne pourrait avaler quoi que ce soit.

Il y eut d'autres coups à la porte.

— C'est sans doute votre futur époux qui perd patience, dit Molly. Je vais nous en débarrasser.

Elle ouvrit :

— Bonjour, *señora*. Puis-je voir la *señorita*?

— Certainement pas! Sortez immédiatement où j'appelle le shérif!

— Non, madame Grogan, n'en faites rien! lança Jane en se levant. Je le connais. Laissez-moi enfiler un peignoir et laissez-le entrer!

Molly obéit, l'air scandalisé.

Julio était vêtu d'un costume noir et d'une chemise blanche immaculée, ses bottes soigneusement cirées luisaient; il avait le chapeau à la main.

— Julio, que se passe-t-il ? Quelque chose ne va pas ? Est-ce que Chase…

— Non, Jane. Vous allez avoir une journée très chargée, et je voulais vous faire mes adieux avant la cérémonie. Je repars à la Casa de Oro.

— Au Texas? Mais pourquoi, Julio?

— Cela vaut mieux, *amiga*.

— Vous me manquerez, répondit-elle au bord des larmes. Vous êtes mon meilleur ami.

— Vous me manquerez aussi. *Señorita…* commença-t-il avant de secouer la tête, comme s'il voulait dire autre chose. Prenez soin de mon *amigo*. Il a besoin de vous.

— Julio, j'aime Chase plus que tout au monde. Je prendrai soin de lui.

— Un jour, il vous dira qu'il vous aime. Vous devrez être patiente. *Amor conquista todo*.

Ils restèrent un moment à se regarder. Jane comprit parfaitement ce qu'il ne voulait ou ne pouvait pas dire, et en fut très triste.

— *Niña*, il faut me faire une promesse.

— Et laquelle?

— Donnez-moi votre parole que vous me préviendrez si jamais Chase ou vous avez besoin de moi.

— C'est promis, Julio.

Il remit son chapeau et eut un sourire;

— Je vous verrai lors de la cérémonie, *señorita*. *¡Que Dios guarde! Gracias, señora*, ajouta-t-il à l'adresse de Molly Grogan.

Puis il sortit.

Jane essuya les larmes qui lui coulaient sur les joues. Si seulement son propre bonheur n'avait provoqué le chagrin d'un autre!

Le révérend Snyder était un petit homme à lunettes d'une trentaine d'années, plein de chaleur et d'affabilité, mais il n'était pas porté aux conversations futiles. C'est pourtant ce que Chase aurait aimé plus que tout ce matin-là.

Il était devant l'église, à attendre la mariée. Le col de sa chemise l'étranglait, ses paumes étaient en sueur. Ses bottes neuves semblaient tout d'un coup lui faire horriblement mal aux pieds. Il se morigéna intérieurement : pourquoi une telle nervosité ?

Il jeta un coup d'œil sur les bancs dans l'église. Tous ceux qui avaient pris la route avec lui étaient là, ainsi que Shane Grogan. Molly était quelque part dans l'église, pour les derniers préparatifs avec Jane.

Fichues bonnes femmes ! pensa-t-il. Ne pouvaient-elles pas se contenter d'enfiler une robe et d'en finir, sans faire autant de chichis ?

L'épouse du révérend Snyder se mit à jouer de l'orgue, prenant Chase au dépourvu. Se tournant vers le fond de l'église, il eut le souffle coupé.

Elle entra, vêtue de dentelle et de satin blanc. Chase se dit que tout cela devait être très beau, avec ces plis, ces drapés, cette longue traîne, mais en fait il ne vit pas vraiment la robe sur laquelle Mme Wilkens avait tant travaillé deux jours durant. Il n'avait d'yeux que pour le visage de son épouse.

Son teint très clair se teintait de rose sur les pommettes, sa chevelure était rassemblée en un imposant chignon bouclé. Ses yeux aigue-marine brillaient d'impatience, elle avait un petit sourire timide.

Le cœur de Chase se mit à battre. Il découvrit avec ravissement, et non sans surprise, qu'il ne souhaitait nullement s'enfuir à la dernière minute. À dire vrai, il espérait même que le pasteur se dépêcherait avant qu'elle ne puisse changer d'avis ! Il se sentit plein d'orgueil à l'idée que bientôt elle serait sa femme.

Elle vint se placer devant lui, les yeux pleins d'adoration et d'amour. Il prit sa petite main dans la sienne, notant avec une tendresse amusée les cals sur sa paume. Aucune femme au monde ne pouvait se comparer à sa Jane.

Ils se tournèrent à l'unisson vers le révérend Snyder.

Plus tard, Jane songea à la cérémonie. Elle devait avoir répondu comme il fallait, mais ne se souvenait de rien. La voix du pasteur n'était qu'un bourdonnement lointain, l'église et les gens présents se perdaient dans le brouillard. Sauf Chase. Elle n'avait eu d'yeux que pour lui.

— Et pour finir, mes enfants, rappelez-vous…

Sans trop savoir pourquoi, elle avait suivi ce qu'il disait :

— La charité sait souffrir, elle est douce ; la charité ignore l'envie ; la charité n'est ni brutale, ni hautaine, elle ne cherche pas son propre bien, elle pardonne aux injures et ne pense pas au mal ; elle se réjouit, non de l'iniquité, mais de la vérité : elle supporte tout, elle croit à tout, elle espère tout. La charité n'est jamais prise en défaut.

Il s'interrompit et les regarda d'un air un peu sévère qui semblait vouloir dire : *Comprenez-vous ?*

Jane comprenait parfaitement. C'était l'amour qu'elle aurait toujours pour Chase. Elle eut un sourire radieux.

— En vertu des pouvoirs qui me sont conférés par le territoire du Wyoming, je vous déclare mari et femme.

Jane se tourna vers Chase, qui lui prit le menton et baissa les yeux. Il l'embrassa, un peu timidement, mais cela suffit pour qu'elle se sente frappée par la foudre. Ses genoux se mirent à trembler, elle ferma les paupières.

Des cris de joie retentirent dans l'église : les cow-boys jetèrent leurs chapeaux en l'air, puis vinrent les saluer et leur taper dans le dos, en parlant tous à la fois.

Pike Matthews la prit dans ses bras.

— Je n'ai jamais vu quelqu'un qui sache aussi bien manier le fouet, sauf peut-être ton mari !

— Et le lasso ! répondit-elle gaiement.

Teddy Hubbs repoussa Pike avec une feinte brutalité.

— Lâche un peu la mariée, vieux brigand ! Jane, ajouta-t-il en souriant, ce n'est pas parce que tu es mariée que tu dois oublier qui t'a appris l'harmonica ! Passe au dortoir si tu veux d'autres leçons ! D'accord ?

— D'accord.

À son tour, Corky écarta Teddy et eut un clin d'œil.

— C'est pas parce que tu as épousé le patron qu'il faut croire que la prochaine fois je te ferai des petits plats ! Haricots, biscuits et ragoût, comme d'habitude !

— Je ne me plaindrai pas.

— Et ne t'inquiète pas pour Sunny, je la ramènerai aux Quatre-Vents. Elle et moi sommes devenus bons amis.

— Merci, Corky.

Les autres l'embrassèrent un par un, serrèrent la main de Chase, et leur souhaitèrent tout le bonheur possible. Jane les remercia, tout en attendant que son époux l'emmène, qu'ils puissent être un peu seuls.

Puis Julio fit son apparition.

— Je vous souhaite beaucoup de bonheur, *señora* Dupré, dit-il avant d'effleurer sa joue. Tu es un homme heureux, mon ami, ajouta-t-il à l'adresse de Chase.

— Je sais, Julio, répondit celui-ci. Merci.

Shane Grogan la serra à l'étouffer.

— Petit têtard ! Je n'ai rien vu d'aussi joli depuis que j'ai épousé ma Molly !

Celle-ci s'essuya les yeux avec son mouchoir.

— Superbe ! C'est tout simplement superbe !

— Madame Grogan, je ne pourrai jamais vous remercier assez de ce que vous avez fait.

— Ce n'est rien ! J'en ai été ravie ! Monsieur Grogan, ne croyez-vous pas qu'il serait temps de leur montrer notre cadeau ?

Ils quittèrent donc la ville avec les Grogan dans un buggy de location. Jane était assise, un peu raide, à côté de Chase. Elle aurait aimé se rapprocher de lui, mais se sentait bizarrement intimidée et peu sûre d'elle, au point d'avoir peur de le regarder. Et il ne lui avait pas dit un mot depuis qu'il l'avait aidée à monter. Le trajet semblait interminable. Rien d'autre à voir que de l'herbe, des kilomètres et des kilomètres d'herbe ondulante…

C'est donc de nulle part que parut sortir une demeure blanche à deux étages, avec des volets à chaque vitre, et une cour entourée d'une grille de fer forgé. On avait planté des arbres et des parterres de fleurs, les bâtiments annexes, passés à la chaux, semblaient flambant neufs. Un étalon trottait dans un corral, agitant la queue.

— Quel est cet endroit ? chuchota Jane.

— Je n'en sais rien, répondit Chase, perplexe.

Grogan arrêta le buggy devant le portail menant à la demeure, sauta à terre, aida Molly à descendre, puis se tourna vers les mariés avec un sourire satisfait.

— Alors ? Qu'en pensez-vous ? dit-il avec un grand geste.

— Elle est jolie, dit Chase. À quoi joues-tu, Grogan ?

— Jolie ! C'est tout ce que tu trouves à dire ? Belle façon de parler de l'endroit où vous allez passer votre lune de miel !

À voir le visage de Chase, il était clair que Grogan lui paraissait devenu fou.

Molly donna un coup de coude à son mari.

— Monsieur Grogan, aidez donc la mariée à descendre, et emmenons-les visiter les lieux.

D'un bond, le négociant s'empara de Jane et la souleva. Elle regarda la demeure, sans savoir que dire ni que faire, un peu comme si elle se retrouvait dans le rêve de quelqu'un d'autre. Comme tous se dirigeaient vers le bâtiment, la porte d'entrée de celui-ci s'ouvrit : un homme et deux femmes en sortirent. Le premier,

en habit, d'âge mûr, avait une petite moustache soigneusement taillée, ses compagnes – une du même
âge que lui, l'autre à peine plus vieille que Jane – por-
taient de longues robes, des bonnets et des tabliers
blancs.

— Madame Dupré, voici Thompson, votre maître
d'hôtel.

Il s'inclina avec élégance.

— À votre service, madame.

— Et voici Clara…

— Comment allez-vous, madame ?

— … ainsi que Bernice.

La plus jeune des deux femmes sourit.

— Nous sommes heureux de vous accueillir au
Lucky W, madame. Si vous avez besoin de quoi que
ce soit, appelez-moi !

Chase arriva en bas du porche alors que les présentations prenaient fin.

— Grogan, qu'est-ce que c'est que cette histoire ?

Le visage rond de Shane prit une expression ravie.

— Il se trouve que mon vieil ami Charles Weatherspoon, propriétaire du Lucky W, cette magnifique demeure, m'en a laissé l'usage pendant qu'il est
retourné dans son Angleterre natale. « Grogan, m'a-
t-il dit en partant, faites comme chez vous : vous êtes
celui en qui j'ai le plus confiance. » Elle sera donc à
vous deux aussi longtemps que vous le voudrez !

Thompson s'inclina devant Chase :

— Monsieur, si vous et votre épouse voulez bien
entrer, Clara vous a préparé du thé que nous vous
servirons au salon.

Chase regarda Jane. De toute évidence, celle-ci
mourait d'envie de visiter les lieux. De toute façon, ce
serait forcément mieux qu'à l'hôtel, et plus intime !

— Allons, monsieur Grogan, dit Molly en tirant son
mari par la manche, il est temps d'y aller ! Laissons ces
deux enfants tranquilles, ils n'ont pas besoin de nous !

— On peut rester ? demanda Jane à Chase.

Comment lui refuser quoi que ce soit ? Elle était toute rose, ses yeux pétillaient d'enthousiasme.

— Oui, si tu le veux, répondit-il en souriant.

— Oh oui, oui !

— Suivez-moi, dit Thompson en les précédant dans la demeure.

Le vestibule était plus grand que la chambre de Jane aux Quatre-Vents. Un escalier en spirale, à la balustrade de noyer, menait à l'étage. Des deux côtés, des portes donnaient sur des pièces spacieuses aux plafonds très hauts. Le lustre en cristal était orné de scènes peintes évoquant l'Ouest – cerfs, bisons, ours, montagnes couvertes de neige, prairies…

— Le salon est par ici.

C'était une salle immense, avec à chaque bout une cheminée au manteau orné de cerisier, sur lequel étaient posées des figurines en porcelaine de Saxe. Un épais tapis couvrait le parquet luisant, un piano à queue était installé dans un coin. Thompson leur indiqua les chaises qu'ils devaient occuper ; ils obéirent sans mot dire.

Clara entra, bien droite, marchant à petits pas rapides, le visage impassible, portant un plateau d'argent qu'elle posa sur une table basse, puis leur servit le thé dans des tasses de porcelaine, non sans y ajouter une copieuse ration de crème. Elle disposa également des scones ruisselants de miel, puis recula de quelques pas.

— Si vous ou votre épouse avez besoin de quoi que ce soit, appelez-moi, dit Thompson. Bernice va s'occuper de vos bagages.

Il s'inclina, fit demi-tour et quitta la pièce.

Jane et Chase se regardèrent, aussi stupéfaits l'un que l'autre, puis se mirent à glousser, avant d'éclater de rire, au point d'en avoir les larmes aux yeux. Elle posa la main sur son bras :

— Restons discrets, cela leur ferait de la peine.

Bien entendu, cela ne fit que renforcer l'allégresse de Chase. Tout cela était absurde ! Ils venaient à peine d'amener un troupeau en ville, et voilà qu'ils se retrouvaient à prendre le thé dans une demeure seigneuriale anglaise perdue dans les plaines du Wyoming !

Puis il vit Jane prendre délicatement sa tasse, et tout d'un coup la scène lui parut beaucoup moins ridicule. Sa robe de mariée était parfaitement seyante dans un tel décor. Elle aurait tout à fait pu être l'épouse d'un lord anglais ! Mais c'était la sienne.

Jane leva la tasse mais, comme elle la portait à ses lèvres, elle s'interrompit, ouvrant de grands yeux où l'on lisait à la fois l'émerveillement, la peur, la tendresse et l'amour.

Chase se pencha vers elle jusqu'à ce que leurs lèvres soient toutes proches.

— Tu as faim ? demanda-t-il d'une voix rauque.

Elle fit non de la tête.

— Moi non plus.

Il eut l'impression que le sang lui battait aux tempes, fut envahi par le désir de la serrer contre lui, de l'embrasser, mais se contint : il fallait que ce soit une journée et une nuit mémorables – pour lui, mais surtout pour Jane.

— Madame Dupré, chuchota-t-il en lui prenant la main, je crois qu'il est temps de découvrir notre chambre.

27

Une lumière dorée filtrait à travers les rideaux de dentelle blanche des fenêtres, au-dessus desquelles des panneaux de verre coloré jetaient des motifs pourpres, verts et bleus sur la courtepointe du grand lit à baldaquin.

Jane était entrée dans la pièce portée par Chase. Sa tête reposait contre la poitrine de son époux, elle sentait battre son cœur. Fermant la porte d'un coup de talon, il la conduisit vers le lit et l'y déposa avec douceur.

Ne sachant que faire, elle contempla le parquet. La gaieté qu'ils avaient éprouvée en bas cédait la place à quelque chose que les mots ne pouvaient exprimer.

— Madame Dupré ?

Elle leva lentement les yeux. Il était si beau, si fort ! Il faudrait qu'elle se souvienne toujours de lui à cet instant, plein de tendresse, les yeux fiévreux. Elle trembla, sans pour autant ressentir la moindre crainte.

Chase prit son visage entre ses mains, dont Jane sentit les cals et les cicatrices contre ses joues. Elle cessa de respirer tandis que leurs lèvres se rapprochaient. L'impatience lui faisait battre le cœur. Pourrait-elle en supporter davantage ? Elle ferma les yeux et resta aussi immobile qu'une statue pendant qu'il l'embrassait de plus en plus passionnément. Ses mains glissèrent lentement, lentement, de ses joues à sa gorge, à ses épaules, à ses bras, avant de remonter. Elle faillit gémir en le sentant caresser ses seins à travers l'étoffe de satin ; elle n'avait plus aucune volonté. Quelle importance ?

La bouche de Chase quitta la sienne ; sentant qu'il la regardait, elle rouvrit les paupières. Les siennes étaient mi-closes, il avait dans les yeux une étrange chaleur. Captivée, Jane eut l'impression de nager dans une mer de saphir.

Les mains de Chase encerclèrent sa taille, glissèrent sur ses hanches, sans qu'il cessât de la contempler. Partout où il la touchait, elle avait l'impression de brûler – paradis et torture en même temps.

— Ne faudrait-il pas… fermer les volets ? demanda-t-elle d'une voix faible.

Il l'embrassa sur la gorge, lui mordilla une oreille :

— Certainement pas ! N'essaie pas de te cacher ! Tu es trop belle pour rester dans le noir.

Puis il se plaça derrière elle, défit un à un chaque bouton de sa robe, non sans déposer sur sa nuque des baisers qui étaient autant de décharges électriques. Elle ferma les yeux pour mieux les savourer. Au bout d'un moment, les doigts de Chase s'interrompirent ; Jane attendit, dévorée de désir. Elle aurait voulu faire volte-face, se jeter dans ses bras, se fondre en lui.

Des mains tièdes touchèrent son dos nu, glissèrent langoureusement vers ses épaules, tout en lui ouvrant son corset, ôtèrent les épingles retenant sa chevelure, qui tomba en un nuage blond doré.

Il vint se placer devant elle.

— Regarde-moi, Jane, dit-il dans un souffle.

Elle obéit.

Il eut une expression si intense qu'elle en était presque effrayante. Elle eut l'impression de ne pas le reconnaître; elle l'aimait, pourtant il était comme un étranger.

Il ôta sa veste, sa cravate, son col, sa chemise. Les mains de Jane vinrent d'elles-mêmes caresser avec hésitation sa poitrine musclée. Elle l'avait vu plus d'une fois torse nu, ruisselant de sueur, quand il travaillait, mais aussi lorsqu'elle avait soigné ses blessures. Mais cette fois ce n'était pas pareil.

Elle caressa la cicatrice qui, au côté gauche, témoignait de la fureur du grizzly, du miracle de la vie. Elle aurait pu le perdre! Mais il était là, il était à lui. Jane se sentit aveuglée par les larmes.

— Chase... chuchota-t-elle d'une voix étranglée.

Il la serra contre lui. Pour la première fois, leurs corps se touchaient. Elle aurait dû en être émerveillée, mais cela lui parut simplement la chose la plus naturelle du monde. Il l'embrassa, repoussa d'une main robe et jupons, lui ôta sa lingerie de coton. Tout ce qu'elle portait gisait désormais sur le tapis.

Jane n'ouvrit pas les yeux pendant qu'il s'éloignait un instant, sachant qu'il achevait de se dévêtir. Elle aurait voulu regarder, le contempler dans sa glorieuse nudité, mais n'en avait pas le courage.

Il vint s'étendre à côté d'elle.

— Ah, Jane, murmura-t-il, je te désire depuis si longtemps.

Les lèvres de Chase se posèrent sur ses seins, traçant paresseusement un cercle autour des aréoles. Elle plongea les doigts dans ses épaisses boucles brunes. Cherchait-elle à le retenir, ou à le repousser? Comment savoir?

Elle chuchota son nom.

Les mains de Chase caressèrent son corps, lentement, tendrement. N'en pouvant plus, elle se serra contre lui.

— Chase, je t'aime tant...

Et soudain il se retrouva au-dessus d'elle. Elle le serra follement dans ses bras.

Des muscles qui se tendent.

Deux corps qui se dressent et qui retombent.

Des mains qui caressent.

Des mots tendres murmurés.

Un acte primitif que l'amour transformait en merveille.

Repus, ils restèrent sans bouger, bras et jambes mêlés, en attendant de reprendre leur souffle.

Rien n'avait préparé Jane à ce qu'elle venait de découvrir. Elle pensa être une fleur qui s'épanouit, ouvre ses pétales ; Chase était son soleil, lui donnant sa lumière, sa chaleur, sa raison de vivre. Elle l'entendit soupirer de satisfaction et sourit intérieurement.

— À quoi penses-tu ? demanda-t-il doucement.

Elle ouvrit les yeux pour le contempler, tendit la main pour caresser un de ses sourcils.

— Je me demandais si c'était toujours comme ça ?

— Non, répondit-il en l'enlaçant. C'est meilleur à chaque fois.

Il déposa un baiser sur sa tempe.

Jane posa la tête sur son torse.

— Chase, je t'aime.

Elle sentit son propre cœur battre, puis ralentir. Il lui avait déjà tant donné, mais elle en voulait davantage. Allait-il se décider à le lui offrir ?

— Je sais, répondit-il en lui caressant les cheveux. Mais ne me demande pas de donner ce que je n'ai plus. Ne l'espère pas, prends ce que je peux t'offrir. Nous pouvons être heureux. Mais…

Il n'acheva pas sa phrase.

Elle n'osa pas lever les yeux : il était trop ému pour qu'elle puisse affronter son regard. Elle hocha la tête, caressa sa poitrine. Elle serait patiente, au besoin passerait sa vie à lui apprendre à avoir confiance, à l'aimer.

Encore dans les bras l'un de l'autre, ils plongèrent dans le sommeil.

28

Quand Jane se réveilla, le crépuscule étendait déjà son manteau gris dans la pièce. Sa tête était posée sur l'épaule de Chase, son bras en travers de son torse. Elle ouvrit les yeux lentement, s'efforçant de ne pas bouger, pour mieux savourer la sensation d'être à côté de son époux. Mais son estomac criait famine.

— J'ai cru que tu n'émergerais jamais ! s'exclama Chase. Je meurs de faim ! Ou nous nous levons pour aller nous restaurer, ou je trouve ma satisfaction ici même ! ajouta-t-il en l'attirant contre lui. À toi de choisir.

Elle avait faim – mais n'était-ce pas de Chase ?

— Ne puis-je pas avoir les deux à la fois ? demanda-t-elle en rougissant un peu.

— Petite créature avide ! lança-t-il avant de lui claquer les fesses et de se lever.

Jane le suivit des yeux. Le haut du corps était bronzé, le bas très blanc – mais tout aussi musclé. Elle aimait le voir se déplacer ainsi. Souple, fort, peut-être dangereux. Un vrai lion.

— Alors, tu viens ?

Rejetant la couverture, elle se leva à son tour. Chase, qui s'habillait, s'interrompit pour l'admirer. Comme elle allait se vêtir à son tour, il la souleva de terre et la serra contre lui.

Il n'y avait plus d'humour dans ses yeux et, dans la faible lumière du crépuscule, Jane eut presque l'impression de pouvoir lire dans son âme – tout en se demandant si elle pourrait y comprendre quelque chose.

— Je garderai toujours le souvenir de cette journée, dit-il d'un air sombre. Tu m'as fait un cadeau merveilleux. Tu ne sauras jamais...

Elle ne trouva rien à répondre et se contenta de le regarder.

— Habille-toi, dit-il en la reposant à terre.

Ce qu'elle fit, non sans laisser sa chevelure tomber librement dans son dos. Puis, comme deux enfants, ils sortirent de la chambre et, se tenant par la main, descendirent furtivement l'escalier en quête de quelque chose à manger.

Ils finirent par trouver la cuisine, à l'arrière de la demeure. Tandis qu'elle cherchait une miche de pain, il se dirigea vers le réfrigérateur et venait d'en extraire du fromage et un peu de bœuf froid quand une porte s'ouvrit brusquement.

— Que se passe-t-il ? demanda une voix.

Chase et Jane firent demi-tour en même temps, l'air un peu gêné.

Thompson tenait une lampe au-dessus de sa tête.

— Grands dieux ! s'exclama-t-il. Monsieur, vous auriez dû m'appeler !

De toute évidence, il était consterné de voir ses invités lancer un raid sur la cuisine – d'autant plus que Jane était en chemise de nuit et Chase vêtu d'un simple pantalon...

— Navrés de vous avoir réveillé, Thompson ! dit-il.

Le maître d'hôtel parut franchement insulté.

— Il n'en est rien, Monsieur ! J'attendais simplement que vous me convoquiez. Bernice, lança-t-il par-dessus son épaule, ce ne sont pas des rôdeurs, mais les invités de lord Weatherspoon. Ils ont faim, procurez-leur de quoi se restaurer!

La jeune femme se précipita dans la cuisine, le bonnet un peu de travers et le visage inquiet.

— Allons, allons, dit Jane en toute hâte, ne vous donnez pas cette peine pour nous. Cela nous suffira, ajouta-t-elle en montrant le pain, le fromage et la viande froide.

Thompson leva des sourcils étonnés.

— Monsieur?

— Ma femme a raison, Thompson. Nous nous occuperons de tout, nous ne voulons pas vous déranger.

Le maître d'hôtel eut une brève grimace indiquant que tout cela ne lui semblait pas très convenable, mais qu'étant un simple serviteur il lui fallait obéir.

— Si c'est ce que vous désirez, Monsieur, dit-il avec un soupir résigné, il en ira comme vous voudrez. Venez, Bernice.

— Je suis désolée, Madame, dit la jeune bonne à Jane. J'ai entendu du bruit et j'ai eu peur.

— Ne vous excusez pas! répondit Jane en souriant. Bonne nuit!

— Bonne nuit, messieurs-dames! répondit Bernice en s'inclinant, avant de disparaître en toute hâte.

— Thompson doit tout régenter d'une main de fer! dit Chase, une lueur amusée dans les yeux.

— Je crois qu'ils ne savent pas trop comment nous prendre.

S'emparant d'un couteau, Chase le planta dans le fromage.

— Je sais ce que nous allons faire. D'abord nous apaisons une faim... puis nous ferons de même pour l'autre.

Le lendemain, quand Jane s'éveilla, il était près de midi. Elle ne se souvenait pas d'avoir jamais dormi si tard.

Elle ne fut guère surprise de se retrouver seule. Chase lui reviendrait bientôt. Se glissant sous les couvertures, elle mit les mains sous sa nuque et eut un soupir ravi, se sentant si heureuse qu'elle aurait pu ronronner.

La porte de leur chambre s'ouvrit, Chase entra, portant un plateau d'argent.

— Votre petit déjeuner, madame, annonça-t-il d'un ton solennel.

Jane se rendit compte que, de nouveau, elle mourait de faim, et s'assit dans le lit.

— J'espère qu'au moins tu n'as pas pillé le réfrigérateur ?

— Croiriez-vous que je sois un voleur, madame ? Sachez que Clara a préparé ces modestes agapes pour la rougissante épouse.

Il posa le plateau sur les genoux de Jane, puis s'assit à côté d'elle.

— Dépêche-toi de manger, chérie, j'aimerais jeter un coup d'œil sur cette maison. Notre visite ne durera pas éternellement.

— Combien de temps pouvons-nous rester ? demanda-t-elle en attaquant des œufs brouillés.

Comme il ne répondait pas, elle leva les yeux et vit qu'il l'observait.

Les yeux bleus peuvent être si froids, pensa-t-elle, *mais pas ceux-ci. Oh, Chase, pourquoi ne comprends-tu pas que tu m'aimes ?*

— Tu voudrais rester, hein ?

— Seulement si tu en as envie, Chase.

Il lui caressa les cheveux :

— Tu es mon meilleur cow-boy, je ne veux pas que tu te transformes en fleur de serre en te laissant aller.

— Chase Dupré, bon sang de bonsoir ! Tu sais parfaitement que...

Il éclata de rire :

— Je le sais, en effet ! Mange !

Il alla à la fenêtre et contempla le paysage un moment avant de répondre enfin à sa question.

— Disons deux semaines, Jane, pas davantage. Il faut que nous rentrions assez tôt aux Quatre-Vents, sinon tante Enid va s'inquiéter.

Elle ne discuta pas : cela suffirait. Tout cela était merveilleux, un vrai conte de fées. Mais elle aussi voulait repartir.

Chez elle. Pas seulement parce que des gens pleins de bonté avaient eu pitié d'une pauvre orpheline. Mais parce que c'était *son* foyer. Et celui de Chase. *Mme Dupré !*

Oui, elle retournerait là-bas avec lui. Elle irait partout avec Chase Dupré.

Bien emmitouflés pour se protéger du vent froid qui, venu de l'ouest, soufflait ce matin-là sur le domaine, Chase et Jane entamèrent leurs explorations en se rendant dans les écuries. De toute évidence, Lord Weatherspoon n'avait pas regardé à la dépense, là comme ailleurs. Chase n'avait jamais rien vu d'aussi somptueux.

L'étalon qu'ils avaient vu la veille en arrivant était resté dans la grange. Dès qu'ils en ouvrirent la porte, il passa la tête par-dessus les parois de son box et hennit. Main dans la main, ils s'avancèrent vers lui.

— Salut, fils, dit Chase en posant prudemment la main sur son cou.

L'animal recula brusquement et se tourna de côté, comme s'il présentait son meilleur profil à un photographe. Sa robe d'un roux tirant sur le brun luisait, sa crinière et sa queue, également noires, avaient été peignées avec soin. Il renifla, puis frappa le sol du sabot à trois reprises.

— Jane, il fait le beau pour toi ! Regarde-le ! Tu as l'air de savoir reconnaître les jolies filles, mon gars !

— Un beau cheval, hein ? lança une voix.

Ils firent volte-face.

À peine plus grand que Jane, l'homme s'avança. Il était vêtu d'un costume de laine élimé, coiffé d'un chapeau qui avait connu des jours meilleurs. Il avait une petite moustache, des yeux gris très vifs.

— J'm'appelle Smith, Hezekiah Smith, dit-il avec un fort accent de l'Ouest jurant avec sa tenue très anglaise.

Il tendit la main à Chase.

— Je suis le palefrenier du Lucky W. Vous êtes un parent de Grogan ?

— Un ami, répondit Chase en lui serrant la main.

— Parents, amis… c'est du pareil au même !

Il se tourna vers Jane.

— Vous aimez les chevaux, ma petite dame ?

Elle hocha la tête.

— Alors, venez voir celui-là !

Il se dirigea vers l'autre bout de la grange, s'arrêtant devant le dernier box. Il en ouvrit la moitié de porte supérieure et fit signe à Jane de s'approcher.

Une jument et son poulain étaient étendus sur de la paille fraîche. Tous deux avaient la même robe gris argent.

— Elle, c'est Sheba, et le petit c'est Jéricho ! Qu'est-ce que vous en dites ?

— Ils sont superbes ! répondit Jane. Je peux entrer ?

— Sûr !

Chase la vit s'agenouiller dans la paille et se souvint brusquement de la nuit pendant laquelle Wichita était née. Jane n'était alors qu'une orpheline qu'il venait de gagner au poker, et qui n'avait nulle part où aller. Et de nouveau voilà qu'elle caressait un poulain à peine né. Mais cette fois, elle était devenue une femme. Ses cheveux – si courts, à l'époque – lui tombaient désormais jusqu'aux hanches. Elle n'avait plus de taches de rousseur et son teint était de lait.

Il sentit comme une boule dans sa gorge. Si jamais il la perdait...

— Regarde-le, Chase! lança-t-elle.

Il voulut se protéger, s'endurcir, mais c'était trop tard. Contre sa propre volonté, il était tombé amoureux de sa femme.

Oserait-il le lui dire un jour?

29

Vers la fin de la première semaine, Pike, Teddy et Corky s'arrêtèrent au Lucky W. Tous trois repartaient vers le nord et les Quatre-Vents, avec ce qu'ils avaient conservé de chevaux.

— Prenez votre temps ! dit Pike à Chase. On pourra s'occuper du ranch, on l'a déjà fait.

Corky eut un clin d'œil à l'adresse de Jane.

— Il te traite bien, au moins ? Sinon, dis-le moi et je lui ferai comprendre !

— Il me traite tout à fait bien, Corky, répondit-elle en rosissant.

Les autres gloussèrent, un peu gênés tout d'un coup.

— On ferait mieux d'y aller, dit Pike. Comme je vous l'ai dit, prenez votre temps, vous pouvez rester ici jusqu'au printemps ! On se chargera de tout.

Tous deux regardèrent leurs visiteurs s'éloigner.

— On pourrait rester plus longtemps, si tu le désires, dit Chase.

Elle contempla le paysage, où le vent d'automne faisait onduler l'herbe haute, sachant que jamais ils ne seraient aussi tranquilles qu'ici. Une fois de retour aux Quatre-Vents, ils seraient trop affairés, trop entourés. Pourraient-ils, en milieu de journée, se glisser dans leur chambre pour rester des heures entières dans les bras l'un de l'autre ?

Mais elle avait envie de retrouver son foyer. C'était là qu'elle devait être. Comme lui, avec lui.

— Non. Je te suivrai dès que tu voudras partir.

Il y eut comme une lueur d'orgueil dans les yeux saphir. Il se pencha pour l'embrasser derrière l'oreille.

— À vrai dire… je ne suis pas trop pressé.

Puis il eut une idée.

— Si on allait en ville voir Shane et Molly?

— Oh oui!

— Change-toi pendant que je prépare les chevaux.

Moins d'une demi-heure plus tard, ils se dirigeaient vers Cheyenne. Le temps froid avait cédé la place à une douceur automnale.

Ils arrivèrent sans encombre devant le bureau de Shane Grogan. Sautant à terre, Jane monta sur le trottoir de bois tandis que Chase attachait les rênes de leurs montures.

— Bonjour! lança-t-il en entrant, tandis que la clochette résonnait.

Pas de réponse.

— Il y a quelqu'un? dit-il en s'avançant vers le rideau séparant le bureau de la maison proprement dite.

— Ils sont peut-être allés voir les bêtes dans leur enclos? demanda Jane.

— Allons-y.

C'est en sortant qu'ils aperçurent Molly, qui venait dans leur direction. Elle marchait tête baissée et ce n'est qu'en arrivant qu'elle les aperçut.

— Mon Dieu! s'écria-t-elle. Vous m'avez fait peur!

Puis elle sourit.

— Je vois que vous êtes gais comme des pinsons! Qu'est-ce qui vous amène en ville si tôt?

— Grogan et vous.

— Grogan? Vous êtes entrés?

— Oui, personne n'a répondu.

— Alors, c'est qu'il dort. Venez.

— Dormir ? demanda Jane, surprise. En plein milieu de la journée ?

— Ah, il a eu des ennuis. Le médecin dit qu'il ira bien dans un mois, mais devoir attendre le rend fou.

Molly entra, les conduisit dans la cuisine et leur fit signe de s'asseoir.

— Je vais voir comment il est.

Elle revint au bout d'un instant.

— Il veut vous voir, Chase. Venez aussi, Jane.

La chambre des Grogan contenait avec difficulté un lit et une armoire ; y loger trois personnes fut un peu difficile.

L'énorme torse de Shane Grogan était entièrement couvert de bandages, sa jambe droite, hérissée d'attelles, reposait sur des oreillers. Sa peau aurait été très pâle sans ses multiples bleus.

— Qu'est-ce qui t'est arrivé ? demanda Chase.

— J'ai eu une discussion avec un vieux *longhorn*, et c'est lui qui a gagné.

— Raconte-moi tout !

— Il n'y a pas grand-chose à dire. Il s'est un peu énervé et j'étais sur le chemin de ses cornes. J'ai tenté de me sortir de là avant qu'il ne recommence, mais j'étais trop lent. Le toubib dit que j'ai une perforation assez sérieuse, quelques côtes brisées, et une jambe en compote.

Il sourit en regardant Jane.

— Toujours aussi jolie, petit têtard !

Il tenta de changer de position et grimaça.

— Chase, j'ai une faveur à te demander.

— Tout ce que tu veux, Shane, tu le sais.

— Le troupeau de Gypsy Creek sera là la semaine prochaine, et j'ai entendu dire que celui du Davis Bar n'était pas loin derrière. J'ai besoin de quelqu'un pour agir en mon nom : si je ne suis pas là pour acheter, ils sont bien fichus de charger les bêtes dans des wagons et d'aller les vendre eux-mêmes ! Je me retrouverais sur la paille. Peux-tu rester quelques semaines de plus pour m'aider ?

Chase regarda Jane qui hocha la tête.

— Bien sûr, Shane, répondit-il. J'en serais ravi.

— Merci ! soupira Grogan, qui ferma les yeux.

Chase se rendit donc à Cheyenne chaque jour. Parfois, Jane l'accompagnait, et passait la journée avec Molly, parfois elle restait au Lucky W, à discuter avec Hezekiah Smith tandis qu'il bouchonnait les chevaux, ou à lire un livre pris dans l'imposante bibliothèque de la demeure. Le soir, quand Chase rentrait, Clara leur servait à dîner.

Jane se disait souvent que c'étaient ses moments préférés, quand tous deux étaient assis de chaque côté de la grande table, à la lueur des bougies, à se raconter ce qui s'était passé. Cela faisait deux semaines qu'ils étaient mariés, mais on aurait cru que cela durait depuis toujours. Il lui arrivait de savoir ce qu'il allait dire avant qu'il ouvre la bouche. Quel sentiment merveilleux que d'être uni à quelqu'un au point de partager ses pensées, de faire partie de lui.

Les jours s'écoulèrent ainsi les uns après les autres.

Un vent glacé soufflait sur la demeure, où Jane errait d'une pièce à l'autre, se sentant seule et perdue. En fin d'après-midi, Chase lui avait fait parvenir un message : il ne pourrait rentrer que le lendemain, en fin de matinée, car le troupeau de Gypsy Creek venait d'arriver, et il n'en aurait terminé que très tard.

D'un seul coup l'énorme maison lui paraissait beaucoup trop vaste. Trop de chambres, toutes vides… Si seulement elle avait accompagné Chase ce matin-là ! Mais il n'y avait plus rien à faire.

Elle se mit au lit seule, arrangeant les oreillers à plusieurs reprises pour se sentir plus à l'aise, mais en vain. Ce n'est pas seulement la passion, qu'elle venait de découvrir, qui lui manquait, mais aussi la chaleur, la sécurité, le sentiment de ne faire qu'un avec Chase.

Elle resta allongée dans le noir, écoutant le vent battre contre les fenêtres, espérant qu'enfin le sommeil viendrait.

Jane se réveilla en sursaut, le cœur battant à tout rompre, au sortir d'un cauchemar qui lui faisait redouter de quitter le lit, et même de bouger. Elle ne se rappelait pas son rêve ; seule la terreur qu'il avait suscitée lui restait. Elle serra un oreiller contre sa poitrine et tenta de reprendre son souffle.

Puis elle cessa de respirer d'un coup. Elle n'était pas seule.

Jane scruta la pénombre, en quête d'une ombre suspecte. Rien – et pourtant…

— Qui est là ? lança-t-elle d'une voix qu'elle espérait assurée.

Pas de réponse. Rien ne bougea.

Jane se sentit très sotte : le cauchemar la terrifiait encore après son réveil ! Peut-être pourrait-elle en dissiper le souvenir si elle pensait à des choses agréables ?

Chase, bien sûr ! Pourtant, ce n'est pas à l'homme fait qu'elle venait d'épouser que Jane songea, mais à celui, plus jeune, rencontré dans le saloon. Sûr de lui, les yeux bleus, des sourcils et des cheveux bruns, des traits affirmés. Qui souriait avec tant d'aisance. Celui dont elle était tombée amoureuse dès le premier jour, qu'elle avait connu avant son départ pour le Texas. Et qui en était revenu furieux, blessé, amer.

Cette image pâlit, céda la place à celui qui était désormais son époux. L'amant si tendre, aux mains si douces… Comme le Chase d'autrefois, mais encore meilleur !

Elle l'avait aimé envers et contre tout, et jamais l'amour ne lui avait fait défaut.

La silhouette d'un homme sortit de l'ombre pour venir se découper nettement devant la fenêtre, bien que la nuit fût sans lune.

Elle en eut le souffle coupé.

— Un par un, dit une voix rauque qu'on entendait à peine par-dessus le sifflement du vent. Les Dupré paieront un par un...

L'ombre ouvrit la fenêtre et sortit sur le toit de la véranda avant que Jane puisse retrouver sa voix. Elle hurla, folle de peur.

La porte s'ouvrit presque aussitôt : Thompson entra en courant, suivi d'Hezekiah.

— Que se passe-t-il, madame ? demanda le maître d'hôtel en allumant une lampe.

— La... la fenêtre... balbutia-t-elle en la désignant du doigt.

Hezekiah s'y précipita et jeta un coup d'œil dehors avant de la refermer.

— C'est simplement l'orage.

— Non, non ! Il y avait quelqu'un... un homme... ici, dans ma chambre !

Les deux hommes échangèrent un regard tandis que Bernice et Clara survenaient, livides.

— Prenez soin de madame, lança Hezekiah d'un ton bourru. Thompson et moi allons inspecter les environs.

Bernice alla s'asseoir sur le lit et posa le bras sur les épaules de Jane.

— Que s'est-il passé, madame ?

Jane s'agita, s'efforçant d'apaiser la panique qui menaçait de la rendre folle.

— J'ai été réveillée par... un mauvais rêve ou le vent. Et il y avait... un homme dans ma chambre.

— C'est peut-être votre cauchemar qui vous a fait voir des choses, madame, intervint Clara. Je vais vous chercher un peu de lait chaud.

— Étendez-vous, et je vais vous border, dit Bernice en arrangeant les oreillers.

— Je vais très bien! s'écria Jane, refusant de passer pour une pauvre enfant craintive terrifiée par l'orage. Je vais m'habiller!

— Madame Dupré, s'il y a quelqu'un dehors, ne vaudrait-il pas mieux rester ici? Thompson et monsieur Smith sont en train de patrouiller, ils vous diront s'ils ont trouvé quelque chose.

La voix de la jeune femme tremblait; la regardant, Jane vit qu'elle était blanche comme un linge – ses grands yeux verts étaient écarquillés, comme si *elle* avait eu un cauchemar.

Jane se remit au lit.

— D'accord, Bernice. Vous avez peut-être raison. Laissons les hommes s'occuper de tout.

— Cela vaudra mieux, madame. Détendez-vous, n'y pensez plus. Clara va revenir tout de suite. Je vais vous tenir compagnie en attendant.

Jane passa une nuit agitée, se retournant sans arrêt dans son lit, entendant toujours la voix… *Un par un… les Dupré paieront un par un… Un par un… les Dupré paieront un par un… Les Dupré paieront…*

Il lui revint ce sentiment qu'elle avait éprouvé le jour de la mort de Rodney. Elle chercha une raison à la présence de l'intrus, mais en vain.

Qui était-il? Que voulait-il dire? Pourquoi était-il là? Comment voulait-il les faire payer?

Thompson et Hezekiah ne purent trouver le moindre signe de son passage, cette nuit-là ou le lendemain matin. Le maître d'hôtel, sans bien sûr le dire expressément, laissa clairement entendre qu'elle avait rêvé.

Mais Jane savait bien que non, et il fallait qu'elle sache. À l'aube, elle s'habilla en hâte et examina l'endroit situé en dessous de sa fenêtre. Il y avait forcément une trace quelque part, elle chercherait jusqu'à ce qu'elle la trouve.

Elle était à genoux sur le sol quand Chase entra dans la cour. Thompson vint l'accueillir et lui dit quelques mots. Fronçant les sourcils, Chase regarda dans sa direction, hocha la tête d'un air sombre et vint vers elle.

Jane se releva, frotta les fragments de terre qui lui restaient collés aux mains et attendit.

Il la saisit par les épaules.

— Thompson me dit qu'il s'est passé quelque chose cette nuit ?

— Il a dû te raconter que j'avais fait un cauchemar et réveillé toute la maison ! Mais je ne suis pas folle, et ce n'était pas un rêve : il y avait un homme dans ma chambre.

— Chérie, je ne pense pas que tu sois folle, et si tu dis qu'il y avait quelqu'un, je te crois.

Elle se sentit un peu soulagée.

— Vraiment ?

— Vraiment. Dis-moi ce qui s'est passé.

Elle contempla la véranda et la fenêtre de sa chambre.

— J'ai été réveillée par je ne sais quoi. J'ai fait un cauchemar, mais je ne m'en souviens pas. J'ai aussitôt pensé que quelqu'un était là. Mais le vent soufflait, mon mauvais rêve m'avait secouée, j'ai pensé que je me faisais des idées.

Elle frémit en songeant à l'apparition de l'inconnu devant la fenêtre, à sa voix rauque.

— Il faisait si sombre que je m'étonne de l'avoir vu. Ce n'était qu'une ombre immobile. Puis il a dit : « Un par un… les Dupré paieront un par un… » Ensuite il est sorti par la fenêtre. Chase, qu'est-ce que tout cela veut dire ?

Il la serra contre lui, l'air préoccupé.

— Je n'en sais rien, Jane, mais en tout cas je ne veux pas que tu ailles où que ce soit seule. À partir de maintenant, tu resteras à la maison quand je serai absent. Reste en compagnie de Bernice jusqu'à ce que nous sachions ce qui se passe. Je ne laisserai personne toucher à la plus jolie des Dupré !

Elle fut insensible à la plaisanterie, comprenant simplement qu'elle allait se retrouver prisonnière dans la demeure. Il y eut un éclair dans ses yeux.

— Chase Dupré, crois-tu que je vais rester enfermée parce qu'un fou se promène aux environs et s'amuse à nous menacer ? Il m'a fait peur et je compte bien le retrouver !

— S'il t'a effrayée, raison de plus pour que tu fasses ce que je te dis ! lança Chase, têtu.

— Tu veux m'enfermer dans cette maison !

Faisant volte-face, elle partit à grands pas vers la grange, l'estomac noué. Pourquoi s'être énervée à ce point ? Elle aurait dû être heureuse qu'il veuille la protéger. Mais Jane McBride n'avait jamais reculé devant le danger de toute sa vie, et n'entendait pas commencer sous prétexte qu'elle était mariée.

Une main la saisit par le bras et la fit tournoyer.

— Écoute-moi bien, Jane Dupré. Je ne permettrai pas qu'il t'arrive quoi que ce soit, et je parle sérieusement ! dit Chase, dont les yeux étaient pleins de colère.

— Et moi aussi, quand je dis refuser d'être sous clé dans la demeure ! Si tu veux monter la garde, alors je serai là aussi.

Il resta silencieux, mais sa fureur parut s'apaiser.

— Pourquoi ai-je cru que tu cesserais d'être celle qui chassait le grizzly et conduisait les troupeaux ? soupira-t-il.

— Je suis têtue, hein ? répondit Jane.

— Comme d'habitude ! dit-il avec un sourire espiègle.

Elle posa les mains sur ses épaules.

— Ce n'est pas seulement pour savoir qui était dans notre chambre, déclara-t-elle d'un air grave. Il ne menaçait pas que moi. Toi aussi, tu es un Dupré. Quelqu'un est sur ta piste.

— Je ne laisserai personne avoir ma peau, gamine, répondit-il d'un ton léger en lui ébouriffant les cheveux. J'ai trop de raisons de vivre.

C'était presque lui dire qu'il l'aimait et, l'espace d'un instant, Jane oublia sa terreur de la veille et les menaces de l'inconnu.

Ils examinèrent les environs en quête du moindre indice. Le personnel du Lucky W se vit enjoindre de prendre garde aux étrangers, à tout ce qui pourrait sortir de l'ordinaire. Mais il ne se passa rien, et Jane elle-même se mit à croire que le mystérieux inconnu n'avait hanté que son cauchemar.

30

Jane ne se sentait pas bien : cela durait depuis une semaine. Ce soir, pourtant, ils allaient faire la fête, donc pas question de dire quoi que ce soit à Chase ; il n'aurait rien de plus pressé que de la mettre au lit, lui faisant manquer une soirée qui s'annonçait merveilleuse.

À la surprise générale, Shane Grogan s'était levé et, s'il devait sautiller sur des béquilles, ne semblait nullement s'inquiéter d'avoir plusieurs côtes cassées.

Ce soir, pour fêter sa remise sur pied, les Grogan et les Dupré se rendraient donc à l'opéra de Cheyenne pour y assister à une représentation de *La Traviata*. Ignorant tout de cette forme musicale, Jane ne savait trop à quoi s'attendre, mais refusait de se priver d'une pareille occasion pour quelques nausées ou de petits vertiges.

Elle avait passé le plus clair de la semaine à Cheyenne, chez la couturière, et attendait avec impatience de voir quelle tête ferait Chase quand il la découvrirait dans sa nouvelle robe. À dire vrai, elle-même avait du mal à y croire : même dans ses rêves les plus fous, jamais elle n'aurait imaginé pouvoir en porter d'aussi belle.

Se regardant dans le miroir, elle dit à son reflet :
— Ça change une femme, d'être amoureuse !
Un coup léger frappé à la porte annonça Bernice.

— Je ferais mieux de vous aider, madame, il sera bientôt temps d'y aller !

La robe ambre et jaune – des mètres et des mètres de soie et de satin – était posée sur les bras de la jeune fille, qui souriait aux anges. Des dentelles partout, des plissés, des perles, une longue traîne... Jane la revêtit avec délectation.

— Je n'ai jamais rien vu d'aussi beau ! chuchota Bernice d'un ton plein de crainte respectueuse. Asseyez-vous devant la coiffeuse, madame, je vais vous coiffer.

Elle tressa les longs cheveux blond doré en un chignon, non sans y glisser deux rubans jaunes placés au sommet du crâne, avant de lui passer autour du cou un ruban couleur ambre faisant office de collier de chien.

— Elle est aussi belle que votre robe de mariée, et vous êtes encore plus jolie qu'alors !

— Bernice, s'exclama Jane en se levant, j'ai du mal à croire que c'est moi !

— Mais si, mais si ! Voici vos gants. Et votre éventail !

Jane voulut sourire, mais fut prise d'un vertige soudain et s'appuya en hâte contre un des montants du lit.

— Madame ?

— Tout va bien, Bernice. C'est l'impatience, sans doute !

Jane respira profondément ; le monde reprit sa place accoutumée. Elle ouvrit les yeux, soupira et jeta à la bonne un regard enthousiaste :

— Je vais passer une soirée merveilleuse, Bernice. Ne vous inquiétez pas pour moi. Bonne nuit !

— Bonne nuit, madame.

Jane oublia son moment de faiblesse en arrivant en haut des marches. Chase l'attendait, portant le manteau qui lui était destiné. Elle descendit d'un pas léger et s'arrêta sur la dernière marche.

— Je n'aurais pas cru que tu puisses être encore plus belle, dit-il, et pourtant c'est le cas chaque fois que je te vois !

Elle eut un grand sourire.

— J'espère que tu pardonneras à Molly : elle m'a dit quelle était la couleur de ta robe, et j'ai voulu t'offrir ceci.

Il lui tendit un écrin qu'il avait caché dans son dos.

Elle l'ouvrit sans mot dire : un pendentif orné d'une topaze reposait sur de la soie jaune.

— Chase, c'est merveilleux !

— Je voulais te faire un cadeau qui te dirait... à quel point tu m'es chère.

Allait-il, enfin, dire les mots qu'elle attendait depuis si longtemps ?

— Tu as... fait entrer la beauté dans ma vie, Jane. Je t'en serai toujours reconnaissant.

Chase, Chase, pensa-t-elle tristement, *je ne veux pas de ta gratitude !* Mais l'heure n'était pas à la mélancolie. Dissimulant sa déception, elle lui sourit.

Il lui passa le pendentif autour du cou, puis lui offrit son bras, la conduisit au buggy qui les attendait, l'aida à monter et la couvrit de fourrures qui la tiendraient au chaud, avant de grimper à son côté et de prendre les rênes.

L'opéra de Cheyenne était un imposant bâtiment à deux étages, en briques rouges rehaussées d'ornements de pierre. Entrant dans la salle en compagnie des Grogan et de Chase, Jane fut aussitôt fascinée par l'énorme lustre en cristal suspendu à près de quinze mètres du sol. Celui-ci s'avançait en pente douce jusqu'à la scène, dont le rideau demeurait fermé. Que peut-il y avoir derrière ? se demanda-t-elle, tout excitée.

Une ouvreuse les conduisit jusqu'à leurs places. Les mariés s'assirent l'un à côté de l'autre, Shane à la gauche de Chase, Molly à la droite de Jane. La jeune femme regardait tout autour d'elle, trop absorbée par ses découvertes pour faire très attention à la conversation de ses compagnons. Les sièges se remplirent peu à peu ; le grand moment approchait.

Jane fut brusquement prise d'une violente nausée. Crispant les poings, elle lutta pour repousser la bile qui lui montait aux lèvres, ferma les yeux et eut un grand soupir.

— Jane, chuchota Molly, quelque chose ne va pas ?

— Je ne me sens pas très bien. Pourrions-nous... sortir un petit moment ?

— Bien sûr, voyons !

— Je ne veux pas gâcher la soirée. J'ai simplement besoin d'un peu d'air et d'un verre d'eau.

L'échange s'était tenu à voix basse, pour ne pas inquiéter les hommes. Jane se tourna vers Chase.

— Excuse-nous, nous allons sortir quelques instants.

— Tu ne veux pas que je t'accompagne ?

— Ce n'est pas la peine, dit-elle en se levant.

Elle s'avança dans la travée, bien droite, menton levé, sans prendre garde aux regards admiratifs : il lui était suffisamment difficile de garder l'équilibre, tant le vertige la tourmentait.

Elle atteignit le foyer et se laissa tomber sur un fauteuil avec un soupir de soulagement.

— Jane ! dit Molly d'une voix qui paraissait bizarrement lointaine.

Jane tenta de lever les yeux, mais le visage de son amie se perdait dans le brouillard. Puis tout devint noir.

Elle était dans le Montana et chevauchait Wichita, tête penchée sur le cou de la jument, tandis que le vent faisait voltiger sa chevelure. Quelle joie, quelle liberté merveilleuse ! Et Chase était à son côté, riant. Ils cou-

raient comme des enfants insouciants, ils étaient si heureux...

— Jane! Jane! Revenez à vous! Mon Dieu! Mon Dieu!

Jane se sentit furieuse que quelqu'un fasse intrusion dans son rêve, et agita la main pour chasser tes intrus.

— Jane, je vous en prie, revenez à vous!

Ouvrant les yeux, elle vit le visage rond de Molly, qui agitait frénétiquement son éventail. Derrière, elle discerna d'autres femmes – des inconnues.

— Que s'est-il passé?

— Vous vous êtes évanouie!

Molly se tourna vers les autres :

— Tout va bien. Merci de votre assistance!

Elle tendit un verre d'eau à Jane :

— Buvez.

Jane s'exécuta :

— C'est la première fois que cela m'arrive! dit-elle, un peu gênée d'avoir eu des vapeurs.

Molly s'assit à côté d'elle.

— Vous vous sentez mieux?

— Oui, madame Grogan. Merci, répondit Jane avec un sourire un peu contraint. Je ne sais pas ce qui m'arrive ces temps-ci. Je n'ai jamais été malade.

Molly se pencha.

— Avez-vous des vertiges, et l'impression de mal digérer? demanda-t-elle à voix basse.

Jane acquiesça d'un signe de tête, un peu inquiète.

— Vous n'avez pas perdu de temps! dit Mme Grogan en souriant.

— Comment? Je ne comprends pas.

— Jane, je peux me tromper, mais je crois que dans huit mois il y aura un Dupré de plus!

— Un bébé? s'exclama Jane, stupéfaite. Vous êtes sûre?

— Je ne suis pas médecin, mais je suis persuadée que oui.

— Un bébé... répéta Jane, cette fois émerveillée.

Cette brutale apparition de sentiments maternels la surprit : jamais elle n'aurait cru les ressentir aussi fortement. Certes, elle espérait avoir des enfants un jour, mais cela n'avait jamais été qu'un projet d'avenir assez lointain.

— Le bébé de Chase! Il a eu un fils, autrefois, dit-elle à Molly. Vous le saviez?

— Non.

Jane sentit venir les larmes.

— Avec sa première femme, Consuela. L'enfant était mort-né. Chase l'a appelé John, comme son propre père. J'aimerais tant lui donner un autre fils!

— Vous avez toutes vos chances! Vous sentez-vous suffisamment remise pour assister au spectacle, ou bien préférez-vous rentrer?

— Non, non, je veux voir l'opéra! répondit Jane en se levant. Molly, s'il vous plaît, ne dites rien à Chase, je veux lui faire la surprise!

— Ne vous inquiétez pas! Et si je connais bien les hommes, il sera ravi!

La soirée se passa bizarrement pour Jane. Une partie d'elle-même suivit et apprécia l'opéra, l'autre savourait son joyeux secret, se répétant sans arrêt : *le bébé de Chase, le bébé de Chase, le bébé de Chase...*

Après la représentation, ils allèrent dîner à l'Inter Ocean Hotel, où Molly et Shane les avaient déjà invités plusieurs fois. Après quoi Chase et Jane remontèrent dans le buggy pour rentrer au Lucky W.

La nuit était claire et froide, le ciel clouté d'étoiles, comme autant de menus joyaux sur un tissu de velours. Tout semblait si beau! Jane se demanda si elle n'était pas le jouet de sa propre imagination.

— Tu as été bien silencieuse toute la soirée, chérie. Ça va ?

Elle se serra contre lui et posa la tête sur son épaule.

— Je me sens merveilleusement bien.

Jane sentit qu'il avait un léger haussement d'épaules, comme pour dire : « Ah ! les femmes ! » – et sourit intérieurement.

Fallait-il lui dire ? Non. Mieux valait attendre l'occasion. Et peut-être conviendrait-il de voir un médecin d'abord. Molly pouvait s'être trompée… mais Jane était certaine que non. Elle se sentit très sotte de ne pas avoir compris plus tôt.

Un minuscule être humain se formait en elle. Son corps l'abriterait et le nourrirait jusqu'à ce qu'il soit prêt à faire son entrée dans le monde…

Elle leva la tête :

— Chase…

Le buggy tressauta brutalement. Elle tenta de se raccrocher, mais fut précipitée dans la pénombre.

Le bébé ! songea-t-elle tandis qu'elle était projetée en l'air.

31

Chase tenta de la rattraper, mais il était trop tard. Il entendit le cheval hennir, puis le buggy se renversa sur le côté. À peine eut-il le temps de sauter. Il se reçut assez brutalement, roula sur le sol, resta immobile quelques instants, le temps de reprendre son souffle, puis se redressa en titubant.

— Jane ! Jane !

Elle était étendue sur la route et ne bougeait pas. Sa première pensée consciente fut pour le bébé. Apparemment, rien de cassé. Se redressant, elle se passa la main sur le visage et grimaça en découvrant une coupure juste au-dessus du sourcil. Entendant la voix de Chase, elle tenta de se lever, mais glissa et retomba.

— Fichue robe ! s'exclama-t-elle, perdue dans le volumineux amas de satin. Je suis là !

Il accourut en toute hâte.

— Jane, tu es blessée ?

— Si seulement je ne portais pas ce fichu machin ! grommela-t-elle. Aide-moi à me relever !

Il la souleva sans effort et la remit sur pied.

— Je vois que l'événement ne t'a pas fait perdre ton humour ! lui dit-il en riant.

Elle lui jeta un regard furieux – mais comment résister à son rire ? De plus, ils s'en sortaient indemnes, alors qu'ils auraient pu être blessés ou tués. Elle sourit :

— Désolée, je ne voulais pas me montrer désagréable. Qu'est-ce qui s'est passé ?

— Je ne sais pas trop. On va voir.

Le buggy gisait retourné sur le flanc ; une roue manquait, l'essieu était tordu. Juste à côté, le cheval, encore effrayé, se tenait bizarrement sur trois pattes. Jane comprit qu'ils avaient eu beaucoup de chance.

Chase ôta les harnais de l'animal, puis l'attacha à ce qui restait du véhicule.

— Nous enverrons quelqu'un le prendre demain matin, dit-il. Que diriez-vous d'une petite promenade nocturne, madame Dupré ?

Il était à cheval, perdu dans l'obscurité, et souriait sous sa cagoule. Dommage que la roue ait cédé si tard, alors qu'ils étaient près du ranch. Certes, il n'avait nullement voulu qu'ils meurent. Pas encore. Cela viendrait plus tard.

À l'issue d'une longue marche jusqu'au ranch, les mariés se mirent au lit et s'endormirent aussitôt. Jane s'éveilla un peu avant l'aube, serrée contre Chase. Elle posa la joue contre sa nuque, et songea, une fois de plus, à la découverte de la veille.

Le bébé de Chase. Son fils. Leur fils. L'héritier des Quatre-Vents. Il serait aussi grand que son père, il lui ressemblerait en tout. Impossible qu'il en aille autrement : Chase était parfait, l'enfant le serait aussi.

Quand le lui dire ? Quand ils seraient de retour au Montana ? En quittant le Lucky W ? Elle avait bien failli lui apprendre la nouvelle la veille au soir. Peut-être maintenant ?

Elle passa doucement les doigts sur sa poitrine, sur son ventre, tout en l'embrassant dans le cou.

— Bonjour, madame Dupré, dit Chase d'une voix encore endormie. J'aime ta façon de me réveiller.

Se retournant, il la serra contre lui et lui caressa le dos.

Jane sentit de délicieux fourmillements lui parcourir l'échine, et une chaleur désormais familière couler dans les veines. Elle avait toujours voulu être sa femme, lui appartenir, l'aimer. Mais sans jamais imaginer quelle fabuleuse sensation l'union d'un homme et d'une femme pouvait procurer.

Maintenant. Maintenant. C'était le moment ou jamais.

— Chase, j'ai quelque chose à...

Il la fit taire d'un baiser, et bientôt elle eut oublié ce qu'elle voulait lui dire.

— Chase?

— Hmmm?

Il avait la tête posée sur sa poitrine, leurs corps étaient las. La lumière du matin emplissait déjà leur chambre.

— Chase, je veux rentrer aux Quatre-Vents.

— Maintenant? dit-il d'une voix paresseuse.

— Chase, je suis sérieuse. Je veux retourner là-bas.

Il se redressa et croisa son regard.

— Shane m'a dit hier qu'il pouvait s'occuper de tout. Je suis donc libre de partir quand tu le voudras.

Le cœur de Jane battait chaque fois qu'il la regardait ainsi. Elle voyait la tendresse dans ses yeux, lisait l'amour dans leurs profondeurs bleues. Elle aurait tant voulu qu'il prononce enfin ces deux mots fatidiques. Tout d'un coup, elle s'inquiéta : s'il ne l'avait pas fait avant qu'elle lui parle du bébé, jamais il ne s'y déciderait. Tout son dévouement, tout son amour iraient à son fils.

Jane se décida. Pas question de lui apprendre la nouvelle. Elle attendrait, ferait des efforts, lui montrerait à quel point il était facile d'avouer son amour. Une fois de retour aux Quatre-Vents, cela arriverait, elle en était sûre.

— Je veux rentrer, Chase. Allons dire au revoir aux Grogan et partons sur-le-champ.

— Je suis à vos ordres, madame, répondit-il en lui mordillant l'oreille.

Jane allait lui dire qu'elle l'aimait, mais ne put s'y résoudre. Il répondrait une fois de plus qu'il le savait – et rien de plus.

Les mains de Chase commencèrent à caresser son corps. Elle pourrait oublier, au moins pour un moment, le pincement au cœur qu'elle éprouvait.

— Vous nous manquerez, dit Bernice en s'essuyant les yeux avec un mouchoir.

Clara elle-même paraissait émue. Thompson serra la main de Chase.

— Vous servir a été un plaisir, monsieur, déclara-t-il d'un ton guindé.

Jane s'avança et, impulsivement, embrassa Bernice, puis Clara, sur la joue.

— Vous avez été merveilleux avec nous ! Encore merci !

— Il faudra revenir quand notre maître sera là, répondit Clara en détournant les yeux.

— Nous essaierons, répondit Jane, qui prit le bras de Chase et descendit les marches de la véranda. Elle se sentait à l'aise, ayant revêtu sa tenue habituelle – jupe de cheval, bottes –, et sauta en selle sans efforts – sachant que Thompson et Clara devaient lui jeter des regards désapprobateurs. Une vraie dame ne monte jamais qu'en amazone, et surtout pas pareillement fagotée !

Quittant le Lucky W, ils se dirigèrent vers Cheyenne, s'arrêtant un instant à l'endroit où la veille leur buggy s'était renversé. Les hommes du ranch avaient déjà poussé le véhicule dans le fossé et ramené le cheval blessé à l'écurie. Même en plein jour, Chase ne put, comme la veille, trouver de raison à l'accident. En tout cas, une chose était certaine : ils l'avaient échappé belle.

— On ferait mieux d'y aller, dit-il. On va avoir une sacrée distance à parcourir ces prochaines semaines. On aura de la chance si on arrive avant les premières neiges !

Ils arrivèrent à Cheyenne juste avant midi. Chase s'arrêta dans une boutique pour acheter des provisions en vue de leur voyage de retour, Jane se rendit chez les Grogan. Molly était dans sa cuisine.

— Vous êtes resplendissante ! s'exclama-t-elle en apercevant Jane.

— Je me sens merveilleusement bien, ce matin : nous repartons chez nous dès aujourd'hui.

— Aujourd'hui ? Vous n'en avez rien dit, hier ?

Jane s'assit.

— Hier, je ne savais pas que j'étais enceinte. Je veux être rentrée aux Quatre-Vents avant de l'annoncer à Chase.

Molly s'assit à son tour.

— Mon Dieu ! Vous ne lui avez rien dit ?

— Non.

— Mais vous n'allez quand même pas faire un voyage pareil à cheval ?

— Tout ira bien, madame Grogan. Je suis jeune et solide. Je vous promets d'être prudente. Je monte à cheval depuis des années.

— Oui, mais jusqu'à maintenant, vous n'avez jamais été enceinte, répliqua Molly, fronçant les sourcils. Je pense très sincèrement que vous avez tort de ne pas l'informer.

— Je ne peux pas. Pas encore.

— Enfin, je suppose que vous savez ce que vous faites, soupira Mme Grogan.

Le tintement de la clochette du bureau se fit entendre, en même temps que la voix de Shane.

— Molly ! Le têtard est là ?

— En effet, monsieur Grogan, répondit Jane.

Repoussant le rideau, Grogan entra, suivi de Chase.

— Il me dit que vous partez ? C'est vrai ?

— Il est temps que nous rentrions à la maison.

Shane la serra dans ses bras.

— Vous allez nous manquer ! On s'était habitué à vous deux !

— Nous reviendrons, monsieur Grogan.

— Je n'en suis pas si sûr, dit Shane en regardant Chase. Vu la façon dont le bétail se déverse dans tout le territoire, bientôt ça ne paiera plus d'amener vos bêtes ici. Vous les mettrez dans le train et les enverrez directement à Chicago.

Jane voulut répliquer, mais quelque chose, dans l'expression de Chase, lui indiqua que Grogan avait raison. La situation changeait à toute allure. Jamais elle n'aurait imaginé que peut-être il ne serait plus nécessaire de venir à Cheyenne chaque année.

— On ferait mieux d'y aller, Jane, dit Chase.

Elle hocha la tête, se leva sur la pointe des pieds pour embrasser Shane.

— Vous me manquerez, monsieur Grogan. Mais nous reviendrons un jour, je le promets.

— J'y compte bien, petit têtard !

Embrassant Molly, Jane lui chuchota :

— Je vous écrirai pour le bébé.

— Je l'espère !

Jane quitta la cuisine en toute hâte, de peur de fondre en larmes, se demandant comment elle pouvait être à la fois heureuse de rentrer chez elle, et navrée de quitter Cheyenne. Elle n'entendit donc pas le bref au revoir de Molly à Chase :

— Pas besoin de vous presser, Chase Dupré ! Jane ne vous a rien dit, mais... elle ne se sent pas bien.

— Ah bon ? Mais...

— Pas de mais ! Allez-y doucement ! Et je vous interdis de lui répéter ce que je viens de vous dire.

— Peut-être devrions-nous attendre qu'elle aille mieux ? Elle pourrait voir un médecin...

— Grands dieux ! Elle serait furieuse d'apprendre que je vous ai informé ! Écoutez-moi : j'ai souvent pris soin des malades, et je peux dire que ça n'a rien de grave. Ramenez-la au ranch sans trop vous presser, c'est tout.

Bien que perplexe, Chase ne put donc que promettre qu'il ferait attention. Sortant de la maison, il jeta un regard à Jane, déjà en selle, le chapeau rabattu sur les yeux, la veste boutonnée très haut pour se protéger du vent. Elle avait l'air en parfaite santé. Mais si Molly...

S'approchant, il posa une main sur la cuisse de Jane :

— Peut-être pourrions-nous attendre, et partir demain très tôt ? Nous irons loger à l'hôtel.

— Non, non. Partons maintenant. Si nous ne perdons pas de temps, nous arriverons chez nous milieu novembre, avant la neige.

Chase acquiesça de la tête et sourit. Molly devait se tromper : jamais il ne l'avait vue aussi resplendissante.

32

Cela faisait maintenant deux semaines qu'ils s'étaient mis en route. Ils auraient déjà pu être tout près des Quatre-Vents si, pour une raison que Jane ne pouvait comprendre, Chase n'avait pas voulu prendre son temps. Elle ne s'en serait pas formalisée si le temps avait été plus clément, ou s'ils avaient eu plus d'endroits où loger en chemin. Mais chaque matin, elle s'éveillait glacée jusqu'aux os, d'humeur irritable. Elle avait réussi à dissimuler ses nausées et ses vertiges à Chase, mais cela devenait de plus en plus difficile ; si seulement ils étaient chez eux !

Le jour tirait à sa fin ; des nuages bas flottaient dans un ciel gris, un vent glacé soufflait dans la vallée, apportant avec lui comme une odeur de neige. Jane regretta une fois de plus de n'avoir pas d'endroit où passer la nuit.

Comme pour répondre à ses vœux, Chase désigna quelque chose du doigt.

— Regarde là-bas : une cabane ! Viens, on va voir si on peut dormir dans leur appentis.

Les mains glacées, elle fit péniblement bifurquer Wichita et le suivit.

Chase s'arrêta comme ils approchaient de la maison. De la fumée montait de la cheminée ; la cabane n'avait pas de fenêtres, mais paraissait sympathique, et il y avait à côté un hangar et un corral.

— Ohé! lança-t-il pour annoncer sa présence. Ohé!

La porte s'entrouvrit, un fusil apparut aussitôt. Chase s'arrêta net, Jane faillit se cogner à lui.

— S'il vous plaît! Nous sommes gelés, nous cherchons un endroit pour passer la nuit. Nous ne voulons pas vous déranger, pouvons-nous nous installer dans votre appentis?

Le fusil disparut. Chase et Jane attendirent. La porte s'ouvrit, une Indienne s'avança, enveloppée dans des couvertures. D'une main, elle leur fit signe d'entrer.

Jane mit pied à terre, faillit tomber et se raccrocha à la selle, épuisée d'avoir chevauché des heures par un temps glacial. Chase la prit par le bras avant de la conduire vers la cabane.

— Bienvenue, dit l'Indienne d'une voix rauque.

Entrant, Jane fut assaillie par une odeur de porc frit, mêlée à une épaisse fumée montant du feu. Prise de nausées, elle se couvrit la bouche d'une main, ressortit précipitamment, tomba à genoux et vomit tout ce qu'elle avait avalé ce jour-là.

— Jane? dit Chase d'une voix inquiète.

— Tout va bien, dit-elle d'un ton mauvais. Rentre, j'arrive.

— Non, je…

— Rentre!

Il ne bougea pas.

Jane s'assit et fondit en sanglots.

— Si tu tiens à rester, rends-toi utile. J'ai besoin d'un peu d'eau.

Elle attendit en frissonnant, tout en se sentant suer sous sa veste. D'une main tremblante, elle accepta le gobelet qu'il lui tendit, et but lentement. Puis elle se leva. Il vint aussitôt à son aide.

— Je vais bien, vraiment!

Il fronça les sourcils mais ne répondit rien.

Elle pénétra de nouveau dans la cabane, et cette fois réussit à surmonter sa répugnance pour l'odeur.

310

Un homme ayant à peu près l'âge de Chase était étendu sur une paillasse près du feu. Sous la couverture, on discernait clairement qu'il n'avait plus qu'une jambe. Il était barbu, ses longs cheveux noirs lui tombaient jusqu'aux épaules.

— Soyez les bienvenus ! Je m'appelle Parker Evans. Voici mon épouse, Femme-Daim.

Chase ôta son chapeau.

— Chase Dupré. Voici ma femme, Jane. Nous vous remercions de votre hospitalité, monsieur Evans.

— Il n'y a pas de quoi ! C'est agréable d'avoir un peu de compagnie. Cela fait un moment que nous n'avons pas vu de Blancs par ici ! Femme-Daim, prépare-leur de quoi manger.

Jane blêmit :

— Rien pour moi, merci.

Parker désigna une chaise non loin de lui.

— Dupré, votre épouse n'a pas l'air en forme. Mieux vaut qu'elle s'asseye.

— Jane...

— Chase, je vais bien, vraiment...

Le sol parut rouler sous ses pieds, puis se dresser brusquement à hauteur de son visage.

Chase eut à peine le temps de la prendre dans ses bras.

— Étendez-la sur ces couvertures là-bas, dit Parker. Femme-Daim, va chercher de l'eau !

Chase la déposa précautionneusement sur l'étoffe, balaya les mèches qui lui tombaient sur le visage, frotta doucement entre ses paumes les mains glacées de la jeune femme. Jamais il ne l'avait vue aussi pâle. Que lui arrivait-il ? Molly l'avait mis en garde, c'est bien pourquoi il avait pris son temps. En d'autres circonstances, ils seraient déjà presque arrivés aux Quatre-Vents. Manifestement, cela n'avait pas suffi.

— Jane ?

Que deviendrait-il s'il la perdait ? Jamais il ne pourrait le supporter ! Il vivait dans un monde obscur et effrayant dont elle l'avait fait sortir : elle était la vie même.

Elle représentait tout pour lui – mais depuis quand ? Aujourd'hui ? La semaine précédente ? Le jour de leur mariage ? Pendant qu'ils conduisaient le troupeau à Cheyenne ? Quand elle l'avait ramené à la vie, après les assauts du grizzly ? Ou bien avant ? Peut-être depuis le jour où il l'avait gagnée au poker, quand, le regardant de ses yeux de chat, elle avait juré comme un charretier parce qu'il l'avait jetée sur son épaule.

— Jane ?

Il l'aimait. Cela faisait des semaines qu'il le savait, sans pour autant le lui avoir dit. Aimer une femme était si dangereux – il avait pu s'en rendre compte ! Et plus on aimait, plus on risquait de souffrir. Mieux valait s'en abstenir. Mais si elle mourait sans savoir qu'il l'aimait ? Jamais il ne se le pardonnerait. Plutôt mourir avec elle.

— Jane ! Chérie !

Des cils battirent faiblement dans un visage pâle, puis s'ouvrirent pour révéler des yeux aigue-marine.

— Qu'est-ce qui s'est passé ?

— Tu t'es évanouie.

— Encore ? soupira-t-elle.

Comment ça, encore ? pensa Chase.

— De l'eau, dit l'Indienne en lui tendant le gobelet.

Glissant la main sous le cou de Jane, il lui souleva la tête.

— Bois, dit-il d'un ton bourru.

Elle ouvrit des yeux encore vitreux, mais but, et sembla reprendre ses esprits.

— Ne prends pas cet air inquiet, dit-elle doucement.

Il se pencha.

— Jane, qu'est-ce qui ne va pas ?

Elle croisa son regard.

— Je voulais vraiment attendre que nous soyons rentrés pour te le dire.

— Molly m'avait prévenu que tu n'allais pas bien. J'aurais dû rester avec toi à Cheyenne, t'emmener chez le médecin. Je ne me pardonnerai jamais si...

— Chase, répondit-elle en lui mettant un doigt sur la bouche, il n'aurait rien pu faire pour moi. Pas avant plusieurs mois, du moins.

Elle se tut, eut un sourire radieux :

— Tu vas être père.

Il la contempla comme si elle avait perdu l'esprit.

— Père ? répéta-t-il niaisement.

Elle rit.

— Oui, père ! Enfin, tu vois... un bébé... le tien et le mien.

Cette fois, il eut un large sourire.

— Père !

Il la prit dans ses bras et éclata de rire en même temps que Jane. Elle n'était pas malade, mais enceinte !

— Il nous faut rentrer aux Quatre-Vents sur-le-champ ! dit-il.

— C'est bien ce que j'essayais de faire.

— Nous aurions dû quitter Cheyenne le lendemain du mariage.

— Mais alors je n'étais pas encore enceinte, chuchota-t-elle en rougissant.

Chase la prit par le menton.

— Moi aussi, j'ai quelque chose à te dire.

Il jeta un coup d'œil en direction d'Evans et de sa femme, en se demandant si c'était bien le moment. Mais finalement, quelle importance ?

— Jane, je...

Elle attendit, le souffle court, sachant qu'enfin il allait prononcer les mots qu'elle attendait depuis si longtemps.

La porte de la cabane s'ouvrit brusquement. Jane eut un petit cri, aussitôt balayé par le vent qui s'engouffrait dans la pièce. Chase fit volte-face, posa la main sur son arme, mais il était déjà trop tard. Les deux hommes vêtus de fourrures pointaient déjà leurs fusils – dont l'un en direction de sa tête.

— Mais qui voilà ! s'exclama le plus grand en s'arrêtant devant la paillasse, où Femme-Daim s'était réfugiée près de son mari. Un Blanc et son épouse indienne !

Jane n'écoutait pas : elle regardait fixement l'autre assaillant, dont le visage était couvert d'une cagoule noire.

— C'est lui ! chuchota-t-elle à Chase.

— Brown, dit l'homme masqué, laisse la squaw tranquille. Tu auras tout le temps plus tard. Prends-lui son arme, et le fusil là-bas. Ligote-les et conduis-les dans l'appentis. Tous, sauf la petite dame ici !

Chase se crispa – mais que faire ? Brown s'approcha, lui passa une corde autour des poignets et le garrotta, puis, le soulevant du sol, le déposa à côté des deux autres.

— Hé ! Le gars n'a qu'une jambe ! Comment je fais pour l'emmener dans le hangar ?

— Traîne-le s'il le faut !

Jane resta immobile, le dos contre le mur de la cabane. Les yeux de l'homme cagoulé étaient posés sur elle, mais elle refusa de le regarder, trop occupée à prier pour que Chase ne tente pas quelque chose de désespéré.

— Allons-y ! lança Brown en emmenant ses trois captifs.

Chase s'arrêta à hauteur de l'homme en cagoule.

— Si vous lui faites du mal, je vous pourchasserai, même si je dois y passer ma vie.

L'inconnu eut un gros rire.

— Mais j'y compte bien, Dupré !

Lui posant le canon de son arme entre les épaules, il poussa Chase dehors et dit à son complice :

— Garde bien l'œil sur eux, Brown ! Et laisse l'Indienne tranquille! Tu auras ton content une autre fois.

Jane le vit avec inquiétude se tourner lentement vers elle, et s'approcher à pas lents.

— Alors, Jane, on a peur?

Sa voix rauque avait quelque chose d'exaspérant. Elle frémit intérieurement, tout en s'efforçant de rester impassible. Levant la tête, elle croisa son regard.

— Vous me connaissez? demanda-t-elle d'une voix qui, à sa grande surprise, ne tremblait pas.

— Je sais tant de choses sur vous que vous en seriez surprise.

Des mains gantées vinrent effleurer sa gorge. Elle recula autant que le mur le lui permettait.

— Ôtez donc votre veste, Jane. Il fait chaud, ici.

— Je me sens très bien, merci.

Gloussant de nouveau, il recula, posa son fusil contre le mur et ôta son manteau de fourrure. Il était vêtu de noir de la tête aux pieds. Jane l'examina, tentant de trouver un indice qui lui permettrait de l'identifier. Il était moins grand que Chase, mais large et massif... tant qu'elle ne pourrait voir son visage, il serait impossible de savoir qui il était.

— Vous ne savez pas qui je suis, hé!

— Pourquoi nous voulez-vous du mal?

— J'ai mes raisons, répondit-il en reprenant son fusil, qu'il pointa sur le front de Jane. Ôtez votre veste.

Ne vaudrait-il pas mieux mourir? se demanda-t-elle. Mais il fallait penser au bébé de Chase, à Chase lui-même. Elle obéit.

— Je vous ai vue vous baigner dans l'étang au bord de la rivière.

— Quand? s'écria-t-elle, stupéfaite.

— Pendant que vous conduisiez les bêtes à Cheyenne.

— Vous nous suivez depuis si longtemps? demanda-t-elle, envahie par une terreur glacée.

— Vous avez une très jolie peau blanche. Ouvrez donc votre corsage, que j'en revoie un peu.

— Pourquoi faites-vous cela ? demanda-t-elle en combattant les larmes qui lui venaient.

Il se contenta de rire et d'agiter son fusil.

Elle s'exécuta, mains tremblantes, les yeux fixés sur le sol, puis attendit.

Il lui prit le menton et la contraignit à le regarder.

— Ce sera tout pour le moment, madame Dupré. Je ne veux pas prendre mon plaisir dans une minable cabane empestant l'Indien et la viande de porc. Souvenez-vous simplement que cela viendra plus tard. Je vous reverrai nue et je serai nu aussi.

— Chase vous tuera, siffla-t-elle.

Il rit.

La fureur et l'humiliation l'emportèrent sur la peur ; Jane referma son corsage.

— Et s'il ne vous tue pas, je m'en chargerai.

Il se dirigea vers la porte.

— Il faudra d'abord que vous sachiez qui je suis. Ça ne vous intéresse pas ?

— Je n'ai pas à le savoir. On suit les putois à l'odeur.

Il s'arrêta net.

— Vous regretterez d'avoir dit cela quand vous devrez payer, Jane Dupré.

Il ouvrit la porte.

— Brown !

— Oui ?

— Fais en sorte qu'ils ne puissent pas nous suivre, puis amène les chevaux.

Jane frissonna sous le vent glacé qui entrait dans la pièce. Elle fut tentée de remettre sa veste, mais c'était hors de question tant qu'il serait là à la dévisager. Elle se contenta de lui jeter un regard de mépris.

Brown parut mettre un temps infini avant de faire avancer leurs montures. Sortant, l'inconnu masqué se tourna vers Jane.

— Vous ne saurez jamais quand je serai là. Et chaque fois que quelque chose arrivera à un Dupré,

vous saurez que c'est moi. Dans un mois, dans un an...
votre tour viendra. Les Dupré paieront, un par un...
Bonsoir, madame Dupré.

La porte fut refermée à grand bruit. Jane tenta de
reprendre son souffle ; elle se mit à trembler, des larmes
lui coulèrent sur les joues. D'une main tremblante, elle
remit sa veste et se précipita vers la porte, qu'elle ouvrit
prudemment. Mais les assaillants avaient disparu. Elle
courut vers le hangar.

— Chase ! Chase !

Il était étendu sur le sol, inconscient, du sang lui
coulait du front. Femme-Daim était agenouillée à
côté de lui, Evans, les mains liées, gisait sur de la
paille dans un box vide.

— Chase ! Chase ! s'écria Jane, terrorisée.

— Il n'est pas mort, dit l'Indienne.

Jane tomba à genoux et toucha des doigts la plaie
sanglante près de la tempe.

— C'est ce Brown ! lança Evans. Il l'a assommé d'un
coup de crosse. Brown voulait s'en prendre à ma
femme, votre mari a tenté de l'en empêcher. Il ne pouvait pas faire grand-chose, avec les mains liées, mais il
a essayé quand même. Femme-Daim, viens me débarrasser de mes liens !

Jane écouta à peine, trop occupée à bercer la tête
de Chase.

— Je savais bien que tu ferais quelque chose d'idiot,
chuchota-t-elle.

Il battit des paupières, leva faiblement la main
pour toucher son front, fit la grimace.

— Jane, marmonna-t-il en ouvrant péniblement les
yeux.

— Tout va bien, Chase. Il ne m'a pas touchée.

— Je croyais que...

— Non.

— Ils sont partis ? demanda-t-il en faisant de nouveau la grimace.

317

— Oui.

Parker vint vers eux en sautillant, un bras posé sur l'épaule de Femme-Daim.

— Restez ici pendant que je retourne à la cabane. Elle reviendra vous aider à l'emmener là-bas.

Jane hocha la tête.

— C'est bien de toi d'être aussi sot, dit-elle tendrement en embrassant le front de Chase.

— Je n'ai pas pu m'en empêcher, répondit-il avec un pauvre sourire. Ça va vraiment ?

— Il s'est contenté de me menacer.

Il se redressa d'un bond.

— Reste tranquille ! Femme-Daim va revenir.

— Je ne sais pas qui c'est, mais je le tuerai, dit Chase d'un ton farouche.

— Ne dis rien ! Nous nous en sommes sortis, c'est tout ce qui compte.

— Jane ?

— Oui ?

— Je t'aime.

Cela lui vint tout naturellement. Jane avait imaginé la scène de bien des façons, dans bien des décors, mais pas dans celui-là, ni à un tel moment. Elle chercha quelque chose à dire.

— Moi aussi, je t'aime, Chase Dupré, répondit-elle simplement.

Cela suffirait pour l'instant.

Ils restèrent enlacés toute la nuit, sans beaucoup dormir, se rendant compte qu'ils avaient vraiment eu beaucoup de chance. Jane aurait pu être violée, Chase tué. Au matin, le simple fait d'être ensemble leur parut un cadeau merveilleux.

Jane écouta le vent souffler dehors. Il devait neiger. Demain ils entameraient un voyage difficile jusqu'aux Quatre-Vents, qu'ils devraient atteindre aussi vite que possible. Chase regimberait sans doute, la sachant désormais enceinte ; mais il le fallait. L'homme en noir avait menacé tous les Dupré.

Jane posa la tête sur la poitrine de Chase et ferma les yeux, heureuse qu'il soit vivant, qu'elle soit son épouse, qu'il l'aime. Tout cela lui permettrait d'affronter plus aisément tout ce qui pouvait les attendre.

Chase l'écouta respirer, et sut qu'elle était éveillée. Mais il ne dit mot. Il préférait rester silencieux pour mieux savourer ce miracle : la tenir dans ses bras.

Les moments passés dans le hangar, la veille, avaient été les pires de sa vie. Il avait imaginé tant de choses horribles… Il aurait voulu frapper, estropier, tuer. Non sans s'accuser de négligence : si seulement il s'était donné plus de mal pour retrouver l'homme qui était entré dans la chambre de Jane pendant que lui-même était à Cheyenne… Et ne rien pouvoir faire pour la sauver, quelle souffrance !

Il ne savait pas pourquoi l'inconnu les avait épargnés. En tout cas, il lui incombait maintenant de veiller à ce qu'il n'arrive rien à Jane. Si jamais il la perdait…

La neige vint d'un seul coup, avec une fureur aveugle, et s'installa.

À travers les cols et les vallées du Montana, ils se dirigèrent vers les Quatre-Vents, aussi vite qu'ils pouvaient. Chase restait tendu, guettant toujours le moindre signe trahissant la présence de l'homme en noir – et se demandant s'il n'exigeait pas trop d'efforts de Jane. Le soir venu, il leur trouvait un abri, la prenant dans ses bras pour qu'elle reste un peu au chaud et espérant que bientôt ils seraient arrivés.

33

Enid se réveilla en sursaut, cœur battant, comme au sortir d'un mauvais rêve. Dehors, le vent hurlait dans les pins. La neige était revenue.

Elle resta étendue dans le noir, à écouter, par-dessus les ronflements de son époux. Mais l'inquiétude refusait de la quitter. Quelque chose d'inhabituel l'avait tirée du sommeil.

Elle sortit du lit, enfila un peignoir et, pieds nus, traversa la chambre pour en ouvrir la porte et guetter le moindre bruit suspect. Rien, sinon le vent.

Enid allait se remettre au lit quand, de nouveau, elle entendit un crissement, un peu semblable à celui d'un rocking-chair. Sortant dans le couloir, elle ferma la porte et écouta. Cela venait de la chambre de Chase. Une fenêtre serait-elle restée ouverte ?

Elle s'y précipita, sans avoir besoin d'une lampe pour la guider – cela faisait des années qu'elle pouvait marcher dans ce couloir sans lumière. Comme elle approchait, le bruit se fit plus fort. C'était bien le rocking-chair. Elle entra, marcha jusqu'à la fenêtre et constata qu'elle était fermée.

— Bonsoir, madame Dupré.

Sursautant, elle fit volte-face :

— Qui est là ?

— Asseyez-vous, madame Dupré.

Elle s'avança vers la porte, mais l'intrus la précéda :

— Je vous ai dit de vous asseoir.

L'homme gratta une allumette qu'il tint entre ses doigts gantés, ce qui permit à Enid d'apercevoir sa cagoule noire. Puis il alluma la lampe placée à côté de la porte.

Enid alla s'asseoir sur le lit de Chase. Elle était seule dans la demeure avec Frank. Deux semaines plus tôt, Katie avait quitté les Quatre-Vents avec sa fille Maggie, pour aller vivre dans le Missouri chez ses parents. Les hommes s'étaient retirés dans le dortoir plusieurs heures auparavant – et le vent soufflait avec une telle violence que jamais ils ne l'entendraient, même si elle se mettait à hurler. Il n'y avait pas grand-chose à faire, sinon écouter l'inconnu et espérer.

— Qui êtes-vous, monsieur, et que faites-vous ici ? demanda-t-elle d'une voix très calme.

— Je n'ai jamais beaucoup aimé les Dupré. Toujours si arrogants, toujours à se croire les meilleurs...

Il posa la lampe sur une table et se rassit dans le rocking-chair, dont les crissements résonnèrent dans la pièce.

Enid s'efforça de dominer son angoisse. L'homme avait quelque chose de familier, en dépit de son déguisement...

— Vous vous demandez qui je suis, n'est-ce pas, madame Dupré ? Vous le saurez en temps voulu.

— Si peu vous importe que je le sache, pourquoi vous cachez-vous le visage ?

Il parut ne pas entendre :

— Un jour, bientôt, les Quatre-Vents seront à moi.

— Vous avez tort de le penser : ils appartiendront toujours aux Dupré.

— Regardez la lampe, madame Dupré... Voyez comme elle est belle. C'est si beau, le feu... je l'ai toujours aimé. Jaune, orange, rouge, blanc... et brûlant.

Elle fut envahie par une terreur horrible.

— Mon père n'a jamais eu assez de cran pour obtenir ce qu'il voulait. Je ne suis pas comme lui... Votre ranch n'est pas grand-chose... mais la terre, le bétail... Regardez la flamme de la lampe, madame Dupré... Elle est si belle...

Enid se leva.

— Asseyez-vous, madame Dupré, dit l'inconnu d'une voix dure.

Apparemment, il n'avait pas d'arme. Si elle était assez rapide, peut-être parviendrait-elle jusqu'à sa propre chambre : Frank gardait toujours une arme près du lit. Mais elle entendit cliqueter le chien d'un revolver.

— Asseyez-vous.

Il était fou, fou à lier. Il devait quand même y avoir un moyen. Si elle faisait assez de bruit pour attirer l'attention des hommes du dortoir...

— Il s'est trouvé une nouvelle épouse, je crois que vous le savez ? Plutôt quelconque, bien qu'elle croie le contraire. Il verra ce que je lui ferai, je veux qu'il voie. Je veux qu'il paie.

— Mais que voulez-vous ?

Cette fois, il parut l'entendre et, se levant, se dirigea vers elle. Il était massif, et Enid se sentit très vieille et très lasse. Impossible de lutter contre lui. Un fou.

— Le feu, madame Dupré... vous vous souvenez du feu ? Il y a d'abord eu la grange... il aurait dû y en avoir d'autres, mais il est revenu avec elle. Et quand j'étais avec elle je n'avais pas le temps de penser à autre chose. Puis est venu l'orage... Un véritable incendie, cette fois. C'est de sa faute à lui si elle est morte. Elle aurait dû rester avec moi.

— Dieu tout-puissant ! chuchota Enid. Powell !

Il eut un petit rire :

— Powell est mort, madame Dupré. Comme Consuela.

— Powell, ce qui est arrivé est horrible. Mais ce n'est la faute de personne, dit Enid d'une voix que la panique faisait trembler. Chase a tenté de la retrouver, il voulait la sauver. Comme vous, d'ailleurs. Chase m'a dit que vous l'aviez sortie de là. Elle…

Il la frappa au visage, la faisant tomber sur le lit, et se pencha :

— Ne prononcez jamais son nom. Jamais !

Il la redressa et la bâillonna.

Elle tenta en vain de résister ; il était beaucoup trop fort. Il lui ligota les mains et, brutalement, la remit sur pied. S'emparant de la lampe, il fit sortir Enid et se dirigea vers sa chambre.

— Rien de tel qu'un bon feu, madame Dupré, dit-il en fermant la porte à clé.

Elle le vit, horrifiée, ôter l'abat-jour de la lampe, qu'il renversa pour en disperser le kérosène. Les flammes montèrent aussitôt du sol. Puis il poussa Enid devant lui et, épouvantée, elle put à peine jeter un coup d'œil par-dessus son épaule pour voir le feu lécher déjà la porte.

Frank ! Frank !

Elle descendit les marches de l'escalier tant bien que mal, et serait tombée si Powell ne l'avait pas tenue par le bras. En bas de l'escalier, il la souleva brusquement et la jeta sur son épaule. Elle tenta de le frapper, à coups de pied, de poing, mais il n'y prit pas garde.

Deux chevaux attendaient près de la cuisine. Il jeta Enid sur l'un d'entre eux, lui noua les poignets au pommeau de la selle, puis enfourcha l'autre et s'éloigna. Enid fit des efforts désespérés pour voir quelque chose. Des flammes sortaient déjà d'une fenêtre à l'étage.

Frank ! Frank !

— Ne vous inquiétez pas, madame Dupré, dit son ravisseur. Quand nous serons assez loin, nous nous arrêterons pour regarder. C'est si beau, le feu.

Elle se sentit envahie par une torpeur glacée sans rapport avec le froid glacial.

Frank...

Il leur avait fallu deux semaines dans la neige et le froid, mais ils étaient enfin sur les terres des Dupré. Au moins le vent était-il tombé. Un soleil pâle brillait même dans le ciel bleu.

Chase jeta un coup d'œil à Jane, blottie dans sa lourde tenue d'hiver, les jambes protégées par des fourrures. Elle avait glissé les mains dans ses poches ; un cache-nez, noué autour de son chapeau, lui couvrait le cou et le bas du visage, ne montrant que ses yeux.

— Nous y serons dans une heure, dit-il.

Elle hocha la tête sans répondre.

Chase savait Jane épuisée, mais jamais elle ne s'était plainte. Il fallait coûte que coûte qu'ils arrivent aux Quatre-Vents, et ce serait pour aujourd'hui. La veille, ils étaient entrés sur le domaine, passant la nuit dans l'une des étables dispersées sur le ranch.

Il pensa au ranch. Les yeux gris de tante Enid brilleraient de joie, elle serrerait Jane dans ses bras. Pike et les autres avaient dû rentrer voilà plus d'un mois, si bien qu'elle et l'oncle Frank devaient déjà les savoir mariés. Et Katie devait avoir appris la mort de Rodney. Mais le bébé surprendrait tout le monde.

Il sourit. En juin il serait père. Jane était persuadée que ce serait un garçon aux cheveux bruns et aux yeux bleus. Ce dont Chase serait ravi : l'enfant hériterait des Quatre-Vents, de tout ce pourquoi ses parents, son grand-oncle et sa grand-tante, avaient travaillé. Mais une fille... ce serait bien aussi... un petit lutin aux cheveux blond doré, aux yeux aigue-marine... Un mélange de dame et de garçon manqué, comme sa mère.

Jane se redressa sur sa selle et désigna quelque chose au loin :

— Regarde !

Un nuage gris se dressait dans l'air immobile, entre la terre blanche et le ciel bleu. Chase ignorait ce que c'était, mais comprit aussitôt qu'ils arrivaient trop tard. Éperonnant Dodge, il le contraignit à avancer plus vite.

Quand il entra dans la cour et vit les restes fumants de la demeure, Chase eut le sentiment de revivre la scène découverte quelques mois plus tôt, à son retour du Texas. S'arrêtant tout près des débris de la véranda, il demeura à cheval, immobile, à contempler le désastre, sans même se rendre compte que Jane arrivait à son tour, que les hommes du ranch se précipitaient vers eux. Il se sentait comme assommé, incapable de réagir.

— Chase ! s'écria Pike. Dieu merci, tu es de retour !

— Que s'est-il passé ?

— Le feu a pris pendant la nuit, et le temps qu'on se réveille, il avait déjà presque tout consumé. Ça m'a tout l'air d'être un incendie volontaire.

— Et mon oncle et ma tante ?

Pike déglutit, baissa les yeux et observa un long silence avant de dire :

— Nous avons trouvé Frank dans sa chambre. Il a essayé d'aller jusqu'à la fenêtre... Il est mort, Chase.

— Et la tante Enid ?

— Nous... nous ne l'avons pas encore trouvée.

Lentement, Chase mit pied à terre, tendit les rênes et s'approcha des ruines.

— Chase ! dit Jane en lui posant une main sur l'épaule.

— Pourquoi, bon Dieu ? Pourquoi fait-il ça ?

— Je n'en sais rien.

Il se tourna vers elle et lança d'un air farouche :

— Je ne connaîtrai pas de repos tant que je ne l'aurai pas trouvé. Je le retrouverai et je le tuerai, même si ça me prend toute la vie.

Ils fouillèrent les décombres tout l'après-midi, sans trouver la moindre trace d'Enid. Demain ils enterreraient les restes de Frank dans le cimetière familial.

Jane et Chase allèrent s'installer dans la petite maison où Katie et Rodney avaient vécu. Elle prépara quelque chose à dîner, mais ni lui ni elle n'avaient grand appétit.

Chase lui faisait de plus en plus peur. Ses traits étaient durs, son regard glacé, il ne disait plus mot. Il s'était élevé entre eux une barrière qu'elle ne savait comment abattre, comme si leur commune souffrance les séparait au lieu de les rapprocher.

La soirée aurait dû être si joyeuse... Ils auraient bavardé avec la tante Enid dans le salon, lui apprenant la venue du bébé, ils seraient allés dans la chambre de Frank pour lui raconter leur équipée et lui donner des nouvelles de Shane Grogan.

— Allons nous coucher, Chase, dit Jane.

— Je n'ai pas sommeil.

— Je sais. Mais viens.

— Comment le retrouver, bon Dieu ? Comment le retrouver ?

Les épaules voûtées, il l'accompagna dans la chambre.

Ils se dévêtirent dans le noir, entrèrent dans les draps glacés. Elle se serra contre lui, posa la tête sur son épaule. Tous deux restèrent longtemps silencieux, puis Chase dit :

— L'oncle Frank n'a jamais fait de mal à personne de sa vie. Il était bon, généreux, si solide... Tu sais à quel point il aimait tante Enid... Quand mes parents sont morts, ma tante et lui étaient là... Je ne sais comment ils ont fait, mais ils ont adouci mon chagrin.

— C'est ce qui m'est arrivé aussi, chuchota Jane. Avant eux, personne ne m'avait aimée.

— Tout ça n'a aucun sens, Jane.

— Non.

— Je le retrouverai, même si je dois y passer ma vie, redit-il d'une voix glaciale.

— Je veux le retrouver aussi, Chase. J'aimais Enid et Frank autant que toi. Mais nous ne pouvons vivre avec la haine. Elle nous dévorera.

— Je ne veux pas souffrir, Jane. Je veux tuer ce type de mes propres mains. C'est la haine que je veux.

— Chase… dit-elle.

Elle avait peur de ce que cela pourrait leur valoir. À Chase. À eux. À leur enfant.

Il y eut un long silence, puis Chase, serrant Jane contre lui, fut secoué de sanglots :

— Je souffre, bon dieu !

Jamais Jane n'avait vu d'homme pleurer. Elle comprit toutefois que les larmes de Chase le rendaient plus viril encore. La souffrance s'apaiserait. La haine s'estomperait. Tous deux pourraient survivre à tout, même à ce qui venait d'arriver.

34

Au matin, ils furent réveillés par des coups frappés à la porte.

— Chase ! Viens voir, vite !

Il sauta du lit, enfila un pantalon à toute allure, tandis que Jane passait un peignoir et se rendait dans la cuisine.

Teddy était là :

— Viens, Chase ! C'est à propos de la tante !

— Je m'habille et j'arrive.

Jane l'imita, sans prendre la peine de se coiffer. Que se passait-il donc ? Elle redoutait d'être trop optimiste, et pourtant...

Tous deux sortirent de la petite maison en courant. Les cow-boys, rassemblés près de la grange, discutaient à voix basse, l'air sombre.

Le peignoir bleu d'Enid était accroché à la barrière du corral ; un bout de papier y était cloué et s'agitait sous le vent. Chase s'en empara et lut à voix haute :

— « Un feu a pris la mienne, un feu a pris la tienne. Un Dupré a payé, le suivant paiera davantage. Demain, peut-être. Quand Enid aura disparu, le tour de Jane viendra ensuite. Prends garde, Chase : les Dupré paieront un par un. »

— Chase, dit Jane, au bord des larmes, cela veut dire qu'Enid est toujours vivante.

Il se tourna vers les décombres de la demeure.

— « Un feu a pris la mienne, un feu a pris la tienne… »

Il s'avança vers les ruines noircies, sans cesser de répéter la formule. Jane le suivit.

— C'est quelqu'un que nous connaissons, dit-il. Qui nous connaît bien. Qui a été victime d'un incendie et pense que c'est de notre faute.

— Mais Chase, tout cela n'a pas de sens.

— Daniels ! lança-t-il d'un ton mauvais.

— Josh Daniels ? Il est trop vieux et…

— Powell.

Il prononça ce nom d'un tel ton qu'elle en eut la chair de poule.

— Mais il est mort !

— C'est ce qu'on nous a dit.

— Chase, dit-elle en le prenant par le bras, sois raisonnable ! Consuela et lui sont morts dans…

Puis elle s'interrompit et ouvrit grands les yeux.

— Chase, il est fou !

— Je vais me rendre aux Grands Pins.

— Tu ne penses quand même pas qu'il y détient tante Enid ? Jamais Josh ne…

— Je ne sais pas ce que Josh ferait. Mais Powell savait que je finirais par élucider sa petite énigme. Il croit que je vais aller là-bas avec beaucoup d'hommes. Il se trompe.

— Je vais seller nos chevaux.

Il l'arrêta net.

— J'y vais seul. Cette fois, Jane, il va falloir que tu m'écoutes. C'est à toi qu'il va s'en prendre ensuite, et je ne veux pas courir le moindre risque. Tu restes ici.

L'expression de son visage montrait assez que mieux valait ne pas discuter.

— Je reste là, dit-elle. Mais promets-moi d'être prudent. Emmène quelques-uns des hommes, ils pourront rester à couvert. Je t'en prie, Chase !

— D'accord, dit-il en embrassant ses cheveux. Ne t'inquiète pas. Je serai bientôt de retour. Avec la tante Enid.

Chase prit un chemin détourné pour se rendre aux Grands Pins, en restant aussi près que possible des montagnes. Teddy et Pike l'accompagnaient ; Red et Corky étaient restés au ranch et se chargeraient de veiller sur Jane.

C'est en fin de matinée que Chase parvint au ranch des Daniels.

— Restez ici, dit-il aux deux autres. J'y vais seul.

— Tu ne crois pas que l'un de nous devrait t'accompagner ? demanda Teddy.

— Non. Si au bout d'une heure je ne suis pas revenu, filez à toute allure.

Comme il approchait, Chase posa la main sur la crosse de son revolver, puis sortit la Winchester de son fourreau. Il était prêt.

— Daniels ! lança-t-il. Daniels, je suis là !

Il examina les environs, guettant le moindre bruit, s'attendant à tout.

La porte s'ouvrit ; une femme d'âge mûr, vêtue d'une robe brune et d'un tablier blanc, sortit sur la véranda :

— Monsieur Daniels vous demande d'entrer, monsieur.

Il mit prudemment pied à terre sans lâcher son fusil, toujours aux aguets.

— Monsieur Daniels est dans son bureau, ajouta-t-elle. Je vous prierai de ne pas rester trop longtemps, il n'est pas bien ces derniers temps.

Cela faisait quatre mois que Chase n'avait pas revu Josh. Jamais il n'aurait cru qu'un délai aussi court puisse le transformer à ce point : sans doute ne l'aurait-il pas reconnu en le croisant dans la rue.

Josh était assis dans un fauteuil près de la cheminée, une couverture sur les genoux, une écharpe posée sur les épaules. Ses cheveux et ses sourcils, autrefois bruns, étaient désormais tout blancs, son teint rougeaud avait viré au jaune. Il leva vers Chase des yeux sans vie.

— Bonjour, dit-il d'une voix morne.

— Où est Powell ?

— Il est mort.

— Non, Josh, et tu le sais. Je suis venu le trouver. Où est-il ?

— Powell est mort. Mes deux fils sont morts.

Chase s'avança, furieux. Mais la colère ne le mènerait nulle part. Quelque chose s'était brisé en Josh. Chase ne l'avait jamais beaucoup aimé, mais ne put s'empêcher de ressentir ce qui ressemblait à de la pitié.

— Rod est mort en route avec vous, reprit le vieillard d'un ton monocorde. Vous l'avez enterré au Wyoming. J'avais toujours pensé qu'il reviendrait, avec sa femme et leur petite fille... Je n'ai jamais compris pourquoi il s'était détourné de nous. J'aimais ce garçon, mais je crois que jamais il ne s'en est rendu compte. Il se croyait différent de son frère et de moi... Un bon garçon...

— Où est Powell ? Je sais qu'il n'est pas mort.

Josh parut ne pas avoir entendu.

Chase s'avança :

— Où est-il, Josh ? Il faut que je le retrouve.

Pas de réponse.

— Il a tué oncle Frank, il a incendié la maison, et laissé un message annonçant qu'il tuerait tante Enid aussi. Il faut que je le retrouve.

Jane marchait de long en large entre la minuscule cuisine et le séjour. Combien de temps s'était-il écoulé ? Était-il déjà aux Grands Pins ? Powell et Enid s'y trouvaient-ils ? Et s'il s'agissait d'une embuscade ? Si jamais Chase avait tort ?

Elle sortit. Zeke et Red s'occupaient des bêtes, la fumée montait de la cheminée du dortoir. Tout avait l'air si normal, si rassurant.

Jane reprit ses allées et venues. Pourquoi lui avait-elle promis de rester ici ? Elle aurait dû être avec lui, elle tirait aussi bien qu'un homme.

De nouveau elle sortit. La porte de la grange était grande ouverte, Red avait dû y entrer. Peut-être le temps passerait-il un peu plus vite si elle parlait à quelqu'un au lieu de tourner en rond. Mettant son manteau et son chapeau, elle courut vers le bâtiment.

Il était parfaitement vide ; pas la moindre trace de Red. Fermant la porte derrière elle, Jane se dirigea vers le box dans lequel Wichita était allongée sur la paille.

— Comment va, ma fille ? demanda-t-elle en caressant les oreilles de la jument. Fatiguée, hein ? Moi aussi.

Jane l'avait fait saillir par l'étalon de Julio avant le départ de celui-ci, et se demandait si leur pénible chevauchée, les maigres rations ne seraient pas préjudiciables au poulain qu'elle attendait. Cette pensée était si pénible qu'elle préféra plaisanter :

— D'après toi, est-ce que ton fils sera noir comme Diablo ou noir et blanc comme toi ?

Wichita renifla et hocha la tête.

— J'ai horreur d'attendre, Wichita, dit Jane en la caressant. J'ai horreur d'attendre.

Sortant de la grange, elle pensa passer au dortoir, puis se dit que mieux valait s'en abstenir. Les hommes étaient encore trop accablés par la mort tragique de Frank, l'enlèvement de tante Enid, et devaient se demander si Chase était en danger. Pas besoin, de surcroît, d'une épouse anxieuse qui se tordait les mains.

La tête basse, Jane revint vers la petite maison, derrière les ruines noircies, qu'elle s'efforça de ne pas regarder : c'était trop douloureux.

Elle entra. Encore attendre, encore s'inquiéter, encore marcher de long en large...

Elle posa son manteau sur une chaise, avec son chapeau et son cache-nez par-dessus. Puis elle se dirigea vers la chambre. Peut-être que si elle réussissait à s'endormir, Chase serait là quand elle s'éveillerait. S'allongeant tout habillée sur le lit, elle s'enroula dans une couverture et ferma résolument les yeux en respirant très lentement.

— Ce ne sera pas très utile, chuchota une voix rauque tout près de son oreille.

Elle voulut hurler, mais n'en eut pas le temps. Violemment frappée au front, elle se sentit tomber dans un puits sans fond rempli de ténèbres qui l'engloutirent tout entière.

35

— Josh, il faut que tu m'aides à le retrouver.

Le vieillard tourna péniblement les yeux vers Chase :

— Il a tué Frank ?

Chase acquiesça de la tête.

— Il y a eu un moment où j'aurais voulu en faire autant. Mais c'était quelqu'un de bien, Enid l'aimait... Il l'a enlevée ?

— Oui. Où l'a-t-il emmenée ?

— Je l'ignore. Il est revenu, il y a deux ou trois jours, peut-être plus, je ne sais pas. Il a pris de la nourriture, des couvertures, je lui ai demandé où il allait, il n'a pas répondu.

Il se tut, contemplant le feu, puis reprit de la même voix monocorde :

— Je lui ai dit une fois que la haine le dévorerait. Il n'a plus d'âme ; elle a été consumée dans l'incendie.

Chase sentit que Josh allait se mettre à divaguer ; furieux, il s'agenouilla près de lui, posa son fusil, puis le prit par les épaules et le secoua :

— Josh, il faut que tu m'aides. Il doit bien y avoir un endroit où il retient tante Enid prisonnière, où il se cache. Où pourrait-il aller pour cela ?

— Enid était la plus belle fille du comté... Nous aurions dû nous marier, tout le monde le savait. Puis Frank est arrivé et me l'a volée... Il l'a emmenée en

Californie… Mais je l'ai retrouvée… Cela m'a pris des années. Ici, au Montana. J'aurais voulu l'arracher à Frank, mais je n'y suis pas parvenu. Elle l'aimait et je n'y pouvais rien. Powell m'a toujours méprisé à cause de ça. Il veut toujours s'emparer de ce qu'il désire, sans regarder aux moyens…

Le vieillard se tut un instant.

— Il y a dans les montagnes une vieille cabane où il aimait aller, du temps où Rod et lui étaient gamins. Cela fait des années que je n'y suis pas allé, je ne sais même pas si elle est encore debout.

— Où est-elle ? Dis-moi comment y aller.

Jane avait horriblement mal à la tête. Elle voulut lever la main vers son crâne, mais se rendit compte qu'elle ne pouvait bouger : ses poignets étaient ligotés, la corde lui entrait dans les chairs. Elle était appuyée contre un mur. Il faisait froid, mais un feu brûlait non loin de là. Jane prit soin de garder les yeux fermés pour mieux réfléchir.

Il y eut un raclement de chaise, puis un bruit de pas. Powell, c'était forcément Powell ! La peur l'envahit. Une porte qu'on ouvre, qu'on ferme. Puis plus rien. Elle ouvrit les paupières. Une petite cabane au plancher de bois, avec une seule fenêtre. Une table, une chaise, un matelas près de la cheminée.

La porte s'ouvrit brusquement avant que Jane ait le temps de feindre d'être inconsciente. Enid entra en titubant et s'effondra à ses pieds.

— Essaie encore une fois, vieille folle, et je n'attendrai pas que Chase soit là ! lança Powell.

— Tante Enid… chuchota Jane, effrayée de la voir rester immobile.

— Ah, tu es enfin réveillée ! s'exclama leur ravisseur avant de refermer la porte.

Il alla s'installer près du feu, repoussant Enid du bout du pied. S'asseyant, il souleva sa cagoule et se mit à manger quelques provisions posées sur la table.

La chemise de nuit d'Enid était sale et froissée, il y avait sur sa joue un horrible bleu.

— Tante Enid !

Les paupières de la vieille femme s'agitèrent.

— Tante Enid, c'est Jane.

Sa tante ouvrit les yeux, regarda longuement la jeune femme, puis se redressa d'un air las, l'air accablé, les yeux cernés.

— Que t'a-t-il fait, tante Enid ?

— Rien qu'elle n'ait mérité ! répondit Powell.

Enid eut un coup d'œil vers lui, puis vint en rampant s'asseoir près de Jane :

— C'est Powell. Il a tué Frank, dit-elle à voix basse.

— Je sais.

— Et Chase ?

— Il va bien, il te cherche.

— J'ai tenté de m'enfuir, mais il m'a retrouvée. Ce ne serait que moi... mais il t'a trouvée, Jane.

Elle parlait d'un ton accablé qui épouvanta sa nièce adoptive. Enid avait toujours été si forte ! Il ne fallait pas qu'elle perde espoir. Jane la regarda et, sans parler, articula les mots *Essaie de libérer mes mains*.

Enid entreprit furtivement de s'attaquer aux liens enserrant les poignets de Jane. Powell remettant sa cagoule, elle s'interrompit en toute hâte. Elle frissonnait de froid, ses lèvres étaient presque bleues.

— Powell, dit Jane, donne au moins une couverture à tante Enid, elle meurt de froid.

— Elle n'en a plus pour longtemps à vivre, de toute façon ! répondit-il en se levant.

Sans même leur jeter un regard, il sortit de la cabane.

— Aide-moi, tante Enid, dit Jane en s'efforçant de rompre ses liens.

Au même moment, elle réussit à libérer un de ses poignets, non sans s'entailler la peau, puis l'autre, et se redressa d'un bond. Sa tête lui faisait mal, la pièce semblait tournoyer. Elle s'appuya contre le mur pour se remettre un peu.

— Il va revenir, dit Enid.

— Jette de l'eau sur le feu, répondit Jane en s'emparant d'une chaise qu'elle ramena près de la porte.

La pièce s'emplit de fumée.

— Renverse la table et cache-toi derrière. Et ne te montre pas, quoi qu'il arrive.

Jane se plaça derrière la porte, l'oreille collée au mur pour guetter le retour de Powell. Elle l'avait autrefois assommé avec une chaise et, grâce à l'effet de surprise, pourrait peut-être recommencer.

Il ne lui fallut pas attendre longtemps. La porte s'ouvrit, il entra.

— Qu'est-ce que…

Elle abattit la chaise de toutes ses forces mais, levant aussitôt un bras, il la lui arracha des mains et la jeta au loin. Jane voulut lui échapper ; il la saisit par les cheveux et l'attira vers lui. Elle se débattit, tenta de le frapper. Il eut un gros rire en la faisant sortir de la cabane.

— Espèce de… commença-t-elle, folle furieuse.

Il la gifla, tout en la tenant toujours de l'autre main.

Elle bondit vers lui, toutes griffes dehors, lui arracha sa cagoule, tout en s'efforçant de lui planter ses ongles dans le cou.

Il eut un grognement inhumain et la jeta à terre.

Jane le regarda, trop sidérée pour penser à bouger. Le visage était hideux. Toute la moitié gauche se réduisait à une masse de tissus brûlés, l'oreille avait disparu ; on ne voyait plus sur le crâne que quelques rares mèches de cheveux.

— Je te fais peur, Jane ? demanda-t-il en la remettant sur pied. Regarde-moi bien ! Tu vas me voir d'encore plus près quand je te ferai l'amour ! Je voulais te tuer, mais ce sera une vengeance bien plus agréable. Ne croyez-vous pas, madame Dupré ?

Elle se débattit, mais en vain.

— Mais d'abord il faut que je m'occupe de ta tante. Comment nous y prendre, Jane? Lentement? Rapidement? Et si je lui donnais un visage comme le mien?

— Powell, tu es fou! Jamais tu ne t'en sortiras! Laisse partir tante Enid, tu n'as aucune raison de lui en vouloir. Laisse-moi la ramener aux Quatre-Vents.

Il grimaça:

— Les Quatre-Vents! Toujours les Quatre-Vents, toujours les Dupré! Tu croyais que j'allais te laisser repartir vers eux, Consuela? Tu croyais pouvoir te servir de moi? Ce ne sera pas aussi facile! Je t'ai retrouvée, et cette fois je ne te laisserai plus partir!

Il était fou. Jane se sentit envahie par le désespoir qu'elle avait lu sur le visage de tante Enid.

Josh arrêta son cheval et, fronçant les sourcils, regarda autour de lui.

— Je ne suis plus très sûr. Je crois que... Non, c'est par ici.

Chase se sentit prêt à exploser. La nuit viendrait bientôt, il fallait qu'il retrouve tante Enid.

— Josh, tu es sûr?

— Oui. Par ici.

Chase réfléchit. La vie de sa tante pouvait dépendre de sa décision. Il aurait préféré avoir davantage d'hommes avec lui, mais...

— Pike et Teddy, partez par là. Si vous les trouvez, l'un d'entre vous revient me prévenir. Je pars avec Josh.

Ils continuèrent à grimper pendant près d'une demi-heure, sans bruit ou presque – la neige étouffait le bruit des sabots. Chase commençait à perdre l'espoir de les retrouver avant le crépuscule. Peut-être Josh le fourvoyait-il à dessein, peut-être savait-il où était vraiment Powell. Peut-être lui et tante Enid étaient-ils aux Grands Pins.

Josh s'arrêta une fois de plus.

— Je crois que mon cheval boite, dit-il en mettant pied à terre.

Il se pencha pour examiner la patte avant de l'animal.

— Oui. C'est une pierre.

Chase fit avancer sa monture.

— Fais ce que tu veux. Je pars en avant, rejoins-moi si tu peux.

Josh devait les retarder exprès. Mais Chase n'avait plus le choix : il était trop tard, il fallait bien lui faire confiance.

Une dizaine de minutes plus tard, il entendit un bruit. S'arrêtant, il écouta. Oui. Des voix, il en était sûr. Il sauta à bas de son cheval, qu'il attacha à un arbre, prit son fusil et s'avança en silence.

Il s'arrêta tout d'un coup. C'était la voix de Jane. Elle était là, avec Powell ! Il reprit sa progression, encore plus prudemment, en se contraignant à ne pas courir vers eux. Désormais deux vies dépendaient de lui.

Il eut des sueurs froides en découvrant la scène. Powell, défiguré au point d'en être méconnaissable, avait placé Enid devant lui. Il avait un couteau dans une main, et dans l'autre un brandon enflammé qu'il agitait tout près du visage de la tante. Jane était allongée sur le sol, pieds et poings liés.

— Tu étais déjà laide, la vieille, mais ça ne va pas s'arranger ! lança Powell avec un gros rire.

— Laisse-la partir ! s'exclama Jane en tentant de se redresser.

— Je me suis toujours demandé ce que mon père pouvait bien te trouver, dit Powell sans se retourner. Il te croyait mieux que ma mère ! Il changera d'avis quand j'en aurai fini avec toi.

Chase s'efforça de viser, mais Powell bougeait sans arrêt, tenant toujours Enid devant lui, comme s'il savait que son vieil ennemi était là. Chase regarda autour de lui. Peut-être qu'en se déplaçant sur sa droite...

Jane ne comprit pas ce qui se passait. Powell était au-dessus d'elle, maintenant toujours tante Enid. L'instant d'après, voilà qu'il l'avait repoussée, jetant à terre son brandon, pour soulever Jane et la placer devant lui. Un couteau s'en vint effleurer sa gorge. Il lui fit parcourir quelques mètres de façon à se trouver dos à la cabane.

— Sors de là, Dupré! Sors de là ou elle meurt!

Jane resta stupéfaite : Chase était là!

— Sors, Dupré!

Powell appuya un peu plus sur le couteau : Jane eut un cri.

Chase s'avança dans la clairière, le visage dur. Il était là. Il prendrait soin d'elle.

— Jette ton fusil! Et laisse tomber ton revolver!

Chase obéit.

— Laisse partir les femmes, Powell. Tout ça est entre toi et moi.

L'autre eut un gros rire.

— Madame Dupré, prenez donc cette corde et ligotez-le. Et ne tente rien, vieille folle! Contente-toi de faire ce qu'on te dit!

Épuisée, Enid se leva péniblement, prit la corde et s'avança vers Chase.

— Et fais-moi du bon boulot! Je vérifierai!

Jane vit donc la tante nouer les mains de Chase dans son dos, avant de se laisser tomber à ses pieds.

Jane perdit tout espoir. Tous allaient mourir. Si seulement elle avait pu être sa femme un peu plus longtemps. Si seulement elle avait pu lui donner un fils. Si seulement...

— Et maintenant, jette-moi cette arme.

Le Colt Peacemaker glissa sur la neige. Entraînant Jane, Powell s'en empara, sans jamais cesser de lui tenir le couteau sur la gorge, puis il pointa le revolver vers Chase.

— Pourquoi fais-tu tout cela, Powell? demanda celui-ci.

— Pourquoi? Tu ne le sais donc pas, Dupré? Tu sais pas ce que c'est que d'avoir grandi dans ton ombre! Avec un père qui ne cessait de pleurnicher sur la vieille souillon qui est ici! Des parents qui parlaient sans arrêt des Dupré, de leur ranch si beau! Un frère qui est allé vivre chez vous! Mais c'est terminé, Chase, et tu vas t'en rendre compte. Quand j'en aurai fini avec vous tous, je m'emparerai aussi des Quatre-Vents. Tout sera à moi.

— Tu ne t'en tireras jamais! Mes hommes sont au courant de tout! Tu peux nous tuer, mais tu n'auras jamais le ranch!

— Tu veux savoir comment j'ai eu ta femme? Aux Grands Pins, dans une étable, partout où je voulais! Elle m'a dit à quel point elle te haïssait. Un moins que rien! Pas assez homme pour la rendre heureuse! Faut dire qu'elle avait le sang chaud! Et tu l'as tuée dans l'incendie!

— Elle était avec toi à ce moment-là, Powell!

Celui-ci s'avança vers l'appentis voisin en emmenant Jane avec lui.

— Tu l'as tuée, Chase, tu ne voulais pas qu'elle soit à moi. Et maintenant, je vais tuer Jane, mais en m'amusant d'abord un peu avec elle. Quand tu mourras, ce sera en sachant ce que je vais lui faire.

Chase s'avança d'un pas.

Powell leva le couteau jusqu'à l'œil de Jane :

— Tu veux qu'en plus elle devienne aveugle, Dupré? Moi, ça ne me gênera pas pour ce que je lui prépare.

Chase s'arrêta, livide.

— Je t'aime, Chase, s'écria-t-elle.

— Boucle-la! s'écria Powell.

Je t'aime aussi, dirent les yeux de Chase, qui lança :

— Pense à ton père! Comment réagira-t-il en apprenant que tu nous as tués?

— Mon père? Il y a longtemps qu'il a cessé de s'intéresser à moi. Cela fait des années qu'il te compare à moi! Il croyait que je ne le savais pas! Il disait même qu'il finissait par comprendre Rod! Tu te rends compte? Mon frère, ce minable! Je me suis occupé de lui aussi! Je lui ai fracassé le crâne!

Chase eut un air stupéfait; Powell éclata de rire.

— Tu croyais que c'était un accident, hein? Cela montre quel imbécile tu es, Dupré! Je l'ai tué! Comme tous ceux qui se mettent en travers de mon chemin!

Il y eut un silence. Jane voulait désespérément croire que c'était un mauvais rêve. Peut-être qu'en fermant les yeux, elle se réveillerait au côté de Chase… Il la tiendrait dans ses bras, la réconforterait…

— Tu sais quoi, Dupré? lança Powell. Je me lasse un peu de discuter. Je crois qu'il est temps de passer aux choses sérieuses.

Le revolver se dressa, le chien cliqueta. Jane entendit un hurlement sans même se rendre compte qu'il venait de sa propre gorge. Ne prenant pas garde au couteau, elle donna un coup d'épaule en direction de l'arme. Il y eut un coup de feu, puis un autre, et encore un autre. Elle vit Chase tomber et attendit que le couteau de Powell mette un terme à son cauchemar.

Il ne se passa rien.

Jane fit volte-face, s'étant rendu compte qu'il n'y avait plus personne derrière elle. Powell était étendu sur le sol. Ses yeux contemplaient le ciel sans le voir. Du sang coulait d'un petit trou sur sa tempe.

Josh Daniels émergea des fourrés, marchant à pas lents, un bras raide, l'arme encore à la main. Il parvint à hauteur de Powell et le regarda longuement, avec une expression figée.

— Il a tué son propre frère, dit-il d'une voix morne. Son propre frère.

La voix du vieillard tira Jane de son état de choc. Elle lança le nom de Chase, s'attendant à le voir mort, lui aussi. Mais il courait vers elle en trébuchant. Son bras gauche pendait, sa veste était tachée de sang.

— Merci, mon Dieu, chuchota-t-il. Merci, mon Dieu…

Elle éclata en sanglots :

— Ton bras !

— Ce n'est rien.

— Et tante Enid ?

— Je suis là, chérie.

Jane croisa le regard gris de sa tante.

— Il faut qu'on te ramène à la maison ! Chase, emmène-nous !

36

— Tante Enid, tu es sûre que cela ne t'ennuie pas ? Je ne suis pas obligée de sortir.

— Jane, tu parles comme si tu avais des kilomètres à faire ! Cela fait des semaines que tu ne sors plus de cette maison ! Va avec Chase et amuse-toi ! Si j'ai besoin de toi, je te le ferai savoir.

Jane eut un sourire timide et embrassa la joue pâle de sa tante.

— Eh bien… si tu es sûre…

Depuis la mort de Frank, Enid avait maigri, son visage s'était ridé. Mais l'été lui avait rendu son sourire. Sans doute ne se remettrait-elle jamais tout à fait de la mort de son mari et de l'horrible épreuve qui avait suivi. Une pneumonie avait bien failli l'emporter. Peut-être ne s'était-elle accrochée à l'existence que parce qu'elle savait qu'une naissance s'annonçait aux Quatre-Vents.

Jane se pencha sur le berceau. Frank John Dupré, âgé de cinq semaines, leva vers elle des yeux bleu sombre.

— Bonjour, petit homme, gazouilla sa mère en le prenant dans ses bras.

— Jane Dupré, laisse-moi cet enfant et va retrouver ton mari. Le petit Frank et moi nous débrouillerons très bien.

— D'accord ! Mais appelle-moi si tu as besoin de moi !

Embrassant sa tante sur le front, Jane lui confia le bébé et sortit de la chambre.

Elle passa dans la sienne prendre son chapeau, non sans se regarder dans le miroir, heureuse de constater qu'elle avait déjà retrouvé son allure, si peu de temps après la naissance. Sa poitrine était même plus opulente, ses hanches plus épanouies. Puis elle se coiffa et de nouveau s'examina. Non, elle n'avait pas changé.

Elle haussa les épaules, puis regarda autour dans la chambre. La sienne. La leur. La nouvelle demeure était encore plus vaste que celle qui avait disparu dans les flammes. Chase avait tenu à des pièces supplémentaires : la famille grandirait vite…

Jane faillit bien retourner chez Enid pour admirer le bébé une fois de plus. Jamais elle n'aurait cru qu'un jour elle se sentirait mère, et de tout son cœur. Mais Chase attendait, il était temps qu'elle lui consacre plus de temps.

Il avait sellé Wichita, attachant ses rênes à la balustrade. À côté de la jument, un joli poulain noir, véritable portrait de son père. Quand Jane sortit sur la véranda, il s'enfuit, puis revint au trot en agitant fièrement la queue.

—*Buenas tardes*, Bandito, dit-elle en souriant. Diablo serait fier de toi !

Elle caressa le museau de Wichita.

— Comment vas-tu, ma fille ? Il t'épuise autant que le mien ?

Chase arrivait vers elle, monté sur Dodge. Comme d'habitude, le cœur de Jane se mit à battre. Était-il vraiment possible d'aimer quelqu'un chaque jour davantage ?

— Tu es prête ?

— Je suis prête.

— Alors, allons-y.

Ils chevauchèrent pendant plus d'une heure. Jane n'était pas remontée à cheval depuis plusieurs mois :

la grossesse, le bébé… C'était sa première occasion de revoir le domaine. Il faudrait une année de plus avant qu'ils puissent nourrir autant de bétail qu'autrefois, mais le temps viendrait.

Chase avait en effet augmenté le cheptel, cette fois avec des bêtes venues de l'Oregon. Comme il était bon de respirer l'air des montagnes, noires de pins, dont les sommets semblaient toucher le ciel. La vie était merveilleuse.

Ils revinrent au ranch alors que le crépuscule tombait.

Chase s'arrêta près du dortoir.

— Entrons, on pourra peut-être disputer une petite partie de cartes !

Un nuage de fumée bleue emplissait la pièce. Jane examina ses cartes. Une bonne main : trois valets, un as.

— Vingt *cents* de plus.

Pike passa une main sur son visage buriné, puis se leva.

— C'est trop pour moi !

Il se rassit un peu plus loin et alluma un cigare.

Teddy jeta à Jane un regard pensif.

— Je suis, annonça-t-il en déposant sa monnaie.

— Je crois qu'elle bluffe, les gars, gloussa Chase. Voici une pièce d'or de cinq dollars qui vous le prouvera.

— Je vais en rester là, soupira Corky.

— Je suis toujours, répondit Jane. D'accord pour cinq dollars.

Teddy quitta la table sans rien dire.

Chase la regarda en clignant des yeux, puis eut un sourire épanoui :

— Madame Dupré, vous êtes à sec, comment comptez-vous suivre ma mise ?

Il poussa une seconde pièce au centre de la table et, avant qu'elle puisse dire quoi que ce soit, demanda, comme si l'idée lui venait :

— Mais peut-être pourriez-vous être vous-même la mise ? J'entends bien que vous n'avez rien d'extraordinaire, mais on me dit que plus tard ça pourrait s'arranger.

— Je suis bonne travailleuse, monsieur, et n'ai pas l'habitude d'être dorlotée.

Elle se souvint de cette journée, horrible et superbe, où ils s'étaient rencontrés au saloon.

— Je tiens.

Chase sourit jusqu'aux oreilles.

— Madame, il faut vous dire qu'on raconte que parfois vous trichez aux cartes.

— Jamais de la vie ! répondit-elle avec aplomb.

— Pas cette fois, en tout cas.

Il étala quatre rois sur la table.

— C'est la seconde fois de ma vie qu'ils m'apportent autant de chance. Vous feriez mieux de m'accompagner, dit Chase qui, se levant, lui tendit la main.

Elle fit de même, sans jamais le quitter des yeux tandis qu'il souhaitait bonne nuit aux autres. Une fois dehors, sous la pâle lueur glacée de la lune, il se tourna vers elle, l'air espiègle, puis la souleva, la jeta sur son épaule et, à grands pas rapides, se dirigea vers la demeure.

— Chase, lâche-moi ! Immédiatement ! On va te voir ! Chase !

Il se contenta de rire, sans jamais ralentir le pas, jusqu'à ce qu'ils soient dans leur chambre : il ferma la porte d'un coup de pied, puis la porta jusqu'au lit et l'y jeta sans cérémonie.

— Chase, vraiment !

Il vint s'allonger à côté d'elle, avec un sourire plein de tendresse.

— Je vous ai menti, madame, dit-il en l'embrassant dans le cou.

— Vraiment ? répondit-elle, essayant, en vain, de feindre la colère.

— Quand j'ai dit que ça pourrait s'arranger. Tu es déjà la plus belle femme entre ici et le Texas.

Il se mit à dégrafer son corsage.

— C'est vrai, Chase ? demanda Jane en fermant les yeux pour découvrir, une fois de plus, que les lèvres et les mains de son époux pouvaient faire naître en elle des sensations merveilleuses.

— Jane…

— Hmmm ?

— J'ai beaucoup de chance.

Elle sourit sans ouvrir les paupières. Certes, six ans plus tôt, c'est bien elle qui les avait réunis ; mais ce soir, qu'il avait été difficile de faire en sorte qu'il ait quatre rois !

— Tant que nous serons ensemble, mon amour, chuchota-t-elle, elle sera toujours avec toi. J'y veillerai.

Ce mois-ci, retrouvez également les
titres de la collection

Amour et Destin

Des histoires d'amour riches en émotions déclinées en trois genres :

Intrigue   *Romance d'aujourd'hui*   *Comédie*

Le 4 novembre   *Comédie*
Méli-mélo de Jill Mansell (n° 5555)
Bath n'est pas une ville très gaie en hiver. Et quand la vie ne ressemble pas à ce que vous aviez imaginé, il y a de quoi déprimer…
C'est la conclusion à laquelle sont arrivées Liza, Prune et Dulcie, qui ruminent régulièrement leurs malheurs devant un plat de spaghettis.
À la veille du nouvel an, toutes trois décident de prendre leur destin en main et s'arment de bonnes résolutions…

Le 12 novembre   *Romance d'aujourd'hui*
Pour les yeux d'une autre de Patricia Kay (n° 6329)
Étudiants, Adam et Natalie tombent éperdument amoureux l'un de l'autre, en dépit de leurs différences sociales. Lorsque Adam annonce à son père son intention d'épouser Natalie, il apprend à son grand désespoir que celui-ci s'est engagé à ce qu'il épouse la fille de son associé. Adam renonce à Natalie. Il la retrouve par hasard douze ans plus tard, et sait que ses sentiments n'ont pas changé…

Le 19 novembre   *Romance d'aujourd'hui*
En souvenir du passé de Sandra Kitt (n° 6418)
À la mort de Stacy, une vieille connaissance, Deanna, jeune femme noire d'environ 35 ans, se retrouve avec un drôle d'héritage sur les bras : une enfant de six ans. Malgré son travail accaparant, elle accepte de s'occuper de la petite Jade jusqu'à ce la justice lui trouve une famille d'accueil. En attendant, il lui faut assumer son nouveau rôle de maman. Patterson, le fils de la nounou de Jade, saura-t-il l'aider ?

Le 26 novembre   *Intrigue*
Quand tombent les masques de Susan Wiggs (n° 6419)
Sandra et son mari, le sénateur Victor Wislow, ont eu un accident de voiture au cours duquel Victor est mort. S'agit-il d'un accident ou Sandra a-t-elle tué son mari ? Les soupçons pèsent sur elle. Décidée à commencer une nouvelle vie ailleurs, Sandra rénove sa vieille maison de Paradise afin de la vendre, avec l'aide de Mike Malloy, un entrepreneur du coin. Cela suffira-t-il à effacer le passé ?

6376

Composition Chesteroc International Graphics
Achevé d'imprimer en Europe (France)
par Brodard et Taupin à La Flèche (Sarthe)
le 25 octobre 2002 – 15332.
Dépôt légal octobre 2002. ISBN 2-290-32006-4

Éditions J'ai lu
84, rue de Grenelle, 75007 Paris
Diffusion France et étranger : Flammarion